HENRY MILLER

Trópico de Capricornio

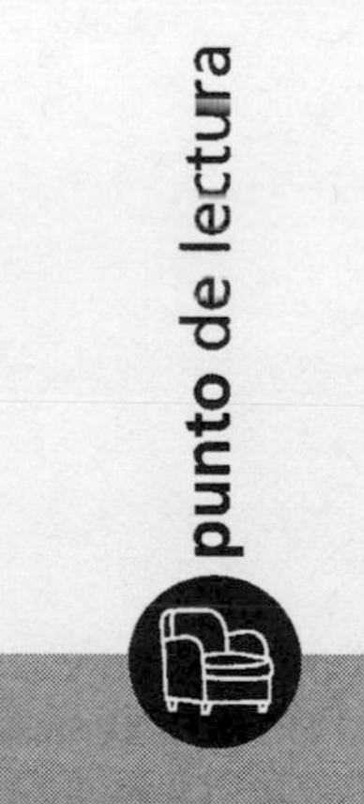

Título: Trópico de Capricornio
Título original: *Tropic of Capricorn*

Barquillo, 21. 28004 Madrid (España) www.puntodelectura.com

ISBN: 84-663-0906-3
Depósito legal: B-19.331-2003
Impreso en España – Printed in Spain

Cubierta: IBD
Fotografía de cubierta: AGE FOTOSTOCK
Diseño de colección: Ignacio Ballesteros

Impreso por Litografía Rosés, S.A.

HENRY MILLER

Trópico de Capricornio

Traducción de Carlos Manzano

A Ella

Introducción

a *Historia Calamitatum*

(«Historia de mis desventuras»)

Muchas veces el ejemplo es más eficaz que las palabras para conmover los corazones de hombres y mujeres, como también para mitigar sus penas. Por eso, como yo también he conocido el consuelo proporcionado por la conversación con alguien que fue testigo de ellas, me propongo ahora escribir sobre los sufrimientos provocados por mis desventuras para quien, aun estando ausente, siempre sabe consolar. Lo hago para que, al comparar tus penas con las mías, descubras que las tuyas no son nada en verdad, o a lo sumo de poca monta, y puedas llegar a soportarlas mejor.

PEDRO ABELARDO

En el tranvía ovárico

Una vez que has entregado el alma, lo demás sigue con absoluta certeza, aun en pleno caos. Desde el principio nunca fue sino caos: el fluido que me envolvía, que aspiraba por las branquias. En el substrato, donde brillaba la luna, inmutable y opaca, todo era suave y fecundante; por encima, disputa y discordia. En todo veía yo en seguida el extremo opuesto, la contradicción y, entre lo real y lo irreal, la ironía y la paradoja. Era el peor enemigo de mí mismo. No había nada que deseara hacer que no pudiese igualmente dejar de hacer. Aun de niño, cuando no me faltaba de nada, deseaba morir: quería rendirme, porque luchar no tenía sentido para mí. Consideraba que la continuación de una existencia que no había pedido no iba a probar, verificar, añadir ni substraer nada. Todos los que me rodeaban eran fracasados o, si no, ridículos. Sobre todo, los que habían tenido éxito. Éstos me aburrían hasta hacerme llorar. Era compasivo para con las faltas, pero no por piedad. Era una cualidad puramente negativa, una debilidad que brotaba ante el mero espectáculo de la miseria humana. Nunca ayudé a nadie con la esperanza de que sirviera de algo; ayudaba porque no podía dejar de hacerlo. Me parecía inútil querer cambiar el estado de cosas; estaba convencido de que, sin un cambio del corazón, nada cambiaría, ¿y quién podía cambiar el corazón de los hombres? De vez en cuando un amigo se convertía: algo que me hacía vomitar. Yo tenía tan poca necesidad de Dios como Él de mí y con frecuencia me decía que, si Dios existiera, iría tranquilo a su encuentro y le escupiría en la cara.

Lo más irritante era que, a primera vista, la gente solía considerarme bueno, generoso, leal, fiel. Tal vez tuviese esas virtudes, pero, si las tenía, se debían a mi indiferencia: podía darme el lujo de ser bueno, amable, generoso, leal, etcétera, porque estaba exento de envidia. La envidia es la única cosa de la que nunca he sido víctima. Nunca he envidiado a nadie ni nada. Al contrario, lo único que he sentido ha sido compasión de todo el mundo y de todo.

Desde el principio mismo debí de ejercitarme en no desear nada con ansia. Desde el principio mismo fui independiente, pero de forma falsa. No necesitaba a nadie, porque quería ser libre, libre para hacer y dar sólo lo que dictaran mis caprichos. En cuanto esperaban algo de mí o me lo pedían, me negaba. Ésa fue la forma que adoptó mi independencia. En otras palabras, estaba corrompido, corrompido desde el principio. Como si mi madre me hubiera amamantado con veneno y éste —aunque me destetó pronto— hubiese permanecido en mi organismo. Incluso cuando me destetó, me mostré, al parecer, del todo indiferente; la mayoría de los niños se rebelan, o fingen rebelarse, pero a mí me importaba un comino. Fui un filósofo ya en mantillas. Estaba contra la vida, por principio. ¿Qué principio? El de la futilidad. A mi alrededor todos luchaban sin cesar. Por mi parte, nunca hice un esfuerzo. Si parecía que lo hacía, era sólo para agradar a alguien; en el fondo, me importaba un bledo. Y, si pudierais decirme por qué había de ser así, lo negaría, porque nací con una vena de maldad y nada puede suprimirla. Más adelante, ya adulto, me enteré de que les costó un trabajo de mil demonios sacarme de la matriz. Lo entiendo perfectamente. ¿Por qué moverse? ¿Por qué salir de un lugar agradable y cálido, un refugio acogedor donde te ofrecen todo gratis? El recuerdo más temprano que tengo es el del frío, la nieve y el hielo en el arroyo, la escarcha en los cristales de las ventanas, el helor de las verdes paredes madorosas de la cocina. ¿Por qué vive la gente en los rudos climas de las zonas *templadas*, como impropiamente las llaman? Porque la gente es idiota, perezosa y cobarde por naturaleza. Hasta que cumplí diez años, nunca me di cuenta de que existían países «cálidos», lugares donde no tenías que ganarte la vida con el sudor de tu frente ni tiritar y fingir que era tónico y estimulante. En todos los sitios donde hace frío hay gente que se mata a trabajar y, cuando tiene hijos, les predica el evangelio del trabajo... que no es, en el fondo, sino la doctrina de la inercia. Mi familia estaba formada por nórdicos puros, es decir, *idiotas*. Suyas eran todas las ideas equivocadas que se hayan podido exponer en este mundo. Entre ellas, la doctrina de la limpieza, por no hablar de la probidad. Eran limpísimos, pero por dentro apestaban. Ni una sola vez habían abierto la puerta que conduce hasta el alma; ni una sola vez se les ocurrió dar un salto a ciegas en la obscuridad. Después de comer, se lavaban los platos con presteza y se colocaban en la alacena; después de haber leído el periódico, se plegaba con cuidado y se guardaba en un estante; después de lavar la ropa, se planchaba y doblaba y luego se metía en los cajones. Todo se hacía pensando en el mañana, pero el mañana nunca llegaba. El presente sólo era un puente y en él siguen gimiendo, como el mundo, y ni a un solo idiota se le ocurre nunca volarlo.

Mi amargura me impulsa con frecuencia a buscar razones para condenarlos, para mejor condenarme a mí mismo. Pues soy como ellos también, en muchos sentidos. Por mucho tiempo creí que había escapado, pero con el paso del tiempo veo que no soy mejor, que soy un poco peor incluso, porque yo vi siempre las cosas con mayor claridad que ellos y, sin embargo, seguí siendo incapaz de cambiar mi vida. Cuando rememoro mi vida, me parece que nunca he hecho nada por mi propia voluntad, sino siempre apremiado por otros. A menudo la gente me toma por un aventurero: nada más alejado de la verdad. Mis aventuras han sido siempre casuales, siempre impuestas, siempre sufridas en lugar de emprendidas. Pertenezco por esencia a ese pueblo nórdico, altivo y jactancioso que nunca ha tenido el menor sentido de la aventura, pese a lo cual ha recorrido la Tierra, la ha vuelto del revés, esparciendo vestigios y ruinas por doquier. Espíritus inquietos, pero no aventureros. Espíritus angustiados, incapaces de vivir en el presente. Cobardes vergonzosos, todos ellos, incluido yo. Pues sólo existe una gran aventura y es hacia dentro, hacia uno mismo, y para ésa ni el tiempo ni el espacio, ni los actos siquiera, importan.

Cada cierto tiempo estaba a punto de hacer ese descubrimiento, pero fue muy propio de mí que siempre consiguiera escurrir el bulto. Si intento pensar en una buena excusa, sólo se me ocurre el ambiente, las calles que conocí y la gente que vivía en ellas. No puedo pensar en calle alguna de América, ni en persona alguna que viva en ella, capaces de enseñar el camino que conduce al descubrimiento de uno mismo. He recorrido las calles de muchos países del mundo, pero en ninguna parte me he sentido tan degradado y humillado como en América. Pienso en todas las calles de América combinadas, formando como una enorme letrina, una letrina del espíritu en que todo se ve aspirado hacia abajo, drenado y convertido en mierda eterna. Sobre esa letrina, el espíritu del trabajo agita una varita mágica; palacios y fábricas surgen juntos, fábricas de municiones y productos químicos, acerías, sanatorios, prisiones y manicomios. El continente entero es una pesadilla que produce la mayor desdicha para el mayor número. Yo era uno solo, una sola entidad en medio de la mayor orgía de riqueza y felicidad (estadísticas), pero nunca conocí a un hombre que fuese rico ni feliz de verdad. Yo al menos sabía que era desgraciado, pobre y desarraigado y que desentonaba. Ése era mi único consuelo, mi única alegría. Pero no bastaba. Habría sido mejor para mi paz espiritual, para mi alma, que hubiera expresado mi rebelión a las claras, que hubiese ido a la cárcel y me hubiera muerto de asco en ella. Habría sido mejor que, como el loco Czolgosz, hubiera matado a tiros a algún honrado presidente McKinley, a una persona apacible e insignificante como ésa que nunca hubiese hecho el menor daño a nadie. Porque en el fondo de mi corazón anidaba un asesino: quería ver a América destruida, arrasada de arriba abajo. Quería verlo suceder por pura venganza, como expiación de los crímenes cometidos contra mí y contra otros como yo que nunca han sido capaces de alzar la voz y expresar su odio, su rebelión, su legítima sed de sangre.

Yo era el producto maligno de un suelo maligno. Si no fuera imperecedero, el «yo» de que escribo habría quedado destruido hace mucho. A algunos puede parecerles una invención, pero lo que ocurrió en mi imaginación sucedió en la realidad, *al menos para mí*. La Historia puede negarlo, ya que no he participado en la historia de mi pueblo, pero, aunque todo lo que digo sea falso, parcial, vengativo, malévolo, aunque yo sea un mentiroso y un falseador, es la verdad y tendrán que tragarla.

En cuanto a lo que sucedió...

Todo lo que ocurre, cuando tiene importancia, es contradictorio por naturaleza. Hasta que apareció aquella para la que escribo esto, pensaba que las soluciones para todo se encontraban en algún lugar exterior, en la vida, como se suele decir. Cuando la conocí, pensé que estaba aprehendiendo la vida, aprehendiendo algo en lo que podría hincar el diente. Y, en cambio, se me escapó la vida de las manos. Extendí los brazos en busca de algo a que apegarme... y no encontré nada. Pero, al hacerlo, con el esfuerzo por aferrarme, por apegarme, descubrí, pese a haber quedado desamparado, algo que no había buscado: *a mí mismo*. Descubrí que lo que había deseado toda mi vida no era vivir —si se llama vida a lo que otros hacen—, sino expresarme. Comprendí que nunca había sentido el menor interés por vivir, sino sólo por lo que ahora estoy haciendo, algo paralelo a la vida, que pertenece a ella y al tiempo la sobrepasa. Lo verdadero me interesa poco o nada, tampoco lo real, siquiera; sólo me interesa lo que imagino ser, lo que había asfixiado día a día para vivir. Morir hoy o mañana carece de importancia para mí, nunca la ha tenido, pero no poder siquiera hoy, tras años de esfuerzo, decir lo que pienso y siento... eso sí que me preocupa, me irrita. Desde la infancia me veo tras la pista de ese espectro, sin disfrutar de nada, sin desear otra cosa que ese poder, esa capacidad. Todo lo demás —todo lo que hiciera o dijese al respecto— es mentira. Y es, con mucho, la mayor parte de mi vida.

Era una contradicción en esencia, como se suele decir. La gente me consideraba serio y de altas miras, o alegre e imprudente, o sincero y formal, o descuidado y vivalavirgen. Era todo eso a la vez... y algo más, algo que nadie sospechaba, yo menos que nadie. Cuando era un niño de seis o siete años, solía sentarme a la mesa de trabajo de mi abuelo y leer para él, mientras cosía. Lo recuerdo vivamente en los momentos en que, apretando la plancha caliente contra la costura de una chaqueta, se quedaba mano sobre mano y miraba soñador por la ventana. Recuerdo la expresión de su cara, cuando se quedaba soñando así, mejor que el contenido de los libros que leía, mejor que las conversaciones que sosteníamos o los juegos en que participaba en la calle. Solía preguntarme con qué estaría soñando, qué era lo que le hacía quedarse ensimismado así. Aún no había aprendido yo a soñar despierto. Siempre estaba lúcido, en el presente y entero. Su ensueño me fascinaba. Sabía que no tenía relación con lo que estaba haciendo, no pensaba lo más mínimo en ninguno de nosotros, estaba solo y estando solo era libre. Yo nunca me sentía solo y menos que nunca cuando no había nadie conmigo. Me parecía estar siempre acompañado; era como una migaja de un gran queso, el mundo, supongo, aunque nunca me detuve a pensarlo. Pero sé que nunca existí por separado, nunca pensé que fuera yo el gran queso, por así decir. De modo, que, hasta cuando tenía razones para sentirme desdichado, para quejarme, para llorar, tenía la ilusión de participar en una desdicha común, universal. Cuando lloraba, el mundo entero lloraba: así lo imaginaba. Muy raras veces lloraba. Casi siempre estaba contento, reía, me divertía. Me lo pasaba bien, porque, como he dicho antes, todo me importaba tres cojones, en realidad. Estaba convencido de que, si las cosas me salían mal, a todo el mundo le salían mal. Y, por lo general, las cosas salían mal sólo cuando te preocupabas demasiado. Eso se me quedó grabado desde muy niño. Por ejemplo, recuerdo el caso de mi amigo de la infancia Jack Lawson. Pasó todo un año en la cama víctima de los peores sufrimientos. Era mi mejor amigo, o al menos eso decía la gente. Bueno, pues, al principio probablemente lo compadeciera y quizá de vez en cuando pasase por su casa a preguntar por él, pero al cabo de un mes o dos me volví completamente insensible a su sufrimiento. Me decía que había de morir y cuanto antes mejor y, después de haber pensado eso, actué en consecuencia, es decir, que muy pronto lo olvidé, lo abandoné a su suerte. Por aquel entonces sólo tenía doce años y recuerdo que me sentí orgulloso de mi decisión. También recuerdo el entierro... lo vergonzoso que fue. Allí estaban, amigos y parientes, congregados todos en torno al féretro y todos ellos llorando a gritos como monos enfermos. La madre, sobre todo, me daba cien patadas. Era una persona rara, espiritista, adepta a la *Christian Science*, creo, y, aunque no creía en la enfermedad ni en la muerte tampoco, armó un escándalo como para levantar al propio Cristo de la tumba. Pero, ¡su amado Jack, no! No, Jack yacía ahí, frío como el hielo, rígido y sordo a sus llamadas. Estaba muerto y la cosa no tenía vuelta de hoja. Yo lo sabía y me alegraba. No desperdicié lágrimas al respecto. No podía decir que hubiera pasado a mejor vida, porque, al fin y al cabo, su «él» había desaparecido. Había desaparecido y con él los sufrimientos que había soportado y el dolor que sin querer había causado a otros. «¡Amén!», dije para mis adentros y acto seguido, como estaba un poco histérico, me tiré un sonoro pedo... justo al lado del ataúd.

Eso de tomar las cosas muy en serio... recuerdo que no me apareció hasta la época en que me enamoré por primera vez. Y ni siquiera entonces me las tomaba bastante en serio. Si lo hubiese hecho de verdad, no estaría ahora aquí escribiendo sobre eso: habría muerto de pena o me habría ahorcado. Fue una mala experiencia, porque me enseñó a vivir una mentira. Me enseñó a sonreír cuando no lo deseaba, a trabajar cuando no creía en el trabajo, a vivir cuando carecía de razón para seguir viviendo. Incluso cuando la hube olvidado, conservé la costumbre de hacer aquello en lo que no creía.

Desde el principio todo era caos, como he dicho. Pero a veces llegué a estar tan cerca del centro, del núcleo mismo de la confusión, que me asombra que no explotara todo a mi alrededor.

Es costumbre achacar todo a la guerra. Yo digo que la guerra no tuvo nada que ver conmigo, con mi vida. En una época en que otros conseguían chollos, yo pasaba de un empleo miserable a otro, sin ganar nunca lo suficiente para subsistir. Casi tan rápido como me contrataban me despedían. Me sobraba inteligencia, pero inspiraba desconfianza. Dondequiera que fuese fomentaba la discordia... no porque fuese idealista, sino porque era como un reflector que revelaba la estupidez y futilidad de todo. Además, no era un buen lameculos. Eso me marcaba, sin duda. Cuando solicitaba trabajo, notaban al instante que me importaba un comino que me lo dieran o no. Y, claro, por lo general me lo negaban. Pero, al cabo de un tiempo, el simple hecho de buscar trabajo se convirtió en una actividad, un pasatiempo, por decirlo así. Me presentaba y me ofrecía para cualquier cosa. Era una forma de matar el tiempo: no peor, por lo que veía, que el propio trabajo. Era mi propio jefe y tenía mi horario propio, pero, a diferencia de otros jefes, sólo provocaba mi propia ruina, mi propia bancarrota. No era una sociedad ni un consorcio ni un estado ni una federación ni una comunidad de naciones: si a algo me parecía, era a Dios.

Aquella situación se prolongó desde mediados de la guerra más o menos hasta... pues, hasta un día en que caí en la trampa. Por fin llegó un día en que de verdad deseé un trabajo desesperadamente. Como no tenía un minuto que perder, decidí coger el peor trabajo del mundo, el de repartidor de telegramas. Entré en la oficina de personal de la compañía de telégrafos —la Compañía Telegráfica Cosmodemónica de Norteamérica— hacia el anochecer, dispuesto a pasar por el aro. Acababa de salir de la biblioteca pública y llevaba bajo el brazo unos libros voluminosos sobre economía y metafísica. Para mi gran asombro, me negaron el empleo.

El tipo que me rechazó era un enano que estaba a cargo del conmutador. Pareció tomarme por un estudiante universitario, pese a que en mi solicitud quedaba claro que hacía mucho que había acabado los estudios. Incluso me había adornado en la solicitud con el título de licenciado en filosofía por la Universidad de Columbia. Al parecer, el enano que me había rechazado lo había pasado por alto o bien le había parecido sospechoso. Me enfurecí tanto más cuanto que por una vez en mi vida iba en serio. No sólo eso: además, me había tragado mi orgullo, que en ciertos sentidos es bastante grande. Naturalmente, mi mujer me obsequió con su habitual mirada y sonrisa despectiva. Dijo que lo había hecho sólo por cumplir. Me fui a la cama pensando en ello, resentido todavía, y, conforme pasaba la noche, aumentaba mi enojo. Tener mujer e hija que mantener no era lo que más me preocupaba; la gente no te ofrecía empleos porque tuvieses una familia a la que alimentar, eso lo entendía perfectamente. No, lo que me irritaba era que me hubiesen rechazado a *mí*, Henry V. Miller, una persona competente, superior, que había solicitado el empleo más humilde del mundo. Aquello me indignaba. No podía sobreponerme. Por la mañana me levanté muy temprano, me afeité, me puse mis mejores ropas y salí pitando hacia el metro. Me dirigí en seguida a la oficina principal de la compañía de telégrafos... al piso vigésimo quinto o dondequiera que tuviesen sus cubículos el presidente y los vicepresidentes. Dije que deseaba ver al presidente. Por supuesto, el presidente estaba o de viaje o demasiado ocupado para recibirme, pero, ¿quería ver al vicepresidente o, mejor dicho, a su secretario? Vi al secretario del vicepresidente, un tipo listo y considerado, y le eché un rapapolvo. Lo hice con habilidad, sin acalorarme demasiado, pero dándole a entender que no les iba a resultar fácil deshacerse de mí.

Cuando cogió el teléfono y preguntó por el director general, pensé que se trataba de una simple broma y que iban a hacerme danzar de uno a otro hasta que me hartara. Pero, cuando lo oí hablar, cambié de opinión. Cuando llegué al despacho del director general, que estaba en otro edificio de la parte alta de la ciudad, me estaban esperando. Me senté en un cómodo sillón de cuero y acepté uno de los grandes puros que me ofrecieron. Aquel individuo pareció muy interesado al instante por el asunto. Quería que le contara todo, hasta el último detalle, con sus grandes orejas peludas aguzadas para captar hasta el menor retazo de información que justificase algo que estaba tomando forma en su chola. Comprendí que el azar me había convertido en el instrumento que él necesitaba. Le dejé que me sonsacara lo que cuadrase con su idea, sin dejar un momento de observar de dónde soplaba el viento. Y, a medida que avanzaba la conversación, noté que cada vez se entusiasmaba más conmigo. ¡Por fin me mostraba alguien un poco de confianza! Era lo único que necesitaba para soltar uno de mis rollos favoritos. Pues, después de años de buscar trabajo, me había convertido en un experto, naturalmente; sabía no sólo lo que *no* había que decir, sino también lo que había que dar a entender, lo que había que insinuar. No tardó en llamar al subdirector general y le pidió que escuchara mi historia. Ahora yo ya sabía cuál era la historia. Entendí que Hymie —«ese cabrito judío», como lo llamó el director general— no tenía por qué dárselas de director de personal. Hymie había usurpado su prerrogativa, eso estaba claro. También estaba claro que Hymie era judío y que los judíos no le caían nada bien al director general, ni al señor Twilliger, el vicepresidente, que era una espina clavada en el costado del director general.

Quizá fuera Hymie, «ese cabrito judío», el responsable del alto porcentaje de judíos en el cuerpo de repartidores de telegramas. Tal vez fuese de verdad Hymie quien se encargara de contratar en la oficina de personal... en Sunset Place, según dijeron. Deduje que era una oportunidad excelente para el señor Clancy, el director general, de bajar los humos a un tal señor Burns, quien, según me informó, llevaba treinta años de director de personal y, evidentemente, estaba empezando a holgazanear.

La conferencia duró varias horas. Antes de que acabaran, el señor Clancy me llevó aparte y me informó de que *me* iba a hacer jefe del cotarro. Sin embargo, antes de entrar en funciones, me iba a pedir como favor especial, y también sería como un aprendizaje muy útil, que trabajara de repartidor especial. Recibiría el sueldo de director de personal, pero me lo pagarían en una cuenta aparte. En pocas palabras, tenía que pasar de una oficina a otra y observar cómo llevaban los asuntos todos y cada uno. De vez en cuando debía hacer un pequeño informe sobre cómo iban las cosas. Y una que otra vez, según me sugirió, había de visitarlo en su casa en secreto y charlaríamos un poco sobre la situación en las ciento una sucursales de la Compañía Telegráfica Cosmodemónica de la ciudad de Nueva York. En otras palabras, iba a ser un espía por unos meses y después me pondría a manejar el cotarro. Tal vez me hicieran también director general algún día o vicepresidente. Era una oferta tentadora, pese a ir envuelta en puro paripé. Dije que sí.

Unos meses después estaba sentado en Sunset Place contratando y despidiendo como una fiera. Era un matadero, ¡palabra! Algo que no tenía el menor sentido. Un desperdicio de hombres, material y esfuerzo. Una farsa horrible sobre un telón de fondo de sudor y miseria. Pero así como había aceptado espiar, así también acepté contratar y despedir y todo lo que llevaba consigo. Dije que sí a todo. Si el vicepresidente ordenaba no contratar a inválidos, no contrataba a inválidos. Si el vicepresidente decía que había que despedir sin avisar a todos los repartidores mayores de cuarenta y cinco años, los despedía sin avisar. Hacía todo lo que me ordenaban, pero de modo que tuvieran que pagarlo. Cuando había huelga, me cruzaba de brazos y esperaba a que pasase. Pero primero procuraba que les costara sus buenos cuartos. El sistema entero estaba tan podrido, era tan inhumano, tan asqueroso, tan irremediablemente corrompido y complicado, que habría hecho falta un genio para darle un poco de sentido o ponerle orden, por no hablar de bondad o consideración humanas. Yo estaba contra todo el sistema laboral americano, que está podrido por ambos extremos. Era la quinta rueda del vagón y ninguno de los dos bandos me necesitaba salvo para explotarme. De hecho, todo el mundo estaba explotado: el presidente y su cuadrilla por los poderes invisibles, los empleados por los ejecutivos y toda la pesca de cabo a rabo de la queli. Desde mi pequeña alcándara en Sunset Place, podía observar a vista de pájaro toda la sociedad americana. Era como una página de la guía de teléfonos. Alfabética, numérica, estadísticamente, tenía sentido. Pero, cuando la mirabas de cerca, cuando examinabas las páginas por separado, o las partes por separado, cuando examinabas a un solo individuo y lo que lo constituía, el aire que respiraba, la vida que llevaba, los riesgos que corría, veías algo tan inmundo y degradante, tan bajo, tan miserable, tan absolutamente desesperante y disparatado, que era peor que mirar dentro de un volcán. Podías ver la vida americana en conjunto: económica, política, moral, espiritual, artística, estadística, patológicamente. Parecía un gran chancro en una picha ajada. En realidad, parecía algo peor, porque ya ni siquiera se podía ver algo parecido a una picha. Quizás en el pasado hubiera tenido vida, hubiese producido algo, hubiera ofrecido al menos un momento de placer, un estremecimiento momentáneo. Pero, mirándolo desde donde estaba yo sentado, parecía más podrido que el queso más agusanado. Lo asombroso era que su hedor no los matara... Estoy usando tiempos de pretérito, pero, desde luego, ahora es lo mismo, tal vez un poco peor incluso. Al menos, ahora sentimos todo el hedor.

Cuando Valeska entró en escena, yo ya había contratado varios cuerpos de ejército de repartidores. Mi despacho en Sunset Place era como una alcantarilla abierta y como tal apestaba. Me había metido en la trinchera de primera línea y me estaban caneando desde todos lados a la vez. Para empezar, el hombre a quien había quitado el puesto murió de pena unas semanas después de mi llegada. Resistió lo justo para ponerme al corriente y después la diñó. Las cosas ocurrían tan deprisa, que no tuve oportunidad de sentirme culpable. Desde el momento en que llegaba a la oficina, era un largo pandemónium ininterrumpido. Una hora antes de mi llegada —siempre llegaba tarde—, el local ya esta atestado de solicitantes. Tenía que abrirme paso a codazos escaleras arriba y abrirme camino a la fuerza, literalmente, para poder llegar a mi escritorio. Antes de poder quitarme el sombrero, tenía que responder a una docena de llamadas telefónicas. En mi mesa había tres teléfonos y sonaban todos a la vez. Empezaban a tocarme los cojones con sus gritos antes incluso de que me hubiese sentado a trabajar. Ni siquiera había tiempo para jiñar... hasta las cinco o las seis de la tarde. Hymie lo pasaba peor que yo, porque no podía moverse del conmutador. Permanecía sentado ahí desde las ocho de la mañana hasta las seis de la tarde, cambiando volantes de sitio. Un volante era un repartidor prestado por una oficina a otra oficina por todo el día o por parte de él. Ninguna de las ciento una oficinas tenía nunca el personal completo; Hymie tenía que jugar al ajedrez con los volantes, mientras yo trabajaba como un loco para llenar los huecos. Si un día por milagro lograba cubrir todas las vacantes, la mañana siguiente encontraba la situación idéntica... o peor. El veinte por ciento más o menos del cuerpo eran fijos; los demás, vagabundos. Los fijos ahuyentaban a los nuevos. Los fijos ganaban de cuarenta a cincuenta dólares por semana, a veces sesenta o sesenta y cinco, a veces hasta cien dólares por semana, es decir, mucho más que los oficinistas y a menudo más que sus propios directores. En cuanto a los nuevos, les resultaba difícil ganar diez dólares a la semana. Algunos de ellos trabajaban una hora y abandonaban y muchas veces tiraban un fajo de telegramas al cubo de la basura o por una alcantarilla. Y, siempre que se iban, querían su paga al instante, lo que era imposible, porque en la complicada contabilidad que imperaba nadie podía saber lo que había ganado un repartidor hasta pasados al menos diez días. Al principio, invitaba al solicitante a sentarse a mi lado y le explicaba todo en detalle. Lo hice hasta que perdí la voz. Pronto aprendí a reservar mis fuerzas para el interrogatorio necesario. En primer lugar, uno de cada dos muchachos era un mentiroso nato, si no un pillo encima. Muchos de ellos ya habían sido contratados y despedidos varias veces. Algunos lo consideraban un medio excelente de encontrar otro empleo, porque sus tareas les abrían las puertas de centenares de oficinas en las que, normalmente, nunca habrían puesto los pies. Por fortuna, McGovern, el viejo de confianza que guardaba la puerta y repartía los formularios de solicitud, tenía ojos de lince. Y, además, detrás de mí tenía gruesos registros en que había una ficha de todos los solicitantes que habían pasado por el trullo. Los registros se parecían a un archivo de la policía; estaban llenos de marcas en tinta roja, que indicaban tal o cual delito. A juzgar por aquellas pruebas, me encontraba en un lugar de aúpa. Uno de cada dos hombres estaba relacionado con un robo, un fraude, una riña, o demencia o perversión o cretinismo. «Ten cuidado: ¡Fulano de Tal es epiléptico!» «No contrates a ese hombre: ¡es negro!» «Ándate con ojo: X ha estado en Dannemora... o en Sing-Sing.»

Si hubiera sido un hueso con la etiqueta, nunca se habría contratado a nadie. Tuve que aprender rápido y no de los archivos ni de quienes me rodeaban, sino de la experiencia. Había mil y un detalles por los que juzgar a un solicitante: tenía que observarlos todos a un tiempo, y rápido, porque en un solo y corto día, aunque seas tan veloz como Jack Robinson, sólo puedes contratar a un número determinado y no más. Y por muchos que contratara, nunca bastaban. El día siguiente, vuelta a empezar. Sabía que algunos iban a durar sólo un día, pero igual tenía que contratarlos. El sistema fallaba de arriba abajo, pero no me correspondía a mí criticarlo. Lo que me incumbía era contratar y despedir. Me encontraba en el centro de una plataforma giratoria lanzada a tal velocidad, que nada podía permanecer de pie. Lo que se necesitaba era un mecánico, pero, según la lógica de los barandas, el mecanismo era correcto, todo funcionaba de maravilla, aunque hubiera una avería momentánea. Y la avería momentánea causaba epilepsia, robo, vandalismo, perversión, negros, judíos, putas y qué sé yo: a veces, huelgas y *lock-outs*. Después, de acuerdo con aquella lógica, se cogía una gran escoba y se barría el establo hasta dejarlo bien limpio o se cogían porras y revólveres y se hacía entrar en razón a los pobres idiotas víctimas de la ilusión de que el sistema fallaba desde la base. De vez en cuando, estaba bien hablar de Dios o reunirse para cantar en coro... hasta una gratificación podía estar justificada alguna que otra vez, es decir, cuando todo iba tan mal, que no había palabras para describirlo. Pero, en general, lo importante era seguir contratando y despidiendo; mientras hubiera hombres y municiones, debíamos avanzar, seguir limpiando de enemigos las trincheras. Mientras tanto, Hymie seguía tomando píldoras purgantes... en cantidad suficiente como para hacerse volar el trasero, en caso de que hubiera tenido, pero ya no tenía, sólo se imaginaba que jiñaba, se imaginaba que cagaba en el retrete. En realidad, el pobre tío vivía en trance. Había ciento una oficinas de que ocuparse y cada una de ellas tenía un cuerpo de repartidores mítico, si no hipotético, y, ya fuesen reales o irreales los repartidores, tangibles o intangibles, Hymie tenía que distribuirlos de la mañana a la noche, mientras yo llenaba los huecos, lo que también era imaginario: ¿quién podía decir, cuando se había enviado a un recién contratado a una oficina, si llegaría hoy, mañana o nunca? Algunos de ellos se perdían en el metro o en los laberintos bajo los rascacielos; otros se pasaban el día viajando en el metro elevado, porque yendo con uniforme era gratuito y quizá nunca se hubieran dado el gustazo de pasarse el día viajando en él. Algunos salían camino de Staten Island y acababan en Canarsie o bien los traía un guri en estado de coma. Otros olvidaban dónde vivían y desaparecían por completo. Otros, a los que contratábamos para Nueva York, aparecían en Filadelfia un mes después, como si fuera la cosa más normal del mundo. Otros salían hacia su meta y por el camino se les ocurría que era más fácil vender periódicos y se ponían a venderlos con el uniforme que les habíamos dado, hasta que los detenían. Otros se iban derechos a la sala de observación de un hospital psiquiátrico, movidos por algún extraño instinto de conservación.

Cuando Hymie llegaba por la mañana, lo primero que hacía era sacar punta a sus lápices; lo hacía religiosamente, por muchas llamadas que sonaran, porque, como me explicó más adelante, si no sacaba punta a los lápices antes que nada, se quedaría sin sacar. A continuación miraba por la ventana para ver qué tal tiempo hacía. Después, con un lápiz recién afilado, dibujaba una casilla en la parte de arriba de la pizarra que guardaba a su lado y daba el informe meteorológico. Eso, según me contó también, resultaba ser muchas veces una excusa útil. Si la nieve alcanzaba treinta centímetros de espesor o el piso estaba cubierto de aguanieve, hasta al diablo podría excusársele que no distribuyera los volantes con mayor rapidez y también podría excusarse al director de personal que no llenara los huecos en días así, ¿no? Pero lo que constituía un misterio para mí era por qué no se iba a jiñar primero, en vez de conectar el conmutador tan pronto como había sacado punta a los lápices. También eso me lo explicó más adelante. El caso es que el día comenzaba siempre con confusión, quejas, estreñimiento y vacantes. También empezaba con pedos sonoros y malolientes, malos alientos, nervios hechos polvo, epilepsia, meningitis, salarios bajos, pagas atrasadas sin cobrar, zapatos gastados, callos y juanetes, pies planos, billeteros desaparecidos y estilográficas perdidas o robadas, telegramas flotando en la alcantarilla, amenazas del vicepresidente y consejos de los directores, riñas y disputas, aguaceros e hilos telegráficos rotos, nuevos métodos de eficacia y antiguos que se habían desechado, esperanza de tiempos mejores y una oración por el plus que nunca llegaba. Los nuevos repartidores salían de la trinchera y eran ametrallados; los veteranos excavaban cada vez más hondo, como ratas en un queso. Nadie estaba satisfecho y menos que nadie el público. Por el hilo se tardaba diez minutos en llegar a San Francisco, pero el mensaje podía tardar un año en llegar a su destinatario... o no llegar nunca.

La Y.M.C.A.*, deseosa de mejorar la ética de los muchachos trabajadores de toda América, celebraba reuniones al mediodía: ¿me gustaría enviar a algunos muchachos bien arreglados a escuchar una charla de cinco minutos dada por William Carnegie Asterbilt (hijo) sobre el servicio? El señor Mallory, de la Sociedad de Beneficencia, desearía saber si podría dedicarle unos minutos algún día para que me hablara de los presidiarios modélicos en libertad provisional y que estarían encantados de prestar cualquier clase de servicios, incluso los

* *Young Men's Christian Association:* «Asociación de Jóvenes Cristianos».

de repartidores de telegramas. La señora de Guggenhoffer, de las Damas Judías de la Caridad, me estaría muy agradecida de que la ayudase a mantener algunos hogares deshechos porque todos los miembros de la familia estaban enfermos, inválidos o imposibilitados. El señor Haggerty, del Hogar para Jóvenes Vagabundos, estaba seguro de que tenía a los jovencitos que me convenían, con sólo que les diera una oportunidad; todos ellos habían recibido malos tratos de sus padrastros o madrastras. El alcalde de Nueva York me agradecería que atendiera personalmente al portador de la presente, del que respondía en todos los sentidos... pero el misterio era por qué demonios no daba él un empleo a dicho portador. Un hombre, inclinado sobre mi hombro, me entrega un trozo de papel en que acaba de escribir: «Yo entender todo, pero no oír voces». Luther Winifred está a mi lado, con su andrajosa chaqueta sujeta con alfileres. Luther es dos séptimas partes indio puro y cinco séptimas partes germanoamericano, según me explica. Por el lado indio es *crow* de la tribu de los *crows* de Montana. Su último empleo fue el de poner persianas, pero no tiene fondillos en los pantalones y le da vergüenza subir a una escalera delante de una señora. Salió del hospital el otro día y, por eso, está aún un poco débil, pero no tanto como para no poder repartir telegramas, le parece a él.

Y, además, Ferdinand Mish... ¿cómo podría haberlo olvidado? Ha estado esperando en la cola toda la mañana para hablar conmigo. Nunca contesté las cartas que me envió. ¿Es eso justo?, me pregunta afable. Desde luego que no. Recuerdo vagamente la última carta que me envió desde el Hospital Canino y Felino en el Grand Concourse, donde trabajaba de ayudante. Me decía que se arrepentía de haber renunciado a su puesto, «pero fue porque mi padre era demasiado estricto conmigo y no me permitía disfrutar de ninguna diversión ni de ningún placer fuera de casa». «Ya tengo veinticinco años», escribía, «y no creo que deba dormir más con mi padre, ¿no le parece? Sé que dicen que es usted un caballero excelente y, como ahora soy independiente, espero...» McGovern, el viejo portero, está junto a Ferdinand esperando que le haga una seña. Quiere poner a Ferdinand en la calle: lo recuerda de cuando cinco años atrás Ferdinand cayó en la acera frente a la oficina principal, con el uniforme puesto, víctima de un ataque epiléptico. No, joder, ¡no puedo hacerlo! Voy a darle una oportunidad, al pobre tío. Tal vez lo envíe a Chinatown, que es un barrio bastante tranquilo. Entretanto, mientras Ferdinand se pone el uniforme en la habitación de atrás, me estoy tragando el rollo de un muchacho huérfano que quiere «ayudar a la compañía a triunfar». Dice que, si le doy una oportunidad, rezará por mí todos los domingos, cuando vaya a la iglesia, excepto aquellos en que tiene que presentarse en la comisaría por estar en libertad condicional. Al parecer, él no hizo nada. Sólo empujó al tipo y el tipo cayó de cabeza y se mató. *El siguiente*: un ex cónsul de Gibraltar. Tiene una caligrafía muy bonita... demasiado bonita. Le pido que venga a verme al final del día: no me inspira confianza. Mientras tanto, Ferdinand ha tenido un ataque en el vestuario. ¡Menos mal! Si hubiera ocurrido en el metro, con un número en la gorra y todo lo demás, me habrían despedido. *El siguiente*: un tipo con un solo brazo y hecho una furia porque McGovern le está enseñando la puerta. «¡Qué hostia! ¿Es que no estoy fuerte y sano?», grita y para demostrarlo levanta una silla con el brazo bueno y la hace añicos. Vuelvo al escritorio y me encuentro un telegrama para mí. Lo abro. Es de George Blasini, ex repartidor número 2.459 de la oficina del S.O. «Siento haber tenido que renunciar tan pronto, pero ese trabajo no era compatible con mi natural indolente y, aunque soy un auténtico amante del trabajo y la frugalidad, hay veces que no podemos controlar ni dominar nuestro orgullo personal.» ¡Huy, la leche!

Al principio, sentía entusiasmo, pese a los cantamañanas de arriba y a los palizas de abajo. Tenía ideas y las ponía en práctica, gustaran o no al vicepresidente. Cada diez días más o menos me echaban un sermón y me daban un rapapolvo por ser «demasiado blando de corazón». Nunca tenía dinero en el bolsillo, pero usaba con largueza el de los demás. Mientras fuera el jefe, tenía crédito. Repartía dinero a diestro y siniestro, regalaba mis trajes y mi ropa interior, mis libros, todo lo superfluo. Si hubiera estado en mi mano, habría regalado la compañía a los pobres tipos que me importunaban. Si me pedían diez centavos, daba medio dólar; si me pedían un dólar, daba cinco. Me importaba tres cojones cuánto les daba, porque era más fácil pedir prestado y dárselo a los pobres tíos que negárselo. En mi vida he visto tanta miseria junta y espero no volver a verla más. Los hombres son pobres en todas partes: siempre lo han sido y siempre lo serán. Y, bajo la terrible pobreza, hay una llama, tan baja por lo general, que es casi invisible. Pero está ahí y, si tienes el valor de avivarla, puede convertirse en una conflagración. Me instaban sin cesar a no ser demasiado indulgente, demasiado sentimental, demasiado caritativo. «¡Tiene que ser firme! ¡Tiene que ser duro!», me advertían. « ¡A tomar por culo!», me decía para mis adentros. «Seré generoso, flexible, clemente, tolerante, tierno.» Al principio, escuchaba a todos hasta el final; si no podía darles empleo, les daba dinero y, si no tenía dinero, les daba cigarrillos o les daba ánimos. Pero, ¡les daba algo! El efecto era pasmoso. Los resultados de una buena acción, de una palabra amable, son incalculables.

Me veía colmado de gratitud, buenos deseos, invitaciones, regalitos conmovedores, enternecedores. *Si* hubiera tenido auténtico poder, en lugar de ser la quinta rueda de un vagón, sólo Dios sabe lo que habría podido hacer. Habría podido usar la Compañía Telegráfica Cosmodemónica de Norteamérica como base para acercar a toda la Humanidad a Dios, habría podido transformar tanto Norteamérica como Sudamérica y también el Dominio del Canadá. Tenía el secreto en la mano: ser generoso, amable, paciente. Hacía el trabajo de cinco hombres. En tres años apenas dormí. No tenía ni una sola camisa en buenas condiciones y muchas veces me daba tanta vergüenza pedir prestado a mi mujer o sacar algo de la hucha de la niña, que para comprar el billete del metro por la mañana soplaba el dinero al ciego que vendía periódicos en la estación. Debía tanto dinero por ahí, que ni trabajando veinte años habría podido pagarlo. Cogía a los que tenían y daba a los que necesitaban; era lo mejor que podía hacer y lo volvería a hacer, si estuviera en la misma posición.

Incluso realicé el milagro de acabar con el absurdo trasiego de personal, algo que nadie había abrigado esperanzas de conseguir. En vez de apoyar mis esfuerzos, me ponían la zancadilla. Según la lógica de los barandas, el trasiego de personal había cesado porque los salarios eran muy altos. Así, que los redujeron. Fue como sacar de un puntapié el culo de un cubo. El edificio entero se tambaleó y se desplomó en mis manos. Y, como si no hubiera pasado nada, insistieron en que se llenasen los huecos en seguida. Para dorar la píldora un poco, insinuaron que podía aumentar incluso el porcentaje de judíos; podía aceptar a un inválido de vez en cuando, si no estaba totalmente incapacitado; podía hacer esto y lo otro, todo lo que, según me habían informado anteriormente, era contrario al reglamento. Me puse tan furioso, que acepté a cualquiera y cualquier cosa; habría aceptado potros y gorilas, si hubiese podido imbuirles la poca inteligencia necesaria para entregar telegramas. Unos días antes sólo había habido cinco o seis vacantes a la hora de cerrar. Ahora había trescientas, cuatrocientas, quinientas: se me escurrían como arena entre los dedos. Era maravilloso. Permanecía sentado ahí y sin hacer pregunta alguna los contrataba a carretadas: negros, judíos, paralíticos, lisiados, ex presidiarios, putas, maníacos, depravados, idiotas, cualquier cabrón que pudiera mantenerse sobre dos piernas y sostener un telegrama en la mano. Los directores de las ciento una oficinas estaban muertos de miedo. Yo me reía. Me reía todo el día pensando en el tremendo lío que estaba creando. Llovían quejas de toda la ciudad. El servicio estaba tullido, estreñido, estrangulado. Una mula podría haber llegado antes que algunos de los idiotas que yo ponía a trabajar.

Lo mejor de la nueva etapa fue la introducción de repartidoras. Transformó la atmósfera entera del local. Sobre todo para Hymie, fue un regalo del cielo. Cambió de sitio el conmutador para poder verme mientras hacía malabarismos con los volantes. Pese al aumento del trabajo, tenía una erección permanente. Venía a trabajar con una sonrisa en los labios y no dejaba de sonreír en todo el día. Estaba en el cielo. Al final del día, yo siempre tenía una lista de cinco o seis a las que valía la pena probar. El truco consistía en mantenerlas en la incertidumbre, prometerles un empleo, pero conseguir primero un polvo gratis. Por lo general, bastaba con convidarlas a comer para llevarlas de nuevo a la oficina por la noche y tumbarlas en la mesa cubierta de zinc del vestuario. Si, como ocurría a veces, tenían un piso acogedor, las llevábamos a su casa y acabábamos la fiesta en la cama. Si les gustaba beber, Hymie se traía una botella. Si valían un poco la pena y necesitaban de verdad algo de pasta, Hymie sacaba un fajo de billetes y extraía cinco o diez pavos, según los casos. Se me hace la boca agua, cuando pienso en aquel fajo que siempre llevaba. Nunca supe de dónde lo sacaba, porque era el que menos cobraba de la queli. Pero siempre lo llevaba y me daba lo que le pidiera. Y en cierta ocasión sucedió que nos dieron por fin una gratificación y devolví a Hymie hasta el último centavo... lo que lo asombró tanto, que aquella noche me llevó a Delmonico's y se gastó una fortuna conmigo. Y no sólo eso: además, el día siguiente se empeñó en comprarme un sombrero, camisas y guantes. Insinuó incluso que podía ir a su casa y joderme a su mujer, si me apetecía, si bien me advirtió que andaba algo pachucha de los ovarios.

Además de Hymie y McGovern, tenía de ayudantes a dos bellas rubias que muchas noches nos acompañaban a cenar. Y, además, O'Mara, un viejo amigo mío que acababa de regresar de Filipinas y a quien nombré mi ayudante principal. Y también Steve Romero, un peso pesado a quien tenía por allí por si hubiera camorra. Y O'Rourke, el detective de la empresa, que se presentaba ante mí al final de la jornada, cuando empezaba su trabajo. Por último, añadí otro hombre al equipo: Kronski, un joven estudiante de medicina, que estaba diabólicamente interesado en los casos patológicos, de los que teníamos para dar y tomar. Éramos un equipo alegre, unido por el deseo de joder a la empresa a toda costa. Y, al tiempo que jodíamos a la empresa, jodíamos a quien se pusiera a tiro, salvo O'Rourke, pues éste tenía que conservar su dignidad y, además, padecía de la próstata y había perdido todo el interés por follar. Pero O'Rourke era como un príncipe y generoso como él sólo. O'Rourke era quien con frecuencia nos invitaba a cenar por la noche y a él recurríamos también, cuando estábamos en apuros.

Así estaban las cosas en Sunset Place, pasados dos años. Me encontraba saturado de humanidad, con experiencias de una y otra clase. En los momentos de serenidad, tomaba notas que tenía intención de usar más adelante, por si alguna vez tuviera oportunidad de contar mis experiencias. Esperaba un momento de respiro. Y después, por casualidad, un día que me habían echado una reprimenda por alguna negligencia injustificable, el vicepresidente soltó una frase que se me quedó grabada en la chola. Había dicho que le gustaría ver a alguien escribir un libro como los de Horatio Alger sobre los repartidores de telegramas; dio a entender que quizá podría ser yo el indicado para hacerlo. Me puse furioso al pensar en lo cretino que era y al mismo tiempo me sentí encantado, porque, en secreto, estaba loco por desahogarme. Pensé para mis adentros: «Espera, cacho gilipollas, espera a que me desahogue... y verás qué libro como los de Horatio Alger te voy a dar... ¡espera y verás!». Cuando salí de su despacho, la cabeza me daba vueltas. Veía el ejército de hombres, mujeres y niños que había pasado por mis manos, los veía llorar, rogar, suplicar, implorar, maldecir, escupir, echar rayos, amenazar. Veía las huellas que dejaban en las carreteras, los veía tumbados en el suelo de los trenes de carga, los padres vestidos de harapos, la carbonera vacía, el agua de la pila derramándose, las paredes rezumando y entre las frías gotas de rezumado las cucarachas corriendo como locas; los veía moverse renqueando como gusanos contrahechos o caer de espaldas presas de un frenesí epiléptico, con la boca crispada, los labios derramando saliva, las piernas retorcidas; veía las paredes ceder y la peste salir a borbotones como un fluido alado, y los barandas, con su lógica de hierro, esperando que pasara, esperando que todo quedase recompuesto, esperando, esperando, tranquilos, satisfechos, con grandes puros en la boca y los pies sobre el escritorio, diciendo que se trataba de una avería momentánea. Veía al personaje de Horatio Alger, el sueño de una América enferma, ascendiendo cada vez más alto, primero repartidor de telegramas, después telegrafista, luego gerente, después vicepresidente, luego presidente, después magnate de un consorcio, luego rey de la cerveza, después señor de todas las Américas, dios del dinero, dios de dioses, barro de barro, nulidad en la cima, un cero con noventa y siete mil decimales a cada lado. «Ya veréis, cacho cabrones», me decía para mis adentros, «el retrato que os voy a dar de doce hombres insignificantes, ceros sin decimales, cifras, dígitos, los doce gusanos indestructibles que están excavando la base de vuestro podrido edificio. Os voy a presentar a Horatio Alger con el aspecto que ofrece el día después del Apocalipsis, cuando el hedor ha desaparecido».

Habían acudido a mí desde todos los confines de la tierra en busca de auxilio. Salvo los primitivos, no había raza que no estuviera representada en el cuerpo. Excepto los aínos, los maoríes, los papúes, los vedas, los lapones, los zulúes, los patagones, los igorrotes, los hotentotes, los tuaregs, excepto los desaparecidos tasmanos, los desaparecidos hombres de Grimaldi, los desaparecidos atlantes, tenía un representante de casi todas las especies bajo el sol. Tenía dos hermanos que aún eran adoradores del sol, dos nestorianos procedentes del antiguo mundo asirio; tenía dos gemelos malteses procedentes de Malta y un descendiente de los mayas del Yucatán; tenía algunos de nuestros hermanitos morenos de las Filipinas y algunos etíopes de Abisinia; tenía hombres de las pampas de Argentina y vaqueros extraviados de Montana; tenía griegos, letones, polacos, croatas, eslovenos, rutenos, checos, españoles, galeses, fineses, suecos, rusos, daneses, mexicanos, portorriqueños, cubanos, uruguayos, brasileños, australianos, persas, japoneses, chinos, javaneses, egipcios, africanos de Costa de Oro y de Costa de Marfil, hindúes, armenios, turcos, árabes, alemanes, irlandeses, ingleses, canadienses... y multitud de italianos y judíos. Sólo recuerdo haber tenido un francés y duró unas tres horas. Tuve algunos indios americanos, la mayoría cherokees, pero no tibetanos ni esquimales: vi nombres que nunca habría podido imaginar y caligrafías que iban desde la cuneiforme hasta la de los chinos, tan compleja y de belleza tan asombrosa. Oí pedir trabajo a hombres que habían sido egiptólogos, botánicos, cirujanos, buscadores de oro, profesores de lenguas orientales, músicos, ingenieros, médicos, astrónomos, antropólogos, químicos, matemáticos, alcaldes de ciudades y gobernadores de estados, guardianes de prisiones, vaqueros, leñadores, marineros, piratas de ostras, estibadores, remachadores, dentistas, pintores, escultores, fontaneros, arquitectos, vendedores de mandanga, abortistas, tratantes de blancas, buzos, deshollinadores, labradores, vendedores de ropa, tramperos, guardas de faros, chulos de putas, concejales, senadores, todos los puñeteros oficios que existen bajo el sol, y todos ellos sin blanca, pidiendo trabajo, cigarrillos, un billete de metro, *¡una oportunidad, Dios Todopoderoso, tan sólo otra oportunidad!* Vi y llegué a conocer a hombres que eran santos, si es que existen santos en este mundo; vi y hablé con sabios, crapulosos y no crapulosos; escuché a hombres que llevaban el fuego divino en las entrañas, que podrían haber convencido a Dios Todopoderoso de que eran dignos de otra oportunidad, pero no al vicepresidente de la Compañía Telegráfica Cosmodemónica. Clavado a mi escritorio, viajaba por todo el mundo a la velocidad de un relámpago y descubrí que en todas partes ocurre lo mismo: hambre, humillación, ignorancia, vicio, codicia, extorsión, trapacería, tortura, despotismo: la inhumanidad del hombre para con el hombre: las cadenas, los arneses, el dogal, la brida, el látigo, las espuelas. Cuanto mayor es la calidad de un hombre, peor le va. Hombres que caminaban por las calles de Nueva York con aquel maldito traje degradante, los despreciados, los más viles de los viles, que caminaban como alces, como pingüinos, como bueyes, como focas amaestradas, como asnos pacientes, como jumentos enormes, como gorilas locos, como maníacos dóciles mordisqueando el cebo colgado, como ratones bailando un vals, como cobayas, como ardillas, como conejos, y muchos, muchos de ellos estaban capacitados para gobernar el mundo, para escribir el mejor libro jamás escrito. Cuando pienso en algunos de los persas, los hindúes, los árabes que conocí, cuando pienso en el carácter de que daban muestras, en su gracia, su ternura, su inteligencia, *su santidad*, escupo a los conquistadores blancos del mundo, los degenerados británicos, los testarudos alemanes, los relamidos y presumidos franceses. La Tierra es un gran ser sensible, un planeta saturado por completo con el hombre, un planeta vivo que balbucea y tartamudea; no es la patria de la raza blanca, ni de la raza negra, ni de la raza amarilla, ni de la desaparecida raza azul, sino la patria del *hombre* y todos los hombres son iguales ante Dios y tendrán su oportunidad, si no ahora dentro de un millón de años. Nuestros hermanitos morenos de las Filipinas pueden volver a prosperar un día y también los indios asesinados de América del Norte y del Sur pueden revivir un día para cabalgar por las llanuras donde ahora se alzan las ciudades vomitando fuego y pestilencia. ¿Quién dirá la última palabra? *¡El hombre!* La tierra es suya, porque él *es* la tierra, su fuego, su agua, su aire, su materia mineral y vegetal, su espíritu cósmico, imperecedero, el espíritu de todos los planetas, que se transforma gracias a él, mediante signos y símbolos incesantes, mediante manifestaciones interminables. Esperad, vosotros, mierdas telegráfico-cosmocócicos, demonios encumbrados que aguardáis a que reparen las cañerías; esperad, asquerosos conquistadores blancos que habéis mancillado la tierra con vuestras pezuñas hendidas, vuestros instrumentos, vuestras armas, vuestros gérmenes mórbidos; esperad, todos los que nadáis en la abundancia y contáis vuestras monedas, todavía no ha sonado la última hora. El último hombre tendrá la palabra antes de que todo acabe. Habrá que hacer justicia hasta la última molécula sensible... *¡y se hará!* Nadie dejará de recibir su merecido y menos que nadie vosotros, los mierdas cosmocócicos de Norteamérica.

Cuando llegó el momento de tomar las vacaciones —¡estaba tan deseoso de contribuir al éxito de la empresa, que no las había tomado desde hacía tres años!—, me tomé tres semanas en lugar de dos y escribí el libro sobre los doce hombrecillos. Lo escribí de una sentada, cinco mil, siete mil, a veces ocho mil palabras al día. Pensaba que, para ser escritor, había que producir al menos cinco mil palabras al día. Pensaba que había que decir todo de una vez —en un libro— y después desplomarse. No sabía ni papa del oficio de escritor. Estaba cagado de miedo. Pero estaba decidido a borrar a Horatio Alger de la conciencia norteamericana. Debió de ser el peor libro que jamás haya escrito un hombre. Era un volumen colosal y defectuoso del principio al fin. Pero era mi primer libro y me encantaba. Si hubiera tenido dinero, como Gide, lo habría publicado a mis expensas. Si hubiese tenido tanto valor como Whitman, habría ido vendiéndolo de puerta en puerta. Todas las personas a las que se lo enseñé dijeron que era espantoso. Me recomendaron que renunciara a la idea de escribir. Tenía que aprender, como Balzac, que has de escribir volúmenes y volúmenes antes de firmar con tu nombre. Tenía que aprender, y no tardé en hacerlo, que has de abandonar todo y no hacer otra cosa que escribir, que has de escribir, escribir y escribir, aun cuando todo el mundo te aconseje lo contrario, aun cuando nadie crea en ti. Quizá lo hagas precisamente porque nadie cree en ti, quizás el auténtico secreto radique en hacer creer a la gente. Que el libro fuese inadecuado, defectuoso, malo, espantoso, como decían, era más que natural. Estaba intentando al principio lo que un genio no habría emprendido hasta el final. Quería decir la última palabra al principio. Era absurdo y patético. Fue una derrota aplastante, pero me reforzó la espina dorsal con hierro y la sangre con azufre. Por lo menos supe lo que era fracasar. Supe lo que era intentar algo grande. Hoy, cuando pienso en las circunstancias en las que escribí el libro, en la abrumadora cantidad de material a que intenté dar forma, en lo que intenté realizar, me doy palmaditas en la espalda, me pongo un diez. Estoy orgulloso de que resultara un fracaso lamentable; si lo hubiese logrado, habría sido un monstruo. A veces, cuando echo un vistazo a mis cuadernos de notas, cuando miró tan sólo los nombres de aquellos sobre quienes pensaba escribir, siento vértigo. Cada uno de ellos llegó hasta mí con un mundo propio; llegó hasta mí y lo descargó sobre mi escritorio; esperaba que yo lo recogiera y me lo pusiese sobre los hombros. No tenía tiempo de crear un mundo mío propio: tenía que permanecer fijo como Atlas, con los pies en el lomo del elefante y el elefante sobre el lomo de la tortuga. Preguntarse sobre qué descansaba la tortuga sería volverse loco.

En aquella época no me atrevía a pensar sino en los «hechos». Para penetrar bajo los hechos, tendría que haber sido un artista y no se llega a ser artista de la noche a la mañana. Primero tienes que verte aplastado, ver destruidos tus puntos de vista contradictorios. Tienes que verte borrado del mapa como ser humano para renacer como individuo. Tienes que verte carbonizado y mineralizado para elevarte a partir del último común denominador del yo. Tienes que superar la compasión para sentir desde las raíces mismas de tu ser. No puedes hacer un nuevo Cielo y una nueva Tierra con «hechos». No hay «hechos»: sólo existe *el hecho* de que el hombre, cualquier hombre, en cualquier parte del mundo, va camino de la ordenación. Unos siguen el camino más largo y otros el más corto. Todos cumplen su destino a su modo y nadie puede prestar otra ayuda que la de mostrarse amable, generoso y paciente. Con mi entusiasmo, en aquella época me resultaban inexplicables ciertas cosas que ahora veo con claridad. Pienso, por ejemplo, en Carnahan, uno de los doce hombrecillos sobre los que decidí escribir. Era lo que se dice un repartidor modélico. Estaba licenciado por una de las universidades más importantes, tenía una inteligencia sólida y un carácter ejemplar. Trabajaba dieciocho y veinte horas al día y ganaba más que ningún otro repartidor del cuerpo. Los clientes a los que servía escribían cartas para ponerlo por las nubes; le ofrecían buenos puestos, que rechazaba por una u otra razón. Vivía frugalmente y enviaba la mayor parte de su sueldo a su esposa e hijos, que vivían en otra ciudad. Tenía dos vicios: la bebida y el deseo de triunfar.

Podía pasarse un año sin beber, pero, si tomaba un traguito, no podía parar. Por dos veces había ganado una fortuna en Wall Street y, aun así, antes de acudir a mí en busca de trabajo, no había pasado de sacristán de la iglesia de un pueblecito. Lo habían despedido de ese empleo porque se había puesto a beber el vino sacramental y se había pasado toda la noche tocando las campanas. Era honrado, sincero, formal. Yo tenía confianza implícita en él y su hoja de servicios sin tacha demostró que no me había equivocado. No obstante, disparó a su mujer y a sus hijos a sangre fría y después se disparó a sí mismo. Por fortuna, ninguno de ellos murió; estuvieron todos internados en el mismo hospital y se recuperaron. Después de que lo trasladaran a la cárcel, fui a ver a su mujer para obtener su ayuda. Se negó en redondo. Dijo que era el hijo de puta más mezquino y cruel que se había echado a la cara: quería verlo colgado. Durante dos días intenté convencerla, pero se mostró inflexible. Fui a la cárcel y hablé con él a través de las rejas. Advertí que ya se había hecho popular entre las autoridades, ya le habían concedido privilegios especiales. No estaba desanimado lo más mínimo. Al contrario, esperaba aprovechar el tiempo que pasara en la cárcel «estudiando a fondo» el arte de vender. Cuando saliese en libertad, iba a ser el mejor vendedor de América. Casi podría decir que parecía feliz. Dijo que no me preocupara por él, que se las arreglaría perfectamente. Dijo que todo el mundo se portaba fetén con él y que no tenía queja. Me despedí un poco aturdido. Me fui a una playa cercana y decidí darme un baño. Veía todo con nuevos ojos. Casi me olvidé de regresar a casa, de tan absorto como había quedado en mis meditaciones sobre aquel tipo. ¿Quién podría decir que todo lo que había ocurrido no había sido para su bien? Tal vez saliera de la cárcel hecho todo un evangelista y no un vendedor. Nadie podía predecir lo que haría. Y nadie podía ayudarlo porque estaba cumpliendo su destino a su manera particular.

Había otro tipo, un hindú, llamado Guptal. No sólo era un modelo de buena conducta: era un santo. Sentía pasión por la flauta, que tocaba a solas en su cuartito miserable. Un día lo encontraron desnudo, con el cuello cortado de oreja a oreja y la flauta a su lado sobre la cama. En el entierro hubo doce mujeres, incluida la esposa del conserje que lo había asesinado, que vertieron lágrimas apasionadas. Podría escribir un libro sobre aquel joven, que fue el hombre más bondadoso y santo que he conocido en mi vida, que nunca había ofendido a nadie ni había cogido nunca nada de nadie, pero había cometido el error capital de venir a América a propagar la paz y el amor.

Otro era Dave Olinski, también repartidor fiel, diligente, que sólo pensaba en trabajar. Tenía una debilidad fatal: hablaba demasiado. Cuando acudió a mí, ya había dado la vuelta al mundo varias veces y lo que no había hecho para ganarse la vida no vale la pena contarlo. Sabía unas doce lenguas y estaba bastante orgulloso de su capacidad lingüística. Era uno de esos hombres cuya buena voluntad y entusiasmo son precisamente su ruina. Quería ayudar a todo el mundo, mostrar a todo el mundo el camino del éxito. Quería más trabajo del que podíamos darle: era un glotón del trabajo. Quizá debería haberle avisado, cuando lo envié a su oficina del East Side, de que iba a trabajar en un barrio peligroso, pero afirmaba saber tanto e insistió tanto en trabajar en aquella zona (por su capacidad lingüística), que no le dije nada. Pensé para mis adentros: «Muy pronto lo descubrirás por ti mismo». Ya lo creo: no pasó mucho tiempo sin que tuviera contratiempos. Un día un muchacho del barrio, un judío pendenciero, entró y pidió un impreso. Dave, el repartidor, estaba tras el mostrador. No le gustó el modo como el otro pidió el impreso. Le dijo que debía ser más educado. Se ganó un bofetón en el oído. Eso le desató la lengua todavía más, con lo que recibió tal sopapo, que le hizo tragarse los dientes y le rompió la mandíbula por tres sitios. Ni siquiera así supo mantener cerrado el pico. Como el grandísimo imbécil que era, va a la comisaría y pone una denuncia. Una semana después, estaba sentado en un banco dormitando, cuando una pandilla de rufianes irrumpió en el local y le pegó una paliza que lo dejó hecho papilla. Le dejaron la cabeza tan molida, que los sesos parecían una tortilla. De paso, vaciaron la caja fuerte y la dejaron patas arriba. Dave murió camino del hospital. Le encontraron quinientos dólares escondidos en la punta del calcetín... Otros eran Clausen y su mujer, Lena. Se presentaron juntos, cuando él solicitó el empleo. Lena llevaba un nene en los brazos y él dos peques de la mano. Me los envió una agencia de socorro a los necesitados. Lo contraté como repartidor nocturno para que tuviera un salario fijo. Al cabo de unos días, me envió una carta, una carta pueril en la que me pedía disculpas por haber faltado, ya que tenía que presentarse a la comisaría por estar en libertad condicional. Después, otra en la que decía que su mujer se había negado a acostarse con él porque no quería tener más hijos y me preguntaba si tendría la amabilidad de ir a verlos para intentar convencerla de que se acostara con él. Fui a su casa: un sótano en el barrio italiano. Parecía un manicomio. Lena estaba embarazada otra vez, de unos siete meses, y al borde de la imbecilidad. Le había dado por dormir en la azotea, porque en el sótano hacía demasiado calor y también porque no quería que él volviera a tocarla. Cuando le dije que en su estado actual daría igual, se limitó a mirarme y sonreír con una mueca. Clausen había estado en la guerra y tal vez el gas lo hubiese dejado un poco chiflado: el caso es que echaba espuma por la boca. Dijo que le rompería la crisma, si volvía a subir a la azotea. Insinuó que dormía en ella para entenderse con el carbonero que vivía en el ático. Al oír aquello, Lena volvió a sonreír con aquella mueca triste de batracio. Clausen perdió la paciencia y de repente le dio un puntapié en el culo. Ella salió enojada y se llevó a los chavales. Él le dijo que era mejor que no volviese nunca más. Entonces abrió un cajón y sacó un gran revólver. Dijo que lo guardaba por si acaso lo necesitaba alguna vez. También me enseñó unos cuchillos y una especie de cachiporra que había hecho él mismo. Después se echó a llorar. Dijo que su mujer lo estaba poniendo en ridículo, que estaba harto de trabajar para ella, porque se acostaba con todos los vecinos. Los chicos no eran suyos, porque ya no podía hacer un niño aunque quisiera. El día siguiente mismo, mientras Lena estaba en la compra, subió a los niños a la azotea y con la cachiporra que me había enseñado les rompió la crisma. Después se tiró de la azotea de cabeza. Cuando Lena llegó a casa y vio lo que había ocurrido, perdió el juicio. Tuvieron que ponerle una camisa de fuerza y llamar a una ambulancia... Otro era Schuldig, el soplón, que había pasado veinte años en la cárcel por un delito que no había cometido. Lo habían azotado casi hasta matarlo para conseguir que confesara; después, el encierro incomunicado, el hambre, la tortura, la perversión, la droga. Cuando por fin lo soltaron, ya no era un ser humano. Una noche me describió sus últimos treinta días en la cárcel, la agonía de esperar a que lo soltasen. Nunca he oído nada semejante; no creía que un ser humano pudiera sobrevivir a semejante angustia. Una vez libre, lo atormentaba el miedo a que lo obligasen a cometer un crimen y lo volvieran a enviar a la cárcel. Se quejaba de que lo seguían, espiaban, acechaban constantemente. Decía que «ellos» lo estaban tentando para que hiciera cosas que no deseaba hacer. «Ellos» eran los guripas que le seguían los pasos, que cobraban para volverlo a encerrar. Por la noche, cuando estaba dormido, le susurraban al oído. Se sentía impotente ante ellos, porque primero lo hipnotizaban. A veces colocaban droga bajo su almohada y con ella un revólver o un cuchillo. Querían que matara a algún inocente para tener una acusación más sólida contra él esa vez. Iba de mal en peor. Una noche, después de haberse paseado durante horas con un fajo de telegramas en el bolsillo, se dirigió a un guripa y le pidió que lo encerrara. No recordaba su nombre ni su dirección ni la oficina siquiera para la que trabajaba. Había perdido su identidad por completo. Repetía sin cesar: «Soy inocente... soy inocente». Volvieron a torturarlo, mientras lo interrogaban. De pronto, dio un salto y exclamó como un loco: «Confesaré... confesaré...», y, acto seguido, empezó a contar un crimen tras otro. Durante tres horas. De improviso, en plena confesión horripilante, se interrumpió, echó una mirada rápida a su alrededor, como quien vuelve en sí de repente, y después, con la rapidez y la fuerza de que sólo un loco puede hacer acopio, dio un salto tremendo a través de la habitación y estrelló el cráneo contra la pared de piedra... Cuento esos episodios breve y apresuradamente a medida que me vienen a la cabeza; mi memoria rebosa con millares de detalles semejantes, multitud de caras, gestos, relatos, confesiones, entrelazados y tejidos todos como la prodigiosa fachada de algún templo indio hecho no de piedra, sino de la experiencia de la carne humana, un monstruoso edificio de sueños construido por entero con realidad y que, sin embargo, no es realidad, sino sólo el recipiente que contiene el misterio del ser humano. Mi mente se pasea por la clínica donde por ignorancia y con buena voluntad llevé a algunos de los más jóvenes para que los curaran. No se me ocurre una imagen más evocadora para expresar la atmósfera de aquel lugar que el cuadro de El Bosco en que el mago, al modo de un dentista extrayendo un nervio en vivo, aparece representado como liberador de la locura. Todo el relumbrón y la charlatanería de nuestros especialistas científicos alcanza la apoteosis en la persona del afable sádico que dirigía aquella clínica con total connivencia y consentimiento de la ley. Era la imagen viva de Caligari, pero sin las orejas de burro. Fingiendo que entendía las leyes secretas de las glándulas, investido con los poderes de un monarca medieval, indiferente al dolor que infligía, ignorante de todo lo que no fuera su saber médico, se ponía a trabajar en el organismo humano como un fontanero en las tuberías subterráneas. Además de los venenos que introducía en el organismo del paciente, recurría a sus puños o a sus rodillas, según los casos. Cualquier cosa justificaba una «reacción». Si la víctima se mostraba letárgica, le gritaba, le daba bofetadas, le pellizcaba en el brazo, le daba puñetazos, patadas. Si, por el contrario, la víctima tenía demasiada energía, empleaba los mismos métodos, pero con mayor entusiasmo. Los sentimientos del sujeto carecían de importancia para él; cualquiera que fuese la reacción que lograra obtener era una simple demostración o manifestación de las leyes que regulan el funcionamiento de las glándulas de secreción interna. El objetivo de su tratamiento era volver al sujeto apto para la sociedad. Pero, por deprisa que trabajara y tuviese o no éxito, la sociedad producía cada vez más inadaptados. Algunos de ellos lo eran tan maravillosamente, que, cuando, para obtener la reacción proverbial, les daba una enérgica bofetada, respondían con un gancho o una patada en los cojones. Era cierto; la mayoría de sus sujetos eran exactamente como los calificaba: delincuentes en ciernes. El continente entero iba pendiente abajo —y todavía va— y no sólo las glándulas necesitan una regulación, sino también los rodamientos de bolas, el armazón, la estructura del esqueleto, el cerebro, el cerebelo, el cóxis, la laringe, el páncreas, el hígado, el intestino grueso y el intestino delgado, el corazón, los riñones, los testículos, la matriz, las trompas de Falopio y toda la pesca. El país entero carece de ley, es violento, explosivo, demoníaco. Está en el aire, el clima, el paisaje ultragrandioso, los bosques que yacen petrificados, los ríos torrenciales que corroen los cañones rocosos, las distancias supranormales, los supernos y áridos yermos, las cosechas más que florecientes, los frutos monstruosos, la mezcla de sangres quijotescas, la miscelánea de cultos, sectas, creencias, la oposición de leyes y lenguas, la discrepancia de temperamentos, principios, necesidades, requisitos. El continente está lleno de violencia enterrada, de los huesos de monstruos antediluvianos y razas humanas desaparecidas, de misterios envueltos en la fatalidad. A veces la atmósfera es tan eléctrica, que el alma se siente llamada a salir de su cuerpo y enloquece. Como la lluvia, todo llega a cántaros... o no llega. El continente entero es un volcán enorme cuyo cráter está oculto de momento por un panorama conmovedor que es en parte sueño, en parte miedo, en parte desesperación. De Alaska al Yucatán, la misma historia. La Naturaleza domina. La Naturaleza triunfa. Por doquier el mismo instinto asesino, destructivo, saqueador. Por fuera parecen gente estupenda, honrada: sanos, optimistas, valientes. Por dentro están llenos de gusanos. Una chispita y explotan.

Con frecuencia ocurría, como en Rusia, que llegaba un hombre en busca de camorra. Se había despertado así, como azotado por un monzón. Nueve de cada diez veces se trataba de un buen tipo, un tipo a quien todo el mundo apreciaba. Pero, cuando se encolerizaba, nada podía detenerlo. Era como un caballo desbocado y lo mejor que se podía hacer por él era dejarlo en el sitio de un tiro. Siempre ocurre lo mismo con las personas pacíficas. Un día les da la locura homicida. En América ocurre constantemente. Lo que necesitan es un desahogo para su energía, su sed de sangre. Europa sangra periódicamente con la guerra. América es pacifista y caníbal. Por fuera parece un hermoso panal de miel, con todos los abejorros arrastrándose unos sobre otros y trabajando frenéticos; por dentro, es un matadero en el que cada hombre acaba con su vecino y le chupa el tuétano de los huesos. En la superficie, parece un mundo masculino y audaz; en realidad, es una casa de putas dirigida por mujeres en la que los nativos hacen de chulos y los malditos extranjeros venden su carne. Nadie sabe lo que es quedarse sentado de culo y contento. Eso sólo ocurre en las películas, en las que todo está falsificado, hasta las llamas del infierno. El continente entero está profundamente dormido y tiene una gran pesadilla.

Nadie podría haber dormido más profundamente que yo en medio de aquella pesadilla. La guerra, cuando llegó, sólo produjo una débil resonancia en mis oídos. Como mis compatriotas, yo era pacifista y caníbal. Los millones de hombres que resultaron liquidados en la carnicería se desvanecieron en una nube, de modo muy parecido a los aztecas, o los incas, los indios pieles rojas y los búfalos. La gente fingía sentirse profundamente conmovida, pero no lo estaba. Sólo se revolvían presas de espasmos en el sueño. Nadie perdió el apetito, nadie se levantó a tocar la alarma contra incendios. El día que comprendí por primera vez que había habido una guerra fue unos seis meses más o menos después del armisticio. Fue en un tranvía de la línea que cruza la ciudad por la Calle 14. Uno de nuestros héroes, un muchacho de Texas con una ristra de medallas en el pecho, vio por casualidad a un oficial que pasaba por la acera y se puso furioso. Él mismo era sargento y probablemente tuviera razones poderosas para sentirse irritado. El caso es que se puso tan furioso al ver al oficial, que se levantó de su asiento y empezó a despotricar a gritos contra el gobierno, el ejército, los civiles, los pasajeros del tranvía, contra todo el mundo y contra todo. Dijo que, si hubiese otra guerra, no lo podrían arrastrar a ella ni con un tiro de veinte mulas. Dijo que, antes de ir él, tendría que ver muertos a todos y cada uno de los hijos de puta, que le importaban tres cojones las medallas con que lo habían condecorado y, para demostrar que hablaba en serio, se las arrancó y las tiró por la ventanilla, que, si volvía a verse alguna vez en una trinchera con un oficial, le dispararía por la espalda como a un perro sarnoso y que eso iba también por el general Pershing o cualquier otro general. Dijo muchas cosas más, junto con algunas palabrotas que había aprendido al otro lado del charco, y nadie abrió el pico para contradecirle. Y, cuando acabó, sentí por primera vez que había habido una guerra de verdad y el hombre a quien oía había estado en ella y, pese a su valentía, la guerra lo había convertido en un cobarde y, si llegara a matar otra vez, sería con toda lucidez y a sangre fría y nadie tendría agallas para enviarlo a la silla eléctrica, porque había cumplido con su deber para con sus semejantes, que consistía en negar sus instintos sagrados, conque todo era justo y correcto, porque un crimen lava otro en nombre de Dios, patria y humanidad, la paz sea con vosotros. Y la segunda vez que experimenté la realidad de la guerra fue cuando el ex sargento Griswold, uno de nuestros repartidores nocturnos, perdió los estribos e hizo añicos la oficina de una de las estaciones de ferrocarril. Me lo enviaron para que lo despidiese, pero no tuve valor para hacerlo. Había realizado una destrucción tan bella, que más bien sentí deseos de abrazarlo y estrecharlo; lo único que deseaba con toda el alma era que subiese al piso vigésimo quinto, o dondequiera que tuviesen sus despachos el presidente y los vicepresidentes, y acabara con toda la maldita pandilla. Pero en nombre de la disciplina y para representar hasta el final aquella farsa asquerosa, tenía que hacer algo para castigarlo o, si no, me castigarían a mí y, como no se me ocurría un castigo más leve, le quité el trabajo a comisión y lo dejé con el salario fijo. Se lo tomó bastante mal, por no comprender exactamente cuál era mi posición, si a favor o en contra de él, conque pronto recibí una carta suya en la que me decía que me iba a hacer una visita dentro de un día o dos y que más me valía que me anduviera con ojo, porque me iba a arrancar el pellejo. Decía que se presentaría después de las horas de trabajo y que, si tenía miedo, más me valía tener por allí a algunos guardaespaldas para protegerme. Yo sabía que hablaba en serio y me entró bastante tembleque, cuando dejé la carta sobre la mesa. Sin embargo, lo esperé solo, pues consideré que sería más cobarde aún pedir protección. Fue una experiencia extraña. Debió de advertir, en cuanto me puso la vista encima, que, si yo era un hijo de puta y un hipócrita mentiroso y repulsivo, como me llamaba en su carta, era porque él era lo que era, es decir, no mucho mejor. Debió de comprender al instante que los dos estábamos en el mismo barco de los cojones, un barco que hacía agua por todos lados. Vi que algo así le pasaba por la cabeza al avanzar hacia mí, por fuera todavía furioso, todavía echando espuma por la boca, pero por dentro completamente apagado, blando y fofo. Por mi parte, el miedo que sentía se había esfumado en el momento en que lo vi entrar. El simple hecho de estar allí tranquilo y solo, de ser menos fuerte, menos capaz de defenderme, me daba ventaja. Y no es que yo quisiera tener ventaja sobre él. Pero la situación había tomado ese cariz y, naturalmente, lo aproveché. En cuanto se sentó, se ablandó como masilla. Ya no era un hombre, sólo un niño grande. Debe de haber habido millones como él, niños grandes con ametralladoras que podían aniquilar regimientos enteros sin pestañear, pero de regreso en las trincheras del trabajo, sin un arma, sin un enemigo claro y visible, estaban tan desamparados como hormigas. Todo giraba en torno a la comida. La comida y el alquiler —eso era lo único por lo que luchar—, pero no había forma, forma clara y visible, de luchar por ello. Era como ver un ejército fuerte y bien equipado, capaz de vencer lo que se le pusiese por delante y que, sin embargo, recibiera todos los días la orden de retirarse, de retirarse, retirarse y retirarse, porque era lo más indicado estratégicamente, aun cuando significara perder terreno, cañones, munición, víveres, sueño, valor y la propia vida, por último. Dondequiera que hubiese hombres luchando por la comida y el alquiler, se producía esa retirada, en la niebla, en la noche, sin otra razón que la de que era lo más indicado estratégicamente. Lo estaba consumiendo. Luchar era fácil, pero luchar por la comida y el alquiler era como luchar con un ejército de fantasmas. Lo único que podías hacer era retirarte y, mientras te retirabas, veías diñarla a tus propios hermanos, uno tras otro, silenciosa, misteriosamente, en la niebla, en la obscuridad, y no había nada que hacer. Estaba tan confuso, tan perplejo, tan irremediablemente aturdido y vencido, que apoyó la cabeza en los brazos y lloró en mi escritorio. Y, mientras estaba sollozando así, va y suena el teléfono de pronto y es el despacho del vicepresidente —nunca el vicepresidente en persona, siempre *su despacho*— y quieren ver despedido al instante a ese tal Griswold y yo digo: «¡Sí, señor!», y cuelgo. No digo nada de eso a Griswold, pero lo acompaño a su casa y ceno con él, su esposa y sus chicos. Y, cuando me marcho, me digo que, si tengo que despedir a ese tipo, alguien va a pagarlo... y, en cualquier caso, quiero saber primero quién ha dado la orden y por qué. Y por la mañana, cabreado e indignado, me voy derecho al despacho del vicepresidente y digo que quiero hablar con el vicepresidente en persona y le pregunto: «¿Fue usted quién dio la orden?... *¿Y por qué?*» Y, antes de que tenga ocasión de negarlo, o de explicar sus razones, le tiro un directo donde no le gusta y no puede encajarlo —«y si no le gusta, señor Will Twilldilliger, puede usted quedarse con el puesto, mi puesto y el de él, y metérselo en el culo»— y, acto seguido, me marcho y lo dejo con la palabra en la boca. Vuelvo al matadero y me pongo a trabajar como de costumbre. Desde luego, espero que antes de acabar el día me despidan. Pero nada de eso. No, para mi asombro, recibo una llamada del director general para decirme que tenga paciencia, que me tranquilice un poco, sí, hombre, calma, no se precipite, vamos a examinar el asunto, etcétera. Supongo que todavía estarán examinándolo, porque Griswold siguió trabajando como siempre: de hecho, lo ascendieron incluso a la categoría de oficinista, lo que fue una faena también, porque de oficinista ganaba menos que de repartidor, pero su orgullo quedó a salvo y se le bajaron los humos un poco. Pero eso es lo que le ocurre a un tipo, cuando sólo es un héroe en sueños. A no ser que la pesadilla sea lo bastante fuerte como para despertarte, sigues retrocediendo y acabas ante un tribunal o de vicepresidente. En cualquier caso es igual, un lío de la hostia, una farsa, un fiasco del principio al fin. Lo sé porque lo viví y desperté. Y, cuando desperté, me marché. Me marché por la misma puerta por la que había entrado... sin siquiera decir: «¡Con su permiso, señor!».

Las cosas suceden instantáneamente, pero primero hay que pasar por un largo proceso. Lo que percibes, cuando ocurre algo, es la explosión y un segundo antes la chispa. Pero todo sucede de acuerdo con una ley... y con el pleno consentimiento y la colaboración de todo el cosmos. Antes de que pudiera alzarme y explotar, había que preparar la bomba bien y cebarla correctamente. Después de poner las cosas en orden para los cabrones de arriba, tuvieron que hacerme tragar el orgullo, enviarme a patadas de un lado para otro como un balón, pisotearme, aplastarme, humillarme, encadenarme, maniatarme, reducirme a la impotencia como a un calzonazos. Nunca me han faltado amigos, pero en aquel período particular parecían brotar a mi alrededor como hongos. Nunca tenía un momento de tranquilidad. Si iba a casa por la noche con la esperanza de descansar, había alguien esperándome. A veces eran una cuadrilla esperándome y parecía darles igual que llegara o no. Cada grupo de amigos que hacía despreciaba al otro. Stanley, por ejemplo, despreciaba a todos. También Ulric se mostraba bastante desdeñoso hacia los otros. Acababa de regresar de Europa tras una ausencia de varios años. No nos habíamos visto mucho desde la infancia hasta un día en que, por pura casualidad, nos encontramos en la calle. Aquél fue un día importante en mi vida, porque me abrió un mundo nuevo, un mundo con el que había soñado a menudo, pero que nunca había tenido esperanzas de ver. Recuerdo perfectamente que estábamos parados en la esquina de la Sexta Avenida con la Calle 49 hacia el atardecer. Lo recuerdo porque parecía completamente absurdo estar escuchando a un hombre hablar del monte Etna, el Vesubio, Capri, Pompeya, Marruecos y París en la esquina de la Sexta Avenida y la Calle 49 de Manhattan. Recuerdo cómo miraba a su alrededor mientras hablaba, como alguien que no había comprendido del todo dónde se había metido, pero intuía vagamente haber cometido un error horrible al regresar. Sus ojos parecían decir todo el tiempo: «Esto no tiene valor, ni el menor valor». Sin embargo, no decía eso, sino sólo esto una y otra vez: «¡Estoy seguro de que te gustaría! ¡Estoy seguro de que es el lugar para ti!». Cuando se separó de mí, me sentía aturdido. El tiempo que pasó hasta que volví a verlo me pareció una eternidad. Quería volver a oírlo todo, hasta el menor detalle. Nada de lo que yo había leído sobre Europa parecía igualar aquella entusiasta descripción de labios de mi amigo. Me parecía tanto más milagroso cuanto que los dos procedíamos del mismo ambiente. Él lo había conseguido porque tenía amigos ricos... y porque sabía ahorrar su dinero. Yo nunca había conocido a nadie que fuese rico, que hubiera viajado, que tuviese dinero en el banco. Todos mis amigos eran como yo, vivían al día aún y nunca pensaban en el futuro. O'Mara, sí, había viajado un poco, casi por todo el mundo... pero sin un céntimo, o, si no, en el ejército, lo que era aún peor. Mi amigo Ulric fue el primer conocido mío del que podía decir de verdad que había viajado. Y sabía hablar de sus experiencias.

A consecuencia de aquel encuentro fortuito en la calle, nos vimos con frecuencia por un período de varios meses. Solía venir a buscarme por la noche después de cenar y nos íbamos a pasear por el parque cercano. ¡Qué sed tenía yo! El menor detalle sobre el otro mundo me fascinaba. Aún hoy, muchos años después, hoy que conozco París como la palma de la mano, su descripción de París sigue ante mis ojos, todavía vívida, todavía real. A veces, después de haber llovido, al recorrerlo a toda velocidad en un taxi, tengo vislumbres fugaces de aquel París que describía; instantáneas efímeras, como al pasar por las Tullerías, quizás, o un vislumbre de Montmartre, o del Sacré Coeur, a través de la Rue Lafitte, con los últimos colores del atardecer. *¡Un simple muchacho de Brooklyn!* Ésa era la expresión que usaba a veces, cuando sentía vergüenza de su incapacidad para expresarse mejor. Y yo también era un simple muchacho de Brooklyn, es decir, uno de los últimos hombres y de los más insignificantes. Pero, en mis vagabundeos, codeándome con el mundo, raras veces encuentro a alguien capaz de describir con tanto amor y fidelidad lo que ha visto y sentido. A aquellas noches en Prospect Park con mi viejo amigo Ulric debo, más que a nada, estar hoy aquí. Aún no he visto la mayoría de los lugares que me describió; algunos quizá no los vea nunca. Pero viven dentro de mí, cálidos y vívidos, tal como él los creó en nuestros paseos por el parque.

Entretejido con su charla sobre el otro mundo iba todo el cuerpo y la textura de la obra de Lawrence. Con frecuencia, mucho después de que se hubiera vaciado el parque, seguíamos sentados en un banco hablando sobre la naturaleza de las ideas de Lawrence. Al rememorar ahora aquellas charlas, veo mi profunda confusión, mi lastimosa ignorancia del significado auténtico de las palabras de Lawrence. Si las hubiera entendido de verdad, mi vida nunca habría seguido el rumbo que siguió. La mayoría de nosotros vivimos la mayor parte de nuestras vidas sumergidos. Desde luego, en mi caso, puedo decir que hasta que abandoné América no subí a la superficie. Quizás América no tuviera nada que ver con ello, pero el caso es que no abrí los ojos de par en par hasta que pisé París. Y tal vez fuera así sólo porque había renunciado a América, a mi pasado.

Mi amigo Kronski solía burlarse de mis «euforias». Era su forma indirecta de recordarme, cuando estaba extraordinariamente alegre, que el día siguiente me encontraría deprimido. Era cierto. Sólo tenía altibajos. Largos períodos de abatimiento y melancolía seguidos de extravagantes estallidos de júbilo, de inspiración parecida al estado de trance. Nunca un nivel en que fuese yo mismo. Parece extraño decirlo, pero nunca era yo mismo. Era o bien anónimo o bien la persona llamada Henry Miller elevada a la *enésima* potencia. En este último talante, por ejemplo, podía contar a Hymie todo un libro, mientras íbamos en el tranvía, a Hymie, que nunca sospechó que yo fuera otra cosa que un buen jefe de personal. Parece que estoy viendo sus ojos ahora, mirándome una noche en que estaba en uno de mis estados de «euforia». Habíamos cogido el tranvía en el puente de Brooklyn para ir a un piso en Greenpoint, donde nos esperaban un par de fulanas. Hymie había empezado a hablarme, como de costumbre, de los ovarios de su mujer. En primer lugar, no sabía con precisión lo que eran los ovarios, conque yo estaba explicándoselo de forma cruda y simple. De pronto, en plena explicación, me pareció tan profundamente trágico y ridículo que Hymie no supiese lo que eran los ovarios, que me sentí borracho, tan borracho, quiero decir, como si me hubiese tomado un litro de whisky. De la idea de los ovarios enfermos germinó con la velocidad de un relámpago como una vegetación tropical compuesta del más heterogéneo surtido de baratillo, en medio del cual se encontraban instalados, seguros y tenaces, por decirlo así, Dante y Shakespeare. En el mismo instante recordé también de súbito la cadena de mis propios pensamientos que había comenzado hacia la mitad del puente de Brooklyn y que la palabra «ovarios» había interrumpido de improviso. Comprendí que todo lo que Hymie había dicho hasta la palabra «ovarios» había pasado por mí como arena por un tamiz. Lo que yo había iniciado, en medio del puente de Brooklyn, era lo que había iniciado una y mil veces en el pasado, por lo general cuando me dirigía a la tienda de mi padre, cosa que se producía día tras día como en trance. En resumen, lo que había iniciado era un libro de horas, del tedio y la monotonía de mi vida en plena actividad feroz. Hacía años que no pensaba en aquel libro que solía escribir todos los días en el trayecto de Delancey Street a Murray Hill. Pero, al pasar por el puente con la puesta de sol y los rascacielos brillando como cadáveres fosforescentes, sobrevino el recuerdo del pasado... el recuerdo de ir y venir por el puente, ir a un trabajo que era la muerte, regresar a un hogar que era un depósito de cadáveres, recitar de memoria *Fausto* mientras miraba el cementerio ahí abajo, escupir al cementerio desde el metro elevado, todos los días el mismo guarda en el andén, un imbécil, los otros imbéciles leyendo sus periódicos, nuevos rascacielos en construcción, nuevas tumbas en las que trabajar y morir, los barcos que pasaban por debajo, la Fall River Line, la Albany Day Line, por qué voy a trabajar, qué voy a hacer esta noche, cómo podría meter mano en la entrepierna a esta chati tan rica aquí, a mi lado, escapa y hazte vaquero, prueba la suerte en Alaska, las minas de oro, apéate y da la vuelta, no te mueras aún, espera un día más, un golpe de suerte, el río, acaba de una vez, abajo, abajo, como un sacacorchos, las cabezas y los hombros en el fango, las piernas libres, los peces vendrán a morder, mañana una vida nueva, dónde, en cualquier parte, por qué empezar de nuevo, en todas partes lo mismo, la muerte, la muerte es la solución, pero no te mueras aún, espera un día más, un golpe de suerte, una cara nueva, un nuevo amigo, millones de oportunidades, eres aún muy joven, estás melancólico, no mueras aún, espera un día más, un golpe de suerte, en fin, a tomar por culo, etcétera, por el puente y dentro de la jaula de cristal, todos apiñados, gusanos, hormigas, saliendo a gatas de un árbol muerto y sus pensamientos saliendo igual... Quizá, por encontrarme allí arriba entre las dos orillas, suspendido sobre el tráfico, sobre la vida y la muerte, con las altas tumbas a cada lado, tumbas que resplandecían con la moribunda luz del ocaso, el río corriendo indiferente, corriendo y corriendo como el tiempo mismo, quizá cada vez que pasaba por allí arriba algo tiraba de mí, me instaba a asimilarlo, a anunciarme; el caso es que cada vez que pasaba por allí arriba estaba solo de verdad y siempre que ocurría eso empezaba a escribirse el libro, gritando las cosas que nunca había dicho, los pensamientos que nunca había expresado, las conversaciones que nunca había sostenido, las esperanzas, los sueños, las ilusiones que nunca había confesado. Conque, si ése era el yo auténtico, era maravilloso y, más aún, no parecía cambiar nunca, sino reanudar el hilo a partir de la última interrupción, continuar en la misma vena, una vena que había descubierto cuando, siendo niño, salí a la calle solo por primera vez y allí, en el sucio hielo del arroyo, yacía un gato muerto, la primera vez que había mirado la muerte y había comprendido lo que era. Desde aquel momento supe lo que era estar aislado: todos los objetos, todos los seres vivos y todas las cosas tenían una existencia independiente. También mis pensamientos tenían una existencia independiente. De pronto, al mirar a Hymie y pensar en aquella extraña palabra «ovarios», más extraña ahora que cualquier otra de mi vocabulario, se apoderó de mí aquella sensación de aislamiento glacial y Hymie, sentado junto a mí, era un sapo, un sapo enteramente y nada más. Me veía saltando de cabeza desde el puente al fango primigenio, con las piernas libres y esperando un mordisco; así se había zambullido Satán por los cielos, por el sólido núcleo de la Tierra, de cabeza y penetrando hasta el centro mismo de la Tierra, el más obscuro, denso y caliente foso del infierno. Me veía caminando por el desierto de Mojave y el hombre que tenía a mi lado estaba esperando la caída de la noche para lanzarse sobre mí y matarme. Me veía caminando de nuevo por el País de los Sueños y un hombre iba caminando por encima de mí sobre una cuerda floja y por encima de él iba sentado un hombre en un aeroplano escribiendo letras de humo en el cielo. La mujer cogida a mi brazo estaba embarazada y dentro de seis o siete años la cosa que llevaba en su seno sabría leer las letras del cielo y lo que fuese —varón, hembra o cosa—, sabría qué era un cigarrillo y más adelante se fumaría el cigarrillo, quizás una cajetilla diaria. En la matriz se formaban uñas en cada dedo de las manos y de los pies; podías detenerte ahí, en una uña del pie, la más pequeña uña del pie imaginable y podías romperte la cabeza intentando explicártelo. A un lado del registro se encuentran los libros que el hombre ha escrito, que contienen tal mezcolanza de sabiduría y disparates, verdades y falsedades, que, aunque llegaras a edad tan avanzada como Matusalén, no podrías desembrollar el enredo; al otro lado del registro, cosas tales como uñas de pies, cabello, dientes, sangre, *ovarios*, si se quiere, todas incalculables, todas escritas en otro tipo de tinta, en otra escritura, una escritura incomprensible, indescifrable. Los ojos del sapo estaban fijos en mí como dos botones de cuello metidos en grasa fría; estaban metidos en el sudor frío del fango primigenio. Cada botón era un ovario que se había despegado, una ilustración sacada del diccionario sin necesidad de elucubración; cada ovario abotonado, deslustrado en la fría grasa amarilla del globo del ojo, producía un escalofrío subterráneo, la pista de patinaje del infierno en que los hombres se encontraban patas arriba sobre el hielo, con las piernas libres y esperando un mordisco. Por allí se paseaba Dante a solas, agobiado por el peso de su visión, atravesando círculos infinitos que avanzaban poco a poco hacia el cielo, para quedar entronizado en su obra. Allí Shakespeare, con semblante sereno, caía en el ensueño insondable de la exaltación para resurgir en forma de elegantes tomos en cuarto e insinuaciones. Una glauca escarcha de incomprensión barrida por explosiones de risa. El centro del ojo del sapo irradiaba nítidos rayos blancos de lucidez diáfana que no debían anotarse ni clasificarse en categorías, no debían contarse ni definirse, sino que giraban ciegos en una mutación caleidoscópica. Hymie, el sapo, era una patata ovárica engendrada en el paso elevado entre dos orillas: para él se habían construido los rascacielos, se había desforestado la selva, se había asesinado a los indios, se habían exterminado los búfalos; para él se habían unido las ciudades gemelas con el puente de Brooklyn, se habían bajado las compuertas, se habían tendido los cables de una torre a otra; para él se sentaban hombres patas arriba en el cielo a escribir palabras con fuego y humo; para él se inventaron los anestésicos, el fórceps y el gran Bertha, que podía destruir lo que el ojo no podía ver; para él se descompuso la molécula y se reveló que el átomo carecía de substancia; para él se escudriñaban todas las noches las estrellas con telescopios y se fotografiaban mundos nacientes en el acto de la gestación; para él se redujeron a la nada las barreras del tiempo y del espacio y los sumos sacerdotes del cosmos desposeído explicaron irrefutable e indiscutiblemente cualquier clase de movimiento, ya se tratara del vuelo de las aves o de la revolución de los planetas. Luego, en el medio del puente, por ejemplo, en medio de un paseo, en el medio siempre, ya fuera de un libro, una conversación o el acto del amor, volvía a tomar conciencia de que nunca había hecho lo que quería y por no haber hecho lo que quería se desarrolló dentro de mí esa creación que no era sino una planta obsesiva, como una vegetación coralina, que estaba expropiando todo, incluida la propia vida, hasta que la propia vida se convirtió en lo que se negaba, pero que constantemente se imponía, creando vida y matándola a un tiempo. La veía persistir después de la muerte, como el cabello que crece en un cadáver, y, aunque la gente hable de «muerte», el cabello sigue dando testimonio de la vida y, al final, no hay muerte, sino esa vida del cabello y las uñas y, aunque haya desaparecido el cuerpo y el espíritu se haya extinguido, en la muerte sigue algo vivo, expropiando el espacio, causando el tiempo, creando un movimiento infinito. Podía suceder gracias al amor, o a la pena, o al hecho de nacer con un pie deforme; la causa no era nada; el conocimiento, todo. *En el principio fue el Verbo...* Fuera lo que fuese, *el Verbo*, enfermedad o creación, sobrepasaría el tiempo y el espacio, duraría más que los ángeles, destronaría a Dios, desengancharía el Universo. Cualquier palabra contenía todas las palabras... para quien hubiera llegado al desprendimiento gracias al amor o a la pena o a la causa que fuese. En cada palabra la corriente regresaba hasta el principio perdido y que nunca volvería a encontrar, ya que no había ni principio ni fin, sino sólo lo que expresaba en el principio y en el fin. Así transcurría en el tranvía ovárico aquel viaje del hombre y el sapo formados de la misma substancia, ni mejores ni peores que Dante, pero infinitamente distintos, uno que no sabía el significado exacto de nada, el otro que sabía con demasiada exactitud el significado de todo, y, por tanto, perdidos y confusos ambos por entre principios y fines, para acabar, por último, transportados hasta Java o India Street, en Greenpoint, donde les harían entrar de nuevo en la así llamada corriente de la vida un par de golfas de serrín, con los ovarios crispados, de la conocida variedad de los gasterópodos.

Lo que ahora me parece la prueba más maravillosa de mi aptitud, o ineptitud, para con los tiempos es el hecho de que nada de lo que la gente escribía o hablaba tuviese el menor interés para mí. Lo único que me obsesionaba era el objeto, la *cosa* separada, desprendida, insignificante. Podía ser una parte del cuerpo humano o una escalera de un teatro de variedades, una chimenea o un botón encontrado en el arroyo. Fuera lo que fuese, me permitía abrirme, entregarme, poner mi firma. A la vida que me rodeaba, a la gente que formaba el mundo por mí conocido, no podía aplicar mi firma. Estaba tan claramente fuera de su mundo como un caníbal de los límites de la sociedad civilizada. Estaba colmado de un amor perverso por la cosa en sí: no un apego filosófico, sino un hambre apasionada, desesperadamente apasionada, como si la *cosa* desechada, sin valor, que todo el mundo pasaba por alto, encerrase el secreto de mi regeneración.

Viviendo en un mundo en que había una plétora de lo nuevo, me apegaba a lo viejo. En todos los objetos había una partícula minúscula que me llamaba la atención en particular. Yo tenía un ojo microscópico para la mancha, para la veta de fealdad que para mí constituía la única belleza del objeto. Me atraía y apreciaba lo que distinguía el objeto o lo volvía inservible, anticuado, fuera lo que fuese. Si eso era perverso, también era sano, teniendo en cuenta que no estaba destinado a pertenecer al mundo que surgía a mi alrededor. Pronto también yo me convertiría en algo parecido a aquellos objetos que veneraba, algo aparte, un miembro inútil de la sociedad. Estaba anticuado, no había duda. Y, sin embargo, era capaz de divertir, instruir, alimentar, pero nunca de verme aceptado, de verdad. Cuando lo deseaba, cuando se me antojaba, podía elegir a un hombre cualquiera, de cualquier estrato de la sociedad y hacer que me escuchase. Podía tenerlo hechizado, si lo deseaba, pero, como un mago, o un hechicero, sólo mientras el espíritu permaneciera en mí. En el fondo, sentía en los demás una confianza, un desasosiego, un antagonismo que, por ser instintivo, era irremediable. Debería haber sido un payaso; habría contado con la gama de expresión más amplia. Pero subestimaba esa profesión. Si me hubiera hecho payaso, o incluso animador de variedades, habría sido famoso. Me habrían apreciado precisamente por no haberme entendido, pero habrían entendido que no había que entenderme. Habría sido un alivio, como mínimo.

Siempre me asombraba la facilidad con que la gente se enfurecía con sólo oírme hablar. Quizá mi forma de hablar fuera algo extravagante, si bien ocurría con frecuencia cuando hacía los mayores esfuerzos para contenerme. El giro de una frase, la elección de un adjetivo desafortunado, la facilidad con que las palabras acudían a mis labios, las alusiones a temas que eran tabú: todo conspiraba para señalarme como un proscrito, un enemigo de la sociedad. Por bien que empezaran las cosas, tarde o temprano me descubrían. Si me mostraba discreto y humilde, por ejemplo, resultaba demasiado discreto, demasiado humilde. Si me mostraba alegre y espontáneo, audaz y temerario, resultaba demasiado franco, demasiado alegre. Nunca conseguía estar del todo *au point* con el individuo con quien estuviese hablando. Si no era asunto de vida o muerte —entonces todo era asunto de vida o muerte para mí—, si se trataba simplemente de pasar una velada agradable en casa de algún conocido, sucedía lo mismo. Emanaban de mí vibraciones, alusiones y matices, que cargaban la atmósfera desagradablemente. Podían haberse divertido toda la velada con mis historias, podía haberlos hecho desternillarse de risa, como ocurría a menudo, y todo parecía augurar lo mejor. Pero, tan fatalmente como el destino, tenía que ocurrir algo antes de que concluyera la velada, una vibración se soltaba y hacía sonar la araña o recordaba a alguna alma sensible el orinal bajo la cama. Aun antes de que hubieran dejado de reír, el veneno empezaba a surtir efecto. «Esperamos volver a verte un día de éstos», decían, pero la mano húmeda y fláccida que tendían desmentía las palabras.

Personna non grata! ¡Joder, qué claro lo veo ahora! No había dónde escoger: debía tomar lo que había a mano y aprender a apreciarlo. Tenía que aprender a vivir con la escoria, a nadar como una rata de alcantarilla o ahogarme. Si optas por incorporarte al rebaño, eres inmune. Para que te acepten y aprecien, tienes que anularte, volverte indistinguible del rebaño. Puedes soñar, si sueñas lo mismo. Pero, si sueñas algo diferente, no estás en América, no eres un americano de América, sino un hotentote de África o un calmuco o un chimpancé.

En cuanto tienes ideas «diferentes», dejas de ser americano. Y, en cuanto te vuelves algo diferente, te encuentras en Alaska o en la isla de Pascua o en Islandia.

¿Digo esto con rencor, envidia, mala intención? Quizás. Quizá sienta no haber podido llegar a ser americano. *Quizás*. Con mi fervor actual, que también es *americano*, estoy a punto de dar a luz a un edificio monstruoso, un rascacielos, que sin duda durará hasta mucho después de que hayan desaparecido los demás rascacielos, pero que desaparecerá también, cuando desaparezca lo que lo produjo. Todo lo americano desaparecerá algún día, más completamente que lo griego o lo romano o lo egipcio. Ésta es *una* de las ideas que me hizo salir de la cálida y cómoda corriente sanguínea en que en un tiempo pastábamos todos en paz como búfalos, una idea que me ha causado pena infinita, pues no pertenecer a algo duradero es la peor de las agonías. Pero no soy un búfalo ni deseo serlo. Ni siquiera soy un *búfalo espiritual*. Me he escabullido para reincorporarme a una corriente de conciencia más antigua, una raza anterior a la de los búfalos, una raza que sobrevivirá al búfalo.

Todas las cosas, todos los objetos animados o inanimados *diferentes* están veteados de rasgos indelebles. Lo que yo soy es indeleble, porque es diferente. Esto es un rascacielos, como he dicho, pero es *diferente* de los rascacielos habituales *à l'américaine*. En este rascacielos no hay ascensores ni ventanas del piso septuagésimo tercero desde las que tirarse. Si te cansas de subir, eres un menda sin suerte. No hay guía en el vestíbulo principal. Si buscas a alguien, tendrás que buscar. Si quieres una bebida, tendrás que salir a buscarla; no hay despacho de bebidas en este edificio ni estancos ni cabinas telefónicas. ¡Todos los demás rascacielos tienen lo que desees! Éste no contiene sino lo que *yo* deseo, lo que *a mí* me gusta. Y en algún lugar de este rascacielos está Valeska, estando como está a dos metros bajo tierra y a estas alturas comida hasta los huesos por los gusanos. Cuando estaba viva, también la royeron hasta los huesos los gusanos humanos, que no respetan nada de tono distinto, de olor diferente.

Lo triste en el caso de Valeska era que tenía sangre negra en las venas. Era deprimente para todos los que la rodeaban. Te hacía advertirlo, quisieras o no. La sangre negra, como digo, y el hecho de que su madre fuese una ramera. La madre era blanca, por supuesto. Quién fuese el padre nadie lo sabía, ni siquiera la propia Valeska.

Todo fue de primera hasta el día en que a un entrometido judío de la oficina del vicepresidente le dio por espiarla. Se sintió horrorizado, según me confió, ante la idea de que yo hubiera contratado como secretaria mía a una negra. Tal como me lo dijo, parecía que pudiese contaminar a los repartidores. El día siguiente me llamaron la atención. Exactamente como si hubiera cometido un sacrilegio. Desde luego, fingí no haber observado nada extraño en ella, salvo que era muy inteligente y capaz. Por último, el presidente en persona tomó cartas en el asunto. Celebró una entrevista con ella en la que con gran diplomacia propuso darle un puesto mejor en La Habana. Ni palabra de la mácula del color. Sólo que sus servicios habían sido extraordinarios y que les gustaría ascenderla... a La Habana. Valeska volvió a la oficina hecha una furia. Cuando estaba furiosa, era magnífica. Dijo que no se movería de allí. Steve Romero y Hymie estaban presentes y fuimos todos a cenar juntos. Durante la noche nos pusimos un poco piripis y a Valeska se le soltó la lengua. Camino de casa, me dijo que no se iba a dar por vencida; me preguntó si eso pondría en peligro mi empleo. Le dije tan tranquilo que, si la despedían, yo también me iría. Hizo como que no me creía al principio. Le dije que hablaba en serio, que no me importaba lo que ocurriera. Pareció exageradamente impresionada; me cogió las dos manos y las retuvo con mucha ternura, mientras le caían lágrimas por las mejillas.

Aquello fue el comienzo de la historia. Creo que fue el día siguiente mismo cuando le pasé una nota en la que decía que estaba loco por ella. Leyó la nota sentada frente a mí y, cuando acabó, me miró a los ojos y dijo que no lo creía. Pero volvimos a ir a cenar aquella noche y tomamos más copas y bailamos y, mientras bailábamos, se apretaba lasciva contra mí. Quiso la suerte que fuera la época en que mi mujer se disponía a abortar otra vez. Se lo estaba contando a Valeska, mientras bailábamos. Camino de casa, dijo de pronto: «¿Me dejas que te preste cien dólares?». La noche siguiente la llevé a cenar a casa para que entregara los cien dólares a mi mujer. Me asombró lo bien que se llevaron las dos. Antes de que acabase la velada, quedamos en que Valeska vendría a casa el día del aborto para cuidar a la niña. Llegó el día y di permiso por la tarde a Valeska. Una hora más o menos después de que se hubiera marchado, decidí de repente tomarme la tarde libre yo también. Me dirigí al teatro de revistas de la Calle 14. Cuando me faltaba una manzana para llegar al teatro, cambié de idea de pronto. Sencillamente, pensé que, si pasaba algo —si mi mujer la diñaba—, no me iba a sentir muy bien por haber pasado la tarde viendo una revista. Paseé un poco, entré y salí varias veces de la sala de juegos y después me dirigí a casa.

Es extraño cómo salen las cosas. Estaba intentando distraer a la niña, cuando recordé de repente un truco que mi abuelo me había enseñado, siendo yo niño. Coges las fichas de dominó y haces altos acorazados con ellas; después tiras despacito del mantel sobre el que flotan los acorazados hasta que llegue al borde de la mesa, momento en que das un rápido tirón repentino y caen al suelo. Repetimos el juego una y mil veces, los tres, hasta que a la niña le entró tanto sueño, que se fue tambaleándose a la habitación contigua y se quedó dormida. Las fichas estaban tiradas por el suelo y el mantel también. De pronto, Valeska estaba reclinada contra la mesa, metiéndome la lengua hasta la garganta y yo le estaba metiendo mano entre las piernas. Al tumbarla sobre la mesa, se me enroscó con las piernas. Sentí una de las fichas bajo el pie... parte de la flota que habíamos destruido una docena de veces o más. Recordé a mi abuelo sentado en el banco: cómo había advertido a mi madre un día que yo era demasiado pequeño para leer tanto, su pensativa mirada mientras apretaba la plancha caliente contra la costura húmeda de una chaqueta; recordé el ataque de los Rough Riders contra San Juan Hill, la imagen de Teddy cargando a la cabeza de sus voluntarios que aparecía en el voluminoso libro que solía yo leer junto a su banco; recordé el acorazado Maine que flotaba sobre mi cama en el cuartito de la ventana enrejada, al almirante Dewey, a Schley y a Samson; recordé el viaje a los astilleros que nunca llegué a hacer, porque por el camino mi padre recordó de repente que debíamos ir a ver al médico aquella tarde y, cuando salí de la consulta del médico, había perdido las amígdalas y la fe en los seres humanos... Apenas habíamos acabado, cuando sonó el timbre y era mi mujer que volvía del matadero. Aún iba abrochándome la bragueta, cuando atravesé el vestíbulo para abrir la puerta. Venía blanca como la cal. Parecía como si no fuera a poder pasar nunca más por otro trance semejante. La acostamos y después recogimos las fichas de dominó y volvimos a colocar el mantel sobre la mesa. La otra noche en un *bistrot*, yendo hacia el servicio, pasé por casualidad ante dos viejos que jugaban al dominó. Tuve que detenerme un momento y coger una ficha. Al sentirla en la mano, recordé al instante los acorazados, el ruido que hacían al caer al suelo. Y, con los acorazados, la pérdida de las amígdalas y de mi fe en los seres humanos. Por eso, cada vez que pasaba por el puente de Brooklyn y miraba hacia abajo, hacia los astilleros de la Marina, tenía la impresión de que se me caían las tripas. Allí arriba, suspendido entre las dos orillas, siempre tenía la impresión de estar colgado sobre un vacío; allí arriba todo lo que me había ocurrido alguna vez parecía irreal, y peor aún: *innecesario.* En lugar de unirme a la vida, a los hombres, a la actividad de los hombres, el puente parecía romper todos los vínculos. Daba igual que me dirigiera a una orilla o a la otra: a ambos lados estaba el infierno. Sin saber cómo, había conseguido romper mi vinculación con el mundo que estaban creando las manos y las mentes humanas. Quizás estuviera en lo cierto mi abuelo, tal vez me hubiesen echado a perder desde el principio los libros que leía, pero hace siglos que los libros no me llaman la atención. Hace ya mucho tiempo que casi he dejado de leer, pero el vicio persiste. Ahora las personas son libros para mí. Las leo desde la primera página hasta la última y después las dejo de lado. Las devoro, una tras otra, y, cuanto más leo, más insaciable me vuelvo: sin límites. No podía haber fin, y no lo hubo, hasta que empezara a formarse dentro de mí un puente que me volviese a unir a la corriente de la vida, de la que me habían separado de niño.

Una sensación terrible de desconsuelo se cernió sobre mí durante años. Si creyera en los astros, habría de creer que estaba sometido por completo al dominio de Saturno. Todo lo que me sucedió ocurrió demasiado tarde como para significar gran cosa para mí. Hasta mi nacimiento. Estaba previsto para Navidad, pero nací con un retraso de media hora. Siempre me ha parecido que estaba destinado a ser la clase de persona que estás destinado a ser por haber nacido el 25 de diciembre. El almirante Dewey nació ese día y también Jesucristo... quizá también Krishnamurti, aunque no lo sé seguro. El caso es que ésa era la clase de menda que debía ser. Pero, como mi madre tenía la matriz como pinzas y me retuvo en sus garras como un pulpo, salí con otra configuración: en otras palabras, con una disposición favorable. Dicen —me refiero a los astrólogos— que las cosas irán mejorando para mí con el paso del tiempo; de hecho, el futuro ha de ser bastante espléndido. Pero, ¿qué me importa el futuro? Habría sido mejor que mi madre hubiese tropezado en la escalera la mañana del 25 de diciembre y se hubiera roto el pescuezo; ¡así habría tenido buen comienzo! Así, pues, cuando intento pensar dónde se produjo la ruptura, voy retrocediendo cada vez más, hasta que no queda más remedio que explicarla por el retraso en la hora de nacimiento. Hasta mi madre, con su lengua viperina, pareció entenderlo en cierto modo. «¡Siempre a remolque, como la cola de una vaca!»: así era como me describía. Pero, ¿acaso es culpa mía que me retuviese encerrado en su seno hasta que hubiera pasado la hora? El destino me había preparado para ser determinada persona; los astros estaban en la conjunción correcta y yo coincidía con los astros y daba patadas por salir, pero no pude escoger a la madre que me iba a dar a luz. Quizá tuviera suerte por no haber nacido idiota, dadas las circunstancias. No obstante, una cosa parece clara —y es una secuela del día 25—: que nací con complejo de crucificado. Es decir, para ser más precisos, que nací fanático. *¡Fanático!* Recuerdo que desde la más tierna infancia me espetaban esa palabra. Sobre todo, mis padres. ¿Qué es un fanático? Alguien que cree en algo con fervor y lo pone en práctica a rajatabla. Yo siempre creía en algo y, por eso, me metía en líos. Cuantos más palmetazos me daban, más firmemente creía. *Yo creía...* ¡y el resto del mundo, no! Si sólo se tratara de soportar el castigo, podrías seguir creyendo hasta el final; pero la actitud del mundo es mucho más insidiosa. En lugar de castigarte, te va minando, excavando, quitando el terreno bajo los pies. No es traición siquiera. La traición es comprensible y combatible. No, es algo peor, algo *más bajo* que la traición. Es un negativismo que te hace como intentar abarcar demasiado. Te pasas la vida consumiendo energía en intentar recuperar el equilibrio. Eres presa como de un vértigo espiritual, te tambaleas al borde del precipicio, se te ponen los pelos de punta, no puedes creer que bajo tus pies haya un abismo insondable. Se debe a un exceso de entusiasmo, a un deseo apasionado de abrazar a la gente, de mostrarles tu amor. Cuanto más tiendes los brazos hacia el mundo, más se retira. Nadie quiere amor de verdad, odio de verdad. Nadie quiere que metas la mano en sus sagradas entrañas: eso sólo debe hacerlo el sacerdote en la hora del sacrificio. Mientras vives, mientras la sangre está caliente, has de fingir que no existen cosas tales como la sangre y el esqueleto bajo la envoltura de la carne. *¡Prohibido pisar el césped!* Por ese lema se guía la gente en su vida.

Si sigues manteniendo el equilibrio así, al borde del abismo, bastante tiempo, adquieres una gran destreza: te empujen del lado que te empujen, siempre recuperas el equilibrio. Al estar siempre en forma, adquieres una alegría feroz, una alegría innatural, podríamos decir. En el mundo actual sólo hay dos pueblos que entienden el significado de esta declaración: los judíos y los chinos. Si da la casualidad de que no perteneces a ninguno de los dos, te encuentras en una situación extraña. Siempre te ríes cuando no debes; te consideran cruel y despiadado, cuando no eres, en realidad, sino resistente y duradero. Pero, si te ríes cuando los otros ríen y lloras cuando los otros lloran, en ese caso tienes que prepararte para morir como ellos mueren y vivir como ellos viven. Eso significa tener razón y llevar la peor parte a un tiempo. Significa estar muerto en vida y vivo sólo en la muerte. En esa compañía el mundo siempre presenta un aspecto normal, aun en las condiciones más anormales. Nada es cierto ni falso, pero el pensamiento hace que lo sea. Ya no crees en la realidad, sino en el pensamiento. Y, cuando te empujan más allá del límite, tus pensamientos te acompañan y no te sirven de nada.

En cierto sentido, en un sentido profundo, quiero decir, a Cristo nunca lo empujaron más allá del límite. En el momento en que estaba tambaleándose y balanceándose como a consecuencia de un gran rebote, apareció aquella corriente negativa e impidió su muerte. Todo el impulso negativo de la humanidad pareció enrollarse en una monstruosa masa inerte para crear el número entero humano, la cifra uno, uno e indivisible. Hubo una resurrección que es inexplicable, a no ser que aceptemos que los hombres siempre han estado dispuestos a negar su propio destino. La tierra gira y gira, los astros giran y giran, pero los hombres, el gran cúmulo de hombres que componen el mundo, están presos en la imagen del uno y sólo uno.

Si no te crucifican, como a Cristo, si consigues sobrevivir, seguir viviendo y superar la sensación de desesperación y futilidad, ocurre otra cosa curiosa. Es como si hubieras muerto de verdad y hubieses resucitado efectivamente; vives una vida supranormal, como los chinos. Es decir, que eres alegre, sano e indiferente de forma innatural. Desaparece el sentido trágico: sigues viviendo como una flor, una roca, un árbol, unido a la Naturaleza y enfrentado a ella a un tiempo. Si muere tu mejor amigo, ni siquiera te preocupas de ir al entierro; si un coche atropella a un hombre delante de ti, sigues caminando como si nada hubiera ocurrido; si estalla una guerra, dejas a tus amigos ir al frente, pero tú, por tu parte, no te interesas por la matanza. Y así sucesivamente. La vida se convierte en un espectáculo y, si resulta que eres un artista, consignas el espectáculo a medida que se produce. La soledad queda suprimida, porque todos los valores, incluidos los tuyos, están destruidos. Lo único que se intensifica es la compasión, pero no es una compasión humana, limitada: es algo monstruoso y maligno. Te importa todo tan poco, que puedes permitirte el lujo de sacrificarte por cualquiera o por cualquier cosa. Al mismo tiempo, tu interés, tu curiosidad, se desarrolla a un ritmo fantástico. También eso es sospechoso, ya que puede atarte a un botón de cuello igual que a una causa. No existe una diferencia fundamental, inalterable, entre las cosas: todo es cambio, todo perecedero. La superficie de tu ser se desintegra sin cesar; sin embargo, por dentro te vuelves duro como un diamante. Y quizá sea ese núcleo duro, magnético, dentro de ti lo que atrae a los otros hacia ti de grado o por fuerza. Una cosa es segura: que cuando mueres y resucitas, perteneces a la tierra y todo lo que sea de la tierra es inalienablemente tuyo. Te conviertes en una anomalía de la naturaleza, un ser sin sombra; nunca volverás a morir, sólo desaparecerás como los fenómenos que te rodean.

En la época en que estaba experimentando el gran cambio no sabía nada de lo que ahora estoy consignando. Todo lo que soporté fue como una preparación para el momento en que, tras ponerme el sombrero una noche, salí de la oficina, de lo que había sido mi vida privada hasta entonces, y busqué a la mujer que me iba a liberar de una muerte en vida. Ahora, a la luz de ese suceso, rememoro mis paseos nocturnos por las calles de Nueva York, las noches blancas en que caminaba dormido y veía la ciudad en que había nacido como se ven las cosas en un espejismo. Muchas veces era a O'Rourke, el detective de la empresa, a quien acompañaba por las silenciosas calles. Con frecuencia el suelo estaba cubierto de nieve y el aire era helado. Y O'Rourke venga a hablar de robos, asesinatos, el amor, la naturaleza humana, la Edad de Oro. Tenía la costumbre de detenerse de repente en plena perorata y en medio de la calle y colocar su pesado pie entre los míos para que no pudiera moverme. Y después, cogiéndome por la solapa, acercaba su cara a la mía y me hablaba a los ojos y cada palabra penetraba como la rosca de una barrena. Vuelvo a vernos a los dos parados en el medio de una calle a las cuatro de la mañana, mientras el viento aullaba y caía la nieve, y O'Rourke ajeno a todo menos a la historia que tenía que desembuchar. Recuerdo que siempre, mientras él hablaba, yo observaba los alrededores con el rabillo del ojo, consciente, no de lo que decía, sino de que nos encontrábamos parados en Yorkville o en Allen Street o en Broadway. Siempre me parecía un poco extravagante la seriedad con que contaba sus triviales historias de asesinatos en medio del mayor revoltijo arquitectónico que el hombre haya creado nunca. Mientras me hablaba de huellas dactilares, yo podía estar estudiando con la mirada una albardilla o una cornisa en un pequeño edificio de ladrillo rojo justo detrás de su sombrero negro; me ponía a pensar en el día en que se había instalado la cornisa, en quién podía haber sido el hombre que la había diseñado y por qué la había hecho tan fea, tan parecida a cualquiera de las otras cornisas pésimas, infames, ante las que habíamos pasado desde el East Side hasta Harlem y más allá de Harlem, si deseábamos seguir adelante, más allá de Nueva York, más allá del Misisipí, más allá del Gran Cañón, más allá del desierto de Mojave, en cualquier parte de América en que haya edificios para el hombre y la mujer. Me parecía absolutamente demencial que todos los días de mi vida hubiese de sentarme a escuchar las historias de los demás, las triviales tragedias de pobreza e infortunio, amor y muerte, anhelo y desilusión. Si, como sucedía, todos los días acudían hasta mí por lo menos cincuenta hombres, cada uno de los cuales derramaba el relato de su infortunio, y con cada uno de ellos tenía que guardar silencio y «recibir», lo más natural era que llegara un momento en que hubiese de hacer oídos sordos y endurecer el corazón. El bocado más minúsculo era suficiente para mí; podía mascarlo y mascarlo y digerirlo por días y semanas. Y, sin embargo, me veía obligado a permanecer sentado allí y verme inundado, salir por la noche y recibir más, dormir escuchando, soñar escuchando. Desfilaban ante mí hombres procedentes de todo el mundo, de todos los estratos de la sociedad, hablantes de mil lenguas diferentes, adoradores de dioses diferentes, observadores de leyes y costumbres diferentes. El relato del más pobre de ellos habría ocupado un volumen enorme y, sin embargo, si se hubiesen transcrito íntegramente todos y cada uno, se habría podido condensarlos hasta el tamaño de los Diez Mandamientos, podrían haberse consignado en el reverso de un sello de correos, como el Padre nuestro. Todos los días me estiraba tanto, que mi piel parecía cubrir el mundo entero; y cuando estaba solo, cuando ya no estaba obligado a escuchar, me encogía hasta ser como la punta de un alfiler. La delicia mayor, pero rara, era caminar por las calles a solas... caminar por las calles de noche, cuando estaban desiertas, y reflexionar sobre el silencio que me rodeaba: millones de personas tumbadas boca arriba, muertas para el mundo, con las bocas abiertas y emitiendo sólo ronquidos. Caminar por entre la arquitectura más demencial que jamás se haya inventado, preguntándome por qué y con qué fin, si todos los días tenía que salir de aquellos cuchitriles miserables o palacios magníficos un ejército de hombres deseosos de desembuchar el relato de su miseria. En un año, calculando por lo bajo, me tragaba veinticinco mil relatos; en dos años, cincuenta mil; en cuatro años, serían cien mil; en diez años, me habría vuelto loco de remate. Ya conocía a gente suficiente para poblar una ciudad de buen tamaño. ¡Qué ciudad, si se los pudiera reunir a todos juntos! ¿Desearían rascacielos? ¿Museos? ¿Bibliotecas? ¿Construirían también alcantarillas, puentes, vías férreas y fábricas? ¿Harían las mismas cornisas de hojalata, todas iguales, una, otra y otra *ad infinitum* desde Battery Park hasta Golden Bay? Lo dudo. Sólo el aguijón del hambre podía hacerlos moverse. El estómago vacío, la mirada feroz en los ojos; el miedo, el miedo a algo peor, los mantenía en movimiento. Uno tras otro, todos iguales, todos incitados hasta la desesperación, aguijoneados por el hambre para construir los rascacielos más altos, los acorazados más temibles, fabricar el mejor acero, el encaje más fino, la cristalería más delicada. Caminar con O'Rourke y no oír hablar sino de robos, incendios provocados, violaciones, homicidios, era como oír un pequeño motivo de una gran sinfonía. Y así como puedes silbar una tonada de Bach y estar pensando en una mujer con la que quieres acostarte, así también, mientras yo escuchaba a O'Rourke, iba pensando en el momento en que dejara de hablar y dijese: «¿Qué vas a comer?». En medio del asesinato más horripilante me ponía a pensar en el filete de lomo de cerdo que con seguridad nos servirían en un lugar que estaba un poco más adelante y me preguntaba también qué clase de verduras nos pondrían para acompañarlo y si después pediría tarta o natillas. Lo mismo me ocurría cuando me acostaba con mi mujer de vez en cuando; mientras ella gemía y balbuceaba, yo podía estar preguntándome si ella habría vaciado los posos de la cafetera, porque tenía la mala costumbre de dejar pasar las cosas: las cosas *importantes*, quiero decir. El café recién hecho era importante... y los huevos con jamón recién hechos. Mala cosa sería que volviera a quedar preñada, grave en cierto modo, pero más importante era el café recién hecho por la mañana y el olor a huevos con jamón. Yo podía soportar las angustias, los abortos y los amores frustrados, pero tenía que llenar el vientre para seguir tirando y quería algo nutritivo, algo apetitoso. Me sentía exactamente como Jesucristo se habría sentido, si lo hubieran bajado de la cruz y no lo hubiesen dejado morir. Estoy seguro de que el sobresalto de la crucifixión habría sido tan grande, que habría sufrido una amnesia completa sobre la Humanidad. Estoy seguro de que, después de haber curado sus heridas, le habrían importado un comino las tribulaciones de la Humanidad, se habría lanzado con la mayor fruición sobre una taza de café y una tostada, suponiendo que hubiera podido conseguirlas.

Quien, por un amor demasiado grande, cosa al fin y al cabo monstruosa, muere de sufrimiento, renace para no conocer ni amor ni odio y disfrutar. Y ese disfrute de la vida, por haberse adquirido de forma innatural, es un veneno que tarde o temprano corrompe el mundo entero. Lo que nace más allá de los límites normales del sufrimiento humano actúa como un boomerang y provoca destrucción. De noche las calles de Nueva York reflejan la crucifixión y la muerte de Cristo. Cuando el suelo está cubierto de nieve y reina el más absoluto silencio, de los horribles edificios de Nueva York sale una música de una desesperación y una ruina tan tétricas, que hacen arrugarse la carne. No se puso piedra sobre piedra alguna con amor ni reverencia; no se trazó calle alguna para la danza ni el goce. Juntaron una cosa a otra en una pelea demencial por llenar la barriga y las calles huelen a barrigas vacías, barrigas llenas y barrigas a medio llenar. Las calles huelen a un hambre que nada tiene que ver con el amor; huelen a barriga insaciable y a nulas y vanas creaciones del vientre vacío.

En aquella nulidad y vaciedad, en aquella blancura de cero, aprendí a disfrutar con un bocadillo o un botón de cuello. Podía estudiar una cornisa o una albardilla con la mayor curiosidad, mientras fingía escuchar el relato de una aflicción humana. Recuerdo las fechas de ciertos edificios y los nombres de los arquitectos que los proyectaron. Recuerdo la temperatura y la velocidad del viento, cuando estábamos parados en determinada esquina; el relato que lo acompañaba se ha esfumado. Recuerdo que incluso estaba recordando alguna otra cosa entonces y puedo deciros lo que era, pero, ¿para qué? Había en mí un hombre que había muerto y lo único que quedaba eran sus recuerdos; había otro hombre que estaba vivo y ese hombre debía ser yo, yo mismo, pero estaba vivo sólo como lo está un árbol o una roca o un animal del campo. Así como la ciudad misma se había convertido en una enorme tumba en que los hombres luchaban para ganarse una muerte decente, así también mi propia vida llegó a parecerse a una tumba que iba construyendo con mi propia muerte. Iba caminando por un bosque de piedra cuyo centro era el caos; a veces en el centro muerto, en el corazón mismo del caos, bailaba o bebía hasta atontarme o hacía el amor o ayudaba a alguien o planeaba una nueva vida, pero todo era caos, todo piedra, irremediable y desconcertante todo. Hasta el momento en que encontrara una fuerza suficientemente grande como para sacarme como un torbellino de aquel demencial bosque de piedra, ninguna vida sería posible para mí ni podría escribirse una sola página que tuviera sentido. Quizás, al leer esto, persista aún la impresión del caos, pero está escrito desde un centro vivo y lo caótico es meramente periférico, los retazos tangenciales, por decirlo así, de un mundo que ya no me afecta. Hace sólo unos meses me encontraba en las calles de Nueva York mirando a mi alrededor, como había hecho hace años; una vez más me vi estudiando la arquitectura, estudiando los detalles minúsculos que sólo capta el ojo dislocado, pero esta vez era como si hubiese llegado de Marte. ¿Qué raza de hombres es ésta?, me pregunté. ¿Qué significa? Y no había recuerdo del sufrimiento ni de la vida que se extinguió en el arroyo; sólo estaba observando un mundo extraño e incomprensible, un mundo tan alejado de mí, que tenía la sensación de pertenecer a otro planeta. Desde lo alto del Empire State Building miré una noche la ciudad, que conocía desde abajo: allí estaban, en su verdadera perspectiva, las hormigas humanas con las que me había arrastrado, los piojos humanos con los que había luchado. Se movían a paso de caracol, cada uno de ellos cumpliendo sin duda su destino microcósmico. En su infructuosa desesperación habían elevado ese edificio colosal, que era su motivo de orgullo y jactancia. Y desde el techo más alto de aquel edificio colosal habían suspendido una ristra de jaulas en que los canarios encarcelados trinaban con su gorjeo sin sentido. En la cima misma de su ambición estaban esos puntitos de seres gorjeando como locos. Dentro de cien años, pensé, quizás enjaularían a seres humanos vivos, alegres, dementes, que cantarían al mundo por venir. Quizás engendrarían una raza de gorjeadores que trinarían mientras los otros trabajasen. Tal vez habría en cada una de las jaulas un poeta o un músico, para que la vida de abajo siguiera fluyendo sin trabas, unida a la piedra, unida al bosque, un caos agitado y crujiente de nulidad y vacío. Dentro de mil años podrían estar todos dementes, tanto los trabajadores como los poetas, y quedar todo reducido de nuevo a ruinas, como ha ocurrido ya una y mil veces. Dentro de otros mil años o cinco mil o diez mil, exactamente donde ahora estoy contemplando la escena, tal vez un niño abra un libro en una lengua aún desconocida sobre esta vida que pasa ahora, una vida que el hombre que escribió el libro nunca experimentó, una vida con forma y ritmo disminuidos, con comienzo y final, y, al cerrar el libro, el niño pensará qué gran pueblo fueron los americanos, qué maravillosa vida hubo en tiempos en este continente que ahora habita. Pero ninguna raza por venir, excepto quizá la de los poetas ciegos, podrá nunca imaginar el caos hormigueante con que se compuso esa historia futura.

¡Caos! ¡Un caos tremendo! No es necesario escoger un día concreto. Cualquier día de mi vida —allá y entonces— serviría. Cualquier día de mi vida, mi minúscula, microcósmica vida, era un reflejo del caos exterior. A ver, voy a recordar... A las siete y media sonaba el despertador. No me levantaba de la cama de un salto. Me quedaba en ella hasta las ocho y media, intentando dormir otro poco. Dormir... ¿cómo iba a dormir? No me podía quitar de la cabeza la imagen de la oficina, a la que ya iba a llegar tarde. Ya veía a Hymie llegar a las ocho en punto, el conmutador zumbando ya con llamadas de auxilio, los solicitantes subiendo las amplias escaleras de madera, el intenso olor a alcanfor procedente del vestuario. ¿Por qué levantarse y repetir la canción y la danza de ayer? Igual de rápido que los contrataba desaparecían. Me estaba dejando los cojones en el trabajo y ni siquiera tenía una camisa limpia que ponerme. Los lunes mi mujer me entregaba el estipendio semanal: para transportes y comida. Siempre estaba en deuda con ella y ella con el tendero, el carnicero, el casero, etcétera. No podía ni pensar en afeitarme: no había tiempo. Me ponía la camisa rota, engullía el desayuno y le pedía prestados cinco centavos para el metro. Si ella estaba de mal humor, se los soplaba al vendedor de periódicos del metro. Llegaba a la oficina sin aliento, con una hora de retraso y doce llamadas por hacer antes de hablar siquiera con un solicitante. Mientras hago una llamada, hay otras tres que esperan respuesta. Uso dos teléfonos a la vez. Zumba el conmutador. Hymie saca punta a sus lápices entre llamada y llamada. McGovern, el portero, está a mi lado para hacerme una advertencia sobre uno de los solicitantes, un ladrón probablemente, que intentaba presentarse de nuevo con nombre falso. Detrás de mí están las fichas y los registros con los nombres de todos los solicitantes que hayan pasado alguna vez por la máquina. Los malos llevan un asterisco en tinta roja; algunos de ellos tienen seis apodos detrás del nombre. Entretanto, la habitación bulle como una colmena. Apesta a sudor, pies sucios, uniformes viejos, alcanfor, desinfectante, malos alientos. A la mitad habrá que rechazarlos: no es que no los necesitemos, sino que no nos sirven ni siquiera en las peores condiciones. El hombre que está frente a mi escritorio, parado ante la barandilla con manos de paralítico y la vista nublada, es un ex alcalde de Nueva York. Ahora tiene setenta años y aceptaría encantado cualquier cosa. Trae cartas de recomendación estupendas, pero no podemos admitir a nadie que tenga más de cuarenta y cinco años de edad. En Nueva York cuarenta y cinco es el límite. Suena el teléfono y es un melifluo secretario de la Y.M.C.A. Me pregunta si podría hacer una excepción con un muchacho que acaba de entrar en su despacho... un muchacho que ha estado en el reformatorio un año más o menos. *¿Qué hizo?* Intentó violar a su hermana. Italiano, claro está, O'Mara, mi ayudante, está interrogando minuciosamente a un solicitante. Sospecha que es epiléptico. Por fin, descubre lo que buscaba y, por si quedaran dudas, al muchacho le da un ataque allí mismo, en la oficina. Una de las mujeres se desmaya. Una joven bonita con una hermosa piel en torno al cuello está intentando convencerme para que la contrate. Es una puta de pies a cabeza y sé que, si la admito, me costará caro. Quiere trabajar en determinado edificio de la parte alta de la ciudad... porque, según dice, queda cerca de su casa. Se acerca la hora de comer y empiezan a llegar algunos coleguis. Se sientan alrededor a verme trabajar, como si se tratara de una función de variedades. Llega Kronski, el estudiante de Medicina; dice que uno de los muchachos que acabo de contratar tiene la enfermedad de Parkinson. He estado tan ocupado, que no he tenido tiempo de ir al servicio. O'Rourke me cuenta que todos los telegrafistas y todos los gerentes tienen hemorroides. A él le han estado dando masajes eléctricos los dos últimos años, pero ningún remedio surte efecto. La hora de la comida y somos seis a la mesa. Alguien tendrá que pagar por mí, como de costumbre. La engullimos y volvemos pitando. Más llamadas por hacer, más solicitantes por entrevistar. El vicepresidente está armando un cristo, porque no podemos mantener el cuerpo de repartidores en el nivel normal. Todos los periódicos de Nueva York y de treinta kilómetros a la redonda publican largos anuncios pidiendo gente. Se han recorrido todas las escuelas en busca de repartidores eventuales. Se ha recurrido a todas las oficinas de caridad y sociedades de asistencia. Abandonan como moscas. Algunos ni siquiera duran una hora. Es un molino humano. Y lo más triste es que es totalmente innecesario. Pero eso no es de mi incumbencia. Lo que me incumbe es actuar o morir, como dice Kipling. Tapo agujeros, con una víctima tras otra, mientras el teléfono suena como loco, el local apesta cada vez más, los agujeros se vuelven cada vez mayores. Cada uno de ellos es un ser humano que pide un mendrugo de pan; tengo su altura, peso, color, religión, educación, experiencia, etcétera. Todos los datos pasarán a un registro que se rellenará por orden alfabético y después cronológico. Nombres y fechas. Las huellas dactilares también, si tuviéramos tiempo. ¿Y para qué? Para que el pueblo americano disfrute de la forma de comunicación más rápida conocida, para que puedan vender sus artículos más deprisa, para que en el momento en que te caigas muerto en la calle se pueda avisar al instante a tus parientes más próximos, es decir, en el plazo de una hora, a no ser que el repartidor a quien se confíe el telegrama decida abandonar el trabajo y arrojar el fajo de telegramas al cubo de la basura. Veinte millones de tarjetas de felicitación de Navidad, todas para desearte Felices Pascuas y Próspero Año Nuevo, de parte de los directores, el presidente y el vicepresidente de la Compañía Telegráfica Cosmodemónica y quizás el telegrama diga: «Mamá agoniza, ven en seguida», pero el empleado de la oficina está demasiado ocupado para fijarse en el mensaje y, si pones una denuncia por daños y perjuicios, daños y perjuicios espirituales, hay un departamento jurídico preparado expresamente para hacer frente a esas emergencias, de modo que puedes estar seguro de que tu madre morirá y tendrás unas Felices Pascuas y Próspero Año Nuevo de todos modos. Naturalmente, despedirán al empleado y un mes después más o menos volverá a buscar trabajo de repartidor, lo admitirán y lo destinarán al turno de noche cerca de los muelles, donde nadie lo reconocerá, y su mujer vendrá con los chavales a dar las gracias al director de personal, o quizás al propio vicepresidente, por la bondad y consideración de que ha dado muestras. Y después, un día, todo el mundo se sorprenderá al enterarse de que dicho repartidor ha robado la caja fuerte y encargarán a O'Rourke que coja el tren nocturno para Cleveland o Detroit y le siga la pista, aunque cueste diez mil dólares. Y después el vicepresidente dará la orden de que no se contrate a ningún otro judío, pero al cabo de tres o cuatro días aflojará un poco, porque sólo vienen judíos a pedir trabajo. Y, como las cosas se están poniendo tan difíciles y el material está escaseando más que la leche, estoy a punto de contratar a un enano del circo y lo habría contratado, si no se hubiera deshecho en lágrimas y no me hubiese confesado que es hembra. Y, para acabarlo de arreglar, Valeska «lo» toma bajo su protección, se «lo» lleva a casa esa noche y con el pretexto de la compasión, le hace un examen minucioso, incluida una exploración vaginal con el dedo índice de la mano derecha. Y la enana se pone muy acaramelada y, al final, muy celosa. Ha sido un día extenuante y camino de casa me tropiezo con la hermana de uno de mis amigos, que insiste en llevarme a cenar. Después de cenar, nos vamos al cine y en la obscuridad empezamos a magrearnos y, al final, las cosas llegan hasta tal punto, que salimos del cine y volvemos a la oficina, donde me la tiro sobre la mesa cubierta de zinc del vestuario. Y, cuando llego a casa, algo después de medianoche, recibo una llamada de teléfono de Valeska, que quiere que coja el metro en seguida y vaya a su casa, es muy urgente. Es un trayecto de una hora y estoy muerto de cansancio, pero, como ha dicho que es urgente, me pongo en camino. Y cuando llego, me presenta a su prima, una joven bastante atractiva, que, según ha contado, acaba de tener una aventura con un desconocido, porque estaba cansada de ser virgen. ¿Y a qué venía tanta urgencia? Hombre, es que, con la emoción, se ha olvidado de tomar las precauciones habituales y quizá esté embarazada y entonces, ¿qué? Querían saber qué había de hacer, según yo, y dije: «*Nada*». Y entonces Valeska me lleva aparte y me pregunta si me importaría acostarme con su prima, para que vaya aprendiendo, por decirlo así, y no le vuelva a pasar lo mismo.

Todo aquello era una locura y estuvimos riendo los tres como histéricos y después empezamos a beber: lo único que había en casa era kümmel y no necesitamos mucho para cogerla. Y después la situación se volvió más disparatada, porque se pusieron a sobarme y ninguna de las dos dejaba hacer nada a la otra. Total, que las desnudé y las metí en la cama y se quedaron dormidas una en brazos de la otra. Y cuando salí, a eso de las cinco de la mañana, me di cuenta de que no tenía ni un centavo en el bolsillo e intenté sacarle cinco centavos a un taxista, pero no hubo manera, conque al final me quité el abrigo forrado de piel y se lo di... por cinco centavos. Cuando llegué a casa, mi mujer estaba despierta y con un cabreo de la hostia, porque había tardado tanto. Tuvimos una discusión violenta y, al final, perdí los estribos, le di un guantazo y cayó al suelo y se echó a llorar y entonces se despertó la niña y, al oír los gritos de mi mujer, se asustó y empezó a chillar a todo pulmón. La chavala del piso de arriba bajó corriendo a ver qué pasaba. Iba en bata y con la melena suelta por la espalda. Con la agitación se acercó a mí y pasaron cosas sin que ninguno de los dos nos lo propusiéramos. Llevamos a mi mujer a la cama con una toalla mojada sobre la frente y, mientras la chavala del piso de arriba estaba inclinada sobre ella, me quedé detrás y levantándole la bata se la metí y ella se quedó así largo rato diciendo un montón de tonterías para tranquilizarla. Por fin, me metí en la cama con mi mujer y, para total asombro mío, empezó a apretarse contra mí y, sin decir palabra, nos apalancamos y así nos quedamos hasta el amanecer. Debería haber estado agotado, pero, en realidad, estaba despabilado y me quedé ahí tumbado junto a ella, pensando que, en lugar de a la oficina, iría a buscar a la puta de la hermosa piel con la que había estado hablando por la mañana. Después de eso, empecé a pensar en otra mujer, la esposa de uno de mis amigos que siempre se burlaba de mi indiferencia. Y luego empecé a pensar en una tras otra —todas las que había dejado pasar por una u otra razón— hasta que por fin me quedé profundamente dormido y en pleno sueño me corrí. A las siete y media sonó el despertador, como de costumbre, y, como de costumbre, miré mi camisa rota colgada de la silla y me dije que no valía la pena y me di la vuelta. A las ocho sonó el teléfono y era Hymie. Más vale que vengas en seguida, me dijo, porque hay huelga. Y así era día tras día; sin razón alguna, excepto que el país entero estaba majara y lo que cuento sucedía en todas partes, en mayor o menor escala, pero lo mismo en todas partes, porque todo era caos y absurdo.

Así siguió, día tras día, casi cinco años. El continente mismo se veía asolado por constantes ciclones, tornados, marejadas, inundaciones, sequías, ventiscas, oleadas de calor, plagas, huelgas, atracos, asesinatos, suicidios... una fiebre y un tormento continuos, una erupción, un torbellino. Yo era como un hombre sentado en un faro: debajo de mí, las olas bravías, las rocas, los arrecifes, los restos de flotas naufragadas. Podía dar la señal de peligro, pero era impotente para evitar la catástrofe. *Respiraba* peligro y catástrofe. A veces la sensación era tan fuerte, que me salía como fuego por las ventanas de la nariz. Anhelaba liberarme de todo aquello y, sin embargo, sentía una atracción irresistible. Era violento y flemático a un tiempo. Era como el propio faro: seguro en medio del más turbulento mar. Debajo de mí había roca sólida, la misma plataforma de roca sobre la que se alzaban los imponentes rascacielos. Mis cimientos penetraban dentro de la tierra y la armadura de mi cuerpo estaba hecha de acero remachado en caliente. Sobre todo, yo era un ojo, un enorme reflector que exploraba el horizonte, que giraba sin cesar, sin piedad. Ese ojo tan abierto parecía haber dejado adormecidas todas mis demás facultades; todas mis fuerzas se consumían en el esfuerzo por ver, por asimilar el drama del mundo.

Si anhelaba la destrucción, era sólo para que ese ojo se extinguiera. Anhelaba un terremoto, un cataclismo de la naturaleza que precipitase el faro en el mar. Deseaba una metamorfosis, la conversión en pez, en leviatán, en destructor. Quería que la tierra se abriera, que tragase todo en un bostezo absorbente. Quería ver la ciudad enterrada en las profundidades del mar. Quería sentarme en una cueva y leer a la luz de una vela. Quería que se extinguiera ese ojo para tener ocasión de conocer mi propio cuerpo, mis propios deseos. Quería estar solo mil años para reflexionar sobre lo que había visto y oído... *y para olvidar.* Deseaba algo de la tierra que no fuera producto del hombre, algo absolutamente separado de lo humano, de lo cual estaba harto. Deseaba algo puramente terrestre y absolutamente despojado de idea. Quería sentir la sangre corriendo de nuevo por mis venas, aun a costa de la aniquilación. Quería expulsar la piedra y la luz de mi organismo. Deseaba la obscura fecundidad de la naturaleza, el profundo pozo de la matriz, el silencio o, si no, los lamidos de las negras aguas de la muerte. Quería ser esa noche que el ojo despiadado iluminaba, una noche esmaltada de estrellas y colas de cometas, pertenecer a una noche espantosamente silenciosa, absolutamente incomprensible y elocuente a un tiempo, no volver a hablar ni oír ni pensar nunca más, verme englobado y abarcado y abarcar y englobar a un tiempo. No más compasión, no más ternura. Ser humano sólo de modo terrestre, como una planta, un gusano o un arroyo. Verme desintegrado, despojado de la luz y la piedra, variable como una molécula, duradero como el átomo, cruel como la propia tierra.

Una semana más o menos antes de que Valeska se suicidara, conocí a Mara. La semana o las dos semanas que precedieron a aquel acontecimiento fueron una auténtica pesadilla. Una serie de muertes repentinas y encuentros extraños con mujeres. La primera fue Paulina Janowski, una judía de dieciséis o diecisiete años que no tenía hogar ni amigos ni parientes. Vino a la oficina en busca de trabajo. Era casi la hora de cerrar y no tuve valor para rechazarla de plano. No sé por qué, se me ocurrió llevarla a casa a cenar y, de ser posible, intentar convencer a mi mujer para alojarla por un tiempo. Lo que me atrajo de ella fue su pasión por Balzac. Todo el camino hasta casa fue hablándome de *Ilusiones perdidas*. Como el vagón iba muy lleno, estábamos tan apretados, que daba igual de lo que habláramos, porque los dos íbamos pensando en una sola cosa. Naturalmente, mi mujer se quedó estupefacta al verme a la puerta en compañía de una joven bonita. Se mostró educada y cortés con su frialdad habitual, pero en seguida comprendí que era inútil pedirle que alojara a la muchacha. Lo máximo que pudo hacer fue acompañarnos a la mesa, mientras durase la cena. En cuanto hubimos acabado, se excusó y se fue al cine. La muchacha se echó a llorar. Todavía estábamos sentados a la mesa, con los platos apilados delante de nosotros. Me acerqué a ella y la abracé. La compadecía sinceramente y no sabía qué hacer por ella. De repente, me echó los brazos al cuello y me besó apasionada. Estuvimos un rato así, abrazándonos, y después pensé que no, que era delito y, además, quizá no se hubiera ido al cine mi mujer, tal vez volviese de un momento a otro. Dije a la chica que se calmara, que cogeríamos el tranvía y daríamos una vuelta. Vi la hucha de la niña sobre la repisa de la chimenea, me la llevé al retrete y la vacié en silencio. Sólo había unos setenta y cinco centavos. Cogimos un tranvía y nos fuimos a la playa. Por fin, encontramos un lugar desierto y nos tumbamos en la arena. Estaba histéricamente apasionada y no quedó más remedio que hacerlo. Pensé que después me lo reprocharía, pero no lo hizo. Nos quedamos un rato allí tumbados y se puso a hablar de Balzac otra vez. Al parecer, tenía la ambición de ser escritora. Le pregunté qué iba a hacer. Dijo que no tenía la menor idea. Cuando nos levantamos para marcharnos, me pidió que la dejara en la carretera. Dijo que pensaba ir a Cleveland o a algún sitio así. Cuando la dejé delante de una estación de gasolina, con unos treinta y cinco centavos en el monedero, eran más de las doce de la noche. Al ponerme en camino hacia casa, empecé a maldecir a mi mujer por lo mezquina que era. Deseé con todas mis fuerzas que hubiera sido a ella a quien hubiese dejado en la carretera sin saber adónde ir. Sabía que, cuando regresara, ni siquiera mencionaría el nombre de la muchacha.

Volví a casa y me estaba esperando. Pensé que iba a volver a armarme un cristo. Pero, no; había esperado despierta porque había un recado importante de O'Rourke. Debía telefonearle tan pronto como llegara a casa. Sin embargo, decidí no hacerlo. Decidí quitarme la ropa y acostarme. Justo cuando acababa de instalarme cómodamente en la cama, sonó el teléfono. Era O'Rourke. Había un telegrama para mí en la oficina: me preguntó si debía abrirlo y leérmelo. Le dije que sí, claro. El telegrama iba firmado por Mónica. Procedía de Buffalo. Decía que llegaba a la Estación Central por la mañana con el cadáver de su madre. Le di las gracias y volví a la cama. Mi mujer no preguntó nada. Me quedé tumbado sin saber qué hacer. Si accedía a la petición de Mónica, sería volver a empezar otra vez. Precisamente había estado agradeciendo a mi estrella que me hubiera librado de Mónica. Y ahora volvía con el cadáver de su madre. Lágrimas y reconciliación. No, no me gustaba esa perspectiva. Y si no me presentaba, ¿qué pasaría? Siempre había alguien para hacerse cargo de un cadáver. Sobre todo, si la desconsolada hija era una atractiva joven rubia de vivaces ojos azules. Me pregunté si volvería a su trabajo en el restaurante. Si no hubiera sabido griego y latín, nunca me habría juntado con ella. Pero mi curiosidad pudo más. Y, además, era tan pobre, que también eso me conmovió. Quizá no habría estado mal del todo, si no le hubiesen olido las manos a grasa. Eso era lo que echaba a perder su encanto: sus manos grasientas. Recuerdo la noche que la conocí y fuimos a pasear por el parque. Estaba preciosa y era despierta e inteligente. Era la época en que se llevaba la falda corta y a ella la favorecía mucho. Yo iba al restaurante noche tras noche sólo para verla moverse de un lado para otro, inclinarse para servir o agacharse a recoger un tenedor. Y con las hermosas piernas y los ojos hechiceros, una parrafada maravillosa sobre Homero; con el cerdo y el *sauerkraut*, un verso de Safo, las conjugaciones latinas, las odas de Píndaro; con el postre, los *Rubaiyat* tal vez o *Cynara*. Pero las manos grasientas y la cama desaliñada de la pensión frente al mercado... ¡ufl!... me daban náuseas. Cuanto más la rehuía, más se apegaba a mí. Cartas de amor de diez páginas con notas al pie sobre *Así habló Zaratustra*. Y después un silencio repentino, del que me felicité con ganas. No, no podía hacerme a la idea de ir a la Estación Central por la mañana. Me di la vuelta y me quedé profundamente dormido. Por la mañana pediría a mi mujer que telefoneara a la oficina y dijese que estaba enfermo. Ya hacía más de una semana que no caía enfermo: ya era hora de volver a estarlo.

Al mediodía me encuentro a Kronski esperándome delante de la oficina. Quiere que coma con él... desea presentarme a una muchacha egipcia. La muchacha resulta ser judía, pero procede de Egipto y parece egipcia. Está buenísima y los dos nos ponemos a trabajarla a la vez. Como había dicho que estaba enfermo, decidí no volver a la oficina y dar un paseo por el East Side. Kronski volvería para encubrirme. Dimos la mano a la muchacha y nos fuimos cada uno por nuestro lado. Yo me dirigí hacia el río, donde hacía más fresco, y casi al instante me olvidé de la muchacha. Me senté al borde del muelle con las piernas colgando sobre el larguero. Pasó una chalana cargada de ladrillos rojos. De repente, me vino Mónica a la memoria. Mónica llegando a la Estación Central con un cadáver. ¡Un cadáver franco de porte con destino a Nueva York! Parecía tan absurdo y ridículo, que me eché a reír. ¿Qué habría hecho con él? ¿Lo habría dejado en la consigna o en un apartadero? Seguro que estaría maldiciéndome con ganas. Me pregunté qué habría pensado, si hubiera podido imaginarme sentado ahí, en el muelle, con las piernas colgando sobre el larguero. Hacía calor y bochorno, pese a la brisa que soplaba del río. Empecé a dar cabezadas. Mientras dormitaba, me vino Paulina a la memoria. La imaginé caminando por la carretera con la mano alzada. Era una chica valiente, sin duda alguna. Era curioso que no pareciera preocuparle quedar embarazada. Quizás estuviera tan desesperada, que le diese igual. ¡Y Balzac! Eso también era muy absurdo. ¿Por qué Balzac? En fin, eso era asunto suyo. De cualquier modo, tendría suficiente para comer hasta que encontrara a otro tipo. Pero, ¡que una chica así quisiera ser escritora! Bueno, ¿y por qué no? Todo el mundo tenía ilusiones de una clase o de otra. También Mónica quería ser escritora. Todo el mundo se estaba haciendo escritor. ¡Escritor! ¡La leche, qué pueril parecía!

Me adormecí... Cuando me desperté, tenía una erección. El sol parecía abrasarme justo en la bragueta. Me levanté y me lavé la cara en la fuente. Seguía haciendo calor y bochorno. El asfalto estaba blando como puré, las moscas picaban, la basura se pudría en el arroyo. Fui caminando entre las carretillas y observando las cosas con la mirada perdida. La erección persistió todo el tiempo, sin que pensara en alguien en concreto. Hasta que volví a pasar por la Segunda Avenida, no recordé de repente a la judía egipcia de la comida. Recordé haberla oído decir que vivía encima del Restaurante Ruso, cerca de la Calle 12. Seguía sin tener idea de lo que iba a hacer. Iba mirando escaparates, matando el tiempo. No obstante, los pies me iban arrastrando hacia el Norte, hacia la Calle 14. Cuando llegué a la altura del Restaurante Ruso, me detuve un momento y después subí las escaleras corriendo de tres en tres. La puerta del vestíbulo estaba abierta. Subí dos pisos leyendo los nombres en las puertas. Vivía en el último piso y bajo su apellido aparecía el de un hombre. Llamé bajito. No hubo respuesta. Volví a llamar, un poco más fuerte. Esa vez oí a alguien ir y venir. Después, una voz cerca de la puerta preguntó quién era, al tiempo que giraba el pomo de la puerta. La abrí de un empujón y entré a tientas en la habitación en penumbra. Fui a caer en sus brazos y la sentí desnuda bajo la bata medio abierta. Debía de haber estado profundamente dormida y sólo a medias comprendió quién la estaba abrazando. Cuando se dio cuenta de que era yo, intentó escaparse, pero la tenía bien cogida y empece a besarla con pasión y a hacerla retroceder a un tiempo hacia el sofá junto a la ventana. Susurró que la puerta había quedado abierta, pero no iba a correr el riesgo de dejarla escapar de mis brazos. Así, que di un ligero rodeo y poco a poco la llevé hasta la puerta y la hice empujarla con el culo. La cerré con la mano libre y después la llevé hasta el centro de la habitación y con la mano libre me desabroché la bragueta, saqué el canario y se lo metí. Estaba tan adormilada, que era casi como manejar un autómata. También me di cuenta de que estaba disfrutando con la idea de que la follaran medio dormida. Lo malo era que, cada vez que la embestía, se despertaba un poco más. Y, a medida que recobraba la conciencia, se asustaba cada vez más. No sabía qué hacer para volver a dormirla sin perderme un polvo tan bueno. Conseguí tumbarla en el sofá sin perder terreno y entonces ella estaba ya más cachonda que la hostia y se retorcía como una anguila. Desde que había empezado a darle marcha, creo que no había abierto los ojos ni una vez. Yo repetía sin cesar para mis adentros: «una ja egipcia... una ja egipcia», y, para no correrme inmediatamente, me puse a pensar en el cadáver que Mónica había traído hasta la Estación Central y en los treinta y cinco centavos que había dejado con Paulina en la carretera. Y entonces, ¡pan!, un fuerte golpe en la puerta, ante lo cual abrió los ojos y me miró sumamente aterrada. Empecé a retirarme rápido, pero, ante mi sorpresa, ella me retuvo con todas sus fuerzas. « No te muevas», me susurró al oído. «¡Espera!» Se oyó otro sonoro golpe y después oí la voz de Kronski que decía: «Soy yo, Thelma... soy yo, *Izzi*». Al oírlo, casi me eché a reír. Volvimos a colocarnos en una posición natural y, cuando cerró los ojos suavemente, se la moví dentro, despacito, para no volver a despertarla. Fue uno de los polvos más maravillosos de mi vida. Creía que iba a durar eternamente. Cada vez que me sentía en peligro de correrme, dejaba de moverme y me ponía a pensar: en dónde me gustaría pasar las vacaciones, por ejemplo, en caso de que me las dieran, o en las camisas que había en el cajón de la cómoda, o en el remiendo de la alfombra del dormitorio, justo al pie de la cama. Kronski seguía ante la puerta: lo oía cambiar de posición. Cada vez que sentía su presencia allí, le tiraba un viaje a ella de propina y, medio dormida como estaba, me respondía, divertida, como si entendiera lo que quería yo decir con aquel lenguaje de mete y saca. No me atrevía a pensar en lo que podría estar pensando ella o, si no, me habría corrido al instante. A veces me aproximaba peligrosamente, pero el truco que me salvaba era pensar en Mónica y en el cadáver en la Estación Central. Aquella idea, su carácter humorístico, quiero decir, actuaba como una ducha fría.

Cuando acabamos, abrió los ojos y me miró, como si fuese la primera vez que me veía. No tenía nada que decirle; mi única idea era largarme lo más rápido posible. Mientras nos lavábamos, vi una nota en el suelo junto a la puerta. Era de Kronski. Acababan de llevar a su esposa al hospital... quería que ella fuera a encontrarse con él en el hospital. ¡Sentí un gran alivio! Eso significaba que podía largarme sin tener que dar explicaciones inútiles.

El día siguiente recibí una llamada de Kronski. Su mujer había muerto en el quirófano. Aquella noche fui a casa a cenar; aún estábamos sentados a la mesa, cuando sonó el timbre. Ahí estaba Kronski, a la puerta, con aspecto absolutamente hundido. Siempre me resultaba difícil pronunciar palabras de condolencia; con él era absolutamente imposible. Al oír a mi mujer pronunciar sus trilladas palabras de pésame, me sentí más asqueado de ella que nunca. «¡Vámonos de aquí!», dije.

Caminamos en absoluto silencio por un rato. Al llegar a la altura del parque, entramos y nos dirigimos hacia los prados. Había una niebla espesa y no se veía nada a un metro de distancia. De repente, mientras avanzábamos a ciegas, empezó a sollozar. Me detuve y volví la cabeza a otro lado. Cuando pensé que había acabados, me di la vuelta y me lo encontré mirándome con una sonrisa extraña. «Es curioso», dijo, «lo difícil que es aceptar la muerte». Sonreí yo también en aquel momento y le puse la mano en el hombro. «Sigue», dije, «di todo lo que tengas que decir. Desahógate». Reanudamos el paso y recorrimos los prados de un extremo a otro, como si fuéramos caminando bajo el mar. La niebla se había vuelto tan espesa, que apenas podía distinguir sus facciones. Él iba hablando tranquilo, pero como un loco. «Sabía que iba a suceder», dijo. «Era demasiado bonito para durar.» La noche antes de que cayera enferma, él había soñado con que perdía su identidad. «Iba tambaleándome y dando vueltas en la obscuridad y pronunciando mi nombre. Recuerdo que llegué a un puente y, al mirar el agua, me vi ahogándome. Me tiré del puente de cabeza y, cuando salí a la superficie, vi a Yetta flotando bajo el puente. Estaba muerta.» Y de pronto añadió: «Estabas allí ayer, cuando llamé a la puerta, ¿verdad? Sabía que estabas allí y no podía marcharme. Sabía también que Yetta estaba agonizando y quería estar con ella, pero tenía miedo de ir solo». No dije nada y él siguió con sus divagaciones. «La primera muchacha a la que amé murió del mismo modo. Yo era un niño y no podía olvidarla. Todas las noches iba al cementerio y me sentaba junto a su tumba. La gente creía que había perdido el jucio. Y debía de haberlo perdido. Ayer, cuando estaba ante la puerta, todo me volvió a la memoria. Volvía a estar en Trenton, en la tumba, y la hermana de la muchacha a la que amaba estaba sentada a mi lado. Ella dijo que no podía seguir así por mucho tiempo, que me volvería loco. Pensé para mis adentros que estaba loco de verdad y, para demostrármelo a mí mismo, decidí hacer alguna locura, conque le dije: "No es *a ella* a quien amo, sino a *ti*", la atraje hacia mí y nos tumbamos a besarnos y, al final, me la jodí, al lado mismo de la tumba. Y creo que eso me curó, porque nunca regresé ni volví a pensar en ella nunca... hasta ayer, cuando estaba delante de la puerta. Si hubiera podido echarte el guante ayer, te habría estrangulado. No sé por qué me sentí así, pero me pareció que habías abierto una tumba, que estabas violando el cadaver de la muchacha a la que yo amaba. Es una locura, ¿verdad? ¿Y por qué he venido a verte esta noche? Quizá porque te soy del todo indiferente... porque no eres judío y puedo hablarte... porque te importa un comino y tienes razón... ¿Has leído *La rebelión de los ángeles*?»

Acabábamos de llegar al sendero para bicicletas que rodea el parque. Las luces del bulevar flotaban en la niebla. Lo miré atento y vi que había perdido el juicio. Me pregunté si podría hacerlo reír. Temía también que, si se echaba a reír, no se detuviera nunca. Conque empecé a hablar de lo que saliese, de Anatole France primero y después de otros escritores y, por último, cuando sentí que se me escapaba, cambié de improviso al tema del general Ivolgin y ante eso se echó a reír, pero no era risa, sino un cacarear, un cacarear horrible, como el de un gallo con la cabeza en el tajo. Fue un ataque tan violento, que hubo de detenerse y sujetarse el vientre; le brotaban lágrimas de los ojos y entre los cacareos dejaba escapar los sollozos más terribles y desgarradores. «Sabía que me harías sentirme mejor», dijo de improviso, al extinguirse el último ataque. «Siempre he dicho que eras un hijo de puta loco... eres un cabrito judío tú también, pero no lo sabes... a ver, cabronazo, ¿qué tal te fue ayer? ¿Se la metiste? ¿No te dije que tenía un buen polvo? ¿Y sabes con quién vive? ¡La Virgen! ¡Qué suerte tuviste de que no te pillara! Vive con un poeta ruso... y, además, lo conoces. Te lo presenté una vez en el Café Royal. Más vale que no se entere. Te saltará la tapa de los sesos... y escribirá un bello poema y se lo enviará a ella con un ramo de flores. Sí, claro, lo conocí en Stelton, en la colonia anarquista. Su viejo era un nihilista. Toda la familia está loca. Por cierto, más vale que te andes con cuidado. Quería decírtelo el otro día, pero no pensaba que fueras a actuar tan deprisa. Mira, puede que tenga sífilis. No es por meterte miedo. Te lo digo por tu bien...»

Aquella explosión pareció calmarlo. Estaba intentando decirme a su retorcido modo judío que me apreciaba. Para hacerlo, primero tenía que destruir todo lo que me rodeaba: mi mujer, el trabajo, mis amigos, la «chorba negra», como llamaba a Valeska, etcétera. «Creo que algún día vas a ser un gran escritor», dijo. *«Pero»*, añadio malicioso, «primero tendrás que sufrir un poco. Quiero decir sufrir *de verdad*, porque todavía no sabes lo que significa esa palabra. Te lo *crees* tú, que has sufrido. Primero tienes que enamorarte. Porque es que esa chorba negra... no pensarás que estás enamorado de ella, ¿verdad? ¿Le has visto bien el culo?... cómo le va creciendo, quiero decir. Dentro de cinco años se parecerá a la tía

Jemima*. Haréis una pareja chachi paseando por la avenida con un fila de negritos detrás. Joder, preferiría verte casado con una chica judía. Desde luego, no sabrías apreciar su valor, pero te vendría bien. Necesitas algo que te haga sentar la cabeza. Estás desperdiciando tus energías. Oye, ¿por qué te juntas con todos esos chorras? Pareces tener un don para juntarte con la gente que no te conviene. ¿Por qué no te dedicas a algo útil? Ese trabajo no es para ti: podrías ser un baranda en otro sitio. Quizás un dirigente sindical... no sé qué exactamente. Pero primero tienes que liberarte de esa mujer de cara afilada que tienes. ¡Pufff! Cuando la miro, me dan ganas de escupirle a la cara. No comprendo cómo un tipo como tú ha podido casarse con una mala puta como ésa. ¿Qué te llevó a hacerlo?... ¿sólo un par de ovarios calientes? Mira, eso es lo que te pasa: sólo piensas en el sexo... No, tampoco quiero decir eso. Tienes inteligencia, pasión y entusiasmo... pero parece importante un comino lo que haces o lo que te pasa. Si no fueses un cabrón tan romántico, casi juraría que eras judío. Mi caso es diferente... Nunca he tenido ninguna razón para esperar algo del futuro. Pero tú llevas algo dentro... sólo, que eres demasiado vago para sacarlo. Mira, a veces, cuando te oigo hablar, pienso para mis adentros: ¡si ese tipo fuera capaz de escribirlo! Pero, hombre, si podrías escribir un libro que hiciera caérsele la cara de vergüenza a un tipo como Dreiser. Tú eres diferente de los americanos que conozco; en cierto modo, no tienes nada que ver con este país y está pero que muy bien que sea así. Estás un poco chiflado, también... supongo que lo sabes. Pero en

* *Tía Jemima*: personaje que da nombre a una marca, muy conocida en Estados Unidos, de «jarabe de arce»; se trata de una mujer negra y muy gruesa.

el buen sentido. Mira, hace un rato, si hubiera sido cualquier otra persona la que me hubiese hablado así, la habría asesinado. Creo que te aprecio más porque no has intentado manifestarme compasión. Sé que no debo esperar compasión de ti. Si hubieras dicho una sola palabra hipócrita esta noche, me habría vuelto loco de verdad. Lo sé. Estaba al borde mismo. Cuando has empezado a hablar del general Ivolgin, he pensado por un momento que todo había acabado para mí. Eso es lo que me hace pensar que tienes algo dentro... ¡ha sido una auténtica demostración de astucia! Y ahora déjame decirte una cosa... si no te dominas, pronto vas a estar como una cabra. Llevas algo dentro que te está royendo las entrañas. No sé qué es, pero a mí no puedes engañarme. Te conozco como si te hubiera parido. Sé que algo te preocupa... y no es sólo tu mujer ni tu trabajo ni esa chorba negra siquiera de la que crees estar enamorado. A veces pienso que deberías haber nacido en otra época. Oye, no quiero que pienses que te estoy convirtiendo en un ídolo, pero hay algo de verdad en lo que digo... con sólo que tuvieras un poco más de confianza en ti mismo, podrías ser el hombre más grande del mundo ahora mismo. Ni siquiera tendrías que ser escritor. Podrías llegar a ser otro Jesucristo, qué sé yo. No te rías... lo digo en serio. No tienes ni la menor idea de tus posibilidades... estás completamente ciego para lo que no sean tus deseos. No sabes lo que quieres. No lo sabes porque nunca te paras a pensar. Te estás dejando consumir por la gente. Eres un tonto de remate, un idiota. Si yo tuviera la décima parte de lo que tú tienes, podría volver el mundo patas arriba. Crees que es una locura, ¿eh? Bueno, pues, mira... nunca he estado más cuerdo en mi vida. Cuando he venido a verte esta noche, pensaba que estaba a punto de suicidarme. Casi da igual que lo haga o no. Pero el caso es que ahora no tiene demasiado sentido. Con eso no la recuperaré. Nací sin suerte. Dondequiera que voy parezco llevar conmigo el desastre. Pero no quiero irme para el otro barrio todavía... Primero quiero hacer algo bueno en el mundo. Puede que te parezca una tontería, pero es verdad. Quisiera hacer algo por los demás...»

Se detuvo de improviso y volvió a mirarme con aquella sonrisa triste. Era la mirada de un judío desesperanzado en quien, como en todos los de su raza, el instinto de vida era tan fuerte, que, aunque no había absolutamente nada que esperar, se sentía incapaz de matarse. Esa desesperanza era algo totalmente ajeno a mí. Pensé para mis adentros: ¡si al menos pudiera estar en su pellejo y él en el mío! Pero, bueno, ¡si yo podría matarme por una bagatela! Y lo que más me reventaba era la idea de que él ni siquiera disfrutaría en el entierro... ¡el entierro de su propia esposa! Dios sabe que los entierros a que asistíamos eran bastante tristes, pero siempre había algo de comer y de beber después, chistes verdes muy buenos y carcajadas con ganas. Quizá fuera yo demasiado pequeño para apreciar los aspectos tristes, aunque veía con bastante claridad cómo se lamentaban y lloraban. Pero eso nunca significó gran cosa para mí, porque después del entierro, sentados en la terraza de la cervecería contigua al cementerio, siempre había una atmósfera de buen humor, pese a los vestidos de luto, los crespones y las coronas de flores. Como un niño que era entonces, me parecía que estaban intentando establecer algún tipo de comunión con el difunto. Algo casi al estilo egipcio, ahora que lo pienso. En tiempos creía que eran un hatajo de hipócritas. Pero, no. Eran simples alemanes estúpidos y sanos con ganas de vivir. La muerte era algo que superaba su comprensión, por extraño que parezca, pues, si te atenías exclusivamente a lo que decían, te imaginabas que ocupaba gran parte de sus pensamientos. Pero en realidad no la comprendían en absoluto... no como los judíos, por ejemplo. Hablaban de la otra vida, pero en realidad nunca creyeron en ella. Y, si alguien estaba tan desconsolado que llegaba hasta el extremo de llorar, lo miraban con suspicacia, como se miraría a un demente. Había límites para la pena igual que para la alegría, ésa era la impresión que me daban. Y en los límites extremos siempre estaba la barriga por llenar... con bocadillos de queso de Limburgo, cerveza, kümmel y muslos de pavo, si los había. Lloraban mientras se bebían la cerveza. Y al cabo de un minuto ya estaban riendo, riendo de alguna rareza del difunto. Hasta su uso del pretérito me causaba un efecto curioso. Una hora después de que estuviera bajo tierra, ya estaban diciendo del difunto: «tenía tan buen carácter...», como si hiciese mil años que hubiera muerto, como si hubiese sido un personaje histórico o de los Nibelungos. El caso era que estaba muerto, muerto para siempre, y ellos, los vivos, estaban ya separados de él y para siempre, y había que vivir el hoy y el mañana, lavar la ropa, preparar la comida, y, cuando le llegara el turno al siguiente, seleccionar un ataúd y reñir por el testamento, pero todo formaría parte de la rutina diaria y perder tiempo lamentándose y apenándose era un pecado, porque Dios, si es que existía, lo había querido así y nosotros, los mortales, nada teníamos que decir al respecto. Sobrepasar los límites de la alegría y la pena era perverso. Estar al borde de la locura era el pecado más grave. Tenían un sentido extraordinario, animal, de la adaptación; habría constituido un espectáculo maravilloso, si hubiera sido animal de verdad, pero resultaba horrible, cuando comprendías que no era sino obtusa indiferencia e insensibilidad alemana. Y, aun así, yo prefería, no sé por qué, aquellos estómagos animados a la pena de cabeza de hidra del judío. En el fondo no podía compadecer a Kronski: habría tenido que compadecer a toda su tribu. La muerte de su mujer era un simple detalle, una menudencia, en la historia de sus calamidades. Como había dicho él mismo, había nacido sin suerte. Había nacido para ver salir mal las cosas... porque durante cinco mil años las cosas habían salido mal en la sangre de la raza. Venían al mundo con esa mirada de soslayo, deprimida y desesperanzada en el rostro y abandonarían el mundo del mismo modo. Dejaban mal olor tras sí: un veneno, un vómito de pena. El hedor que intentaban eliminar del mundo era el que ellos mismos habían traído. Reflexioné sobre todo eso, mientras lo escuchaba. Me sentía tan bien y tan limpio por dentro, que, cuando nos separamos, después de haber doblado una esquina, me puse a silbar y a canturrear. Y luego se apoderó de mí una sed terrible y me dije con mi mejor acento irlandés: «Pues, claro. Mira, chaval, ahora tendrías que estar tomando una copita», y, al decirlo, me metí en una taberna y pedí una buena jarra de cerveza espumosa y una gran hamburguesa con mucha cebolla. Me tomé otra jarra de cerveza y después una copa de coñac y pensé para mis adentros con mi rudeza habitual: «Si el pobre tío no tiene bastante juicio para disfrutar con el entierro de su mujer, lo disfrutaré yo por él». Y cuanto más lo pensaba, más contento me ponía, y, si sentía la menor pena o envidia, era sólo porque no podía ponerme en el pellejo de la pobre judía muerta, porque la muerte era algo que superaba absolutamente la comprensión de un estúpido *goi* como yo y era una pena desperdiciarla en gente como ellos, que sabían todo lo que había que saber del asunto y, en cualquier caso, no la necesitaban. Me embriagué tanto con la idea de morir, que en mi estupor de borracho iba diciendo entre dientes al Dios de las alturas que me matara aquella noche: «Mátame, Dios, para saber en qué consiste». Intenté lo mejor que pude imaginar cómo sería eso de entregar el alma, pero no hubo manera. Lo máximo que pude hacer fue imitar un estertor de agonía, pero al hacerlo casi me asfixié y entonces me asusté tanto, que casi me cagué en los pantalones. De todos modos, eso no era la muerte. Sólo era asfixiarse. La muerte se parecía más a lo que habíamos experimentado en el parque: dos personas caminando una junto a otra en la niebla, rozándose contra los árboles y los matorrales y sin decirse ni palabra. Era algo más vacío que el nombre mismo y, aun así, correcto y pacífico, digno, si preferís. No era una continuación de la vida, sino un salto en la obscuridad y sin posibilidad de regresar nunca, ni siquiera como una mota de polvo. Y era algo correcto y hermoso, me dije, pues, ¿por qué habría uno de querer regresar? Probar una vez es probar para siempre: la vida *o* la muerte. Caiga del lado que caiga la moneda, está bien, mientras no apuestes. Hombre, claro, es penoso asfixiarse con la propia saliva: desagradable más que nada. Y, además, no siempre mueres de asfixia. A veces te vas mientras duermes, sereno y tranquilo como un cordero. Llega el Señor y te reintegra al redil, como se suele decir. El caso es que dejas de respirar. ¿Y por qué diablos habrías de querer seguir respirando para siempre? Cualquier cosa que hubiera que hacer sin fin sería una tortura. Los pobres diablos humanos que somos deberíamos alegrarnos de que alguien idease una salida. A la hora de dormir, no nos lo pensamos mucho. Pasamos la tercera parte de nuestras vidas roncando sin parar, como ratas borrachas. ¿Qué me decís de eso? ¿Es eso trágico? Bueno, entonces, digamos tres terceras partes de sueño como el de ratas borrachas. ¡Joder! Si tuviéramos un poco de juicio, ¡bailaríamos de alegría sólo de pensarlo! Podríamos morir mañana todos en la cama, sin dolor, sin sufrir: si tuviésemos juicio para sacar partido de nuestros remedios. No queremos morir, eso es lo malo que tenemos. Eso es lo que da sentido a Dios y a la olla de grillos de nuestra azotea. ¡El general Ivolgin! Eso le hizo soltar un cacareo... y algunos sollozos sin lágrimas. Lo mismo habría podido decir «queso de Limburgo». Pero el general Ivolgin significa algo para él... algo demencial. Lo de «queso de Limburgo» habría sido demasiado sensato, demasiado trivial. Sin embargo, todo es queso de Limburgo, incluido el general Ivolgin, el pobre borracho estúpido. El general Ivolgin surgió del queso de Limburgo de Dostoyevski, su marca de fábrica particular. Eso significa determinado sabor, determinada etiqueta. Así, la gente lo reconoce, cuando lo huele, cuando lo prueba. Pero, ¿de qué estaba hecho ese queso de Limburgo del general Ivolgin? Hombre, pues, de lo que quiera que esté hecho el queso de Limburgo, que es *x* y, por tanto, incognoscible. Y entonces, ¿qué? Pues, nada... nada en absoluto. Punto final... o bien un salto en la obscuridad y sin regreso.

Mientras me quitaba los pantalones, recordé de repente lo que el cabrón me había dicho. Me miré la picha y presentaba un aspecto tan inocente como siempre. «No me digas que tienes sífilis», dije, sosteniéndola en la mano y apretándola un poco, para ver si le salía algo de pus. No, no pensaba que hubiera demasiada posibilidad de tener la sífilis. Yo no había nacido con esa clase de estrella. Purgaciones, sí, eso era posible. Todo el mundo tiene purgaciones alguna vez. Pero, ¡la sífilis, no! Sabía que él me la haría tener, si pudiese, sólo para hacerme comprender lo que era el sufrimiento. Pero no me iba a tomar la molestia de complacerlo. Soy un *goy* tonto y con suerte de nacimiento. Bostecé. Todo olía tanto al queso limburgués de los cojones, que, con sífilis o sin ella, pensé para mis adentros, si ella está conforme, echaré otro palete para acabar el día. Pero, evidentemente, no estaba conforme. Lo que le apetecía era volverme el culo. Conque me quedé así, con el nabo tieso contra su culo y se lo metí por telepatía. ¡Huy, la hostia! Debió de recibir el mensaje aun estando, como estaba, profundamente dormida, porque no tuve ninguna dificultad para entrar por la puerta trasera y, además, no tuve que mirarla a la cara, lo que era un alivio de la hostia. Cuando le envié el último viaje, pensé para mis adentros: «Mira, chaval, es queso de Limburgo y ahora puedes darte la vuelta y roncar...».

Parecía que iba a ser eterna, la letanía del sexo y la muerte. La tarde siguiente misma recibí en la oficina una llamada de teléfono de mi mujer para decirme que acababan de llevar al manicomio a su amiga Arline. Eran amigas desde el colegio de monjas en el Canadá, en el que las dos habían estudiado música y el arte de la masturbación. Yo había ido conociendo poco a poco a todo el grupo, incluida la hermana Antolina, que llevaba un braguero para hernia y, al parecer, era la suprema sacerdotisa del culto del onanismo. Todas ellas habían estado alguna vez locas por la hermana Antolina. Y Arline, la de la jeta pastel de chocolate, no era la primera del grupito que iba al manicomio. No digo que fuera la masturbación lo que las llevase allí, pero, desde luego, la atmósfera del convento tenía algo que ver. Todas ellas estaban viciadas desde el embrión.

Antes de que pasara la tarde, entró mi viejo amigo MacGregor. Llegó con su habitual aspecto taciturno y quejándose de la llegada de la vejez, pese a que apenas pasaba de los treinta años. Cuando le conté lo de Arline, pareció animarse un poco. Dijo que siempre había estado convencido de que le pasaba algo raro. ¿Por qué? Porque cuando intentó forzarla una noche, se echó a llorar como una histérica. Lo peor no era el llanto, sino lo que decía. Decía que había pecado contra el Espíritu Santo, por lo que iba a tener que llevar una vida de continencia. Al recordar el caso, se echó a reír, con su tristeza habitual. «Yo le dije: "Bueno, no tienes por qué hacerlo, si no quieres... basta con que la sostengas en la mano!" ¡La hostia! Cuando dije eso, creí que iba a volverse tarumba. Dijo que yo estaba intentando mancillar su inocencia: así es como lo dijo. Y, al mismo tiempo, la cogió con la mano y me la apretó tan fuerte, que casi me desmayé. Y sin dejar de llorar, además, ni de machacar sobre lo del Espíritu Santo y su "inocencia". Recordé lo que tú me habías dicho una vez y le di un buen bofetón en la boca. Surtió efecto como por arte de magia. Al cabo de poco, se tranquilizó, lo suficiente para metérsela poquito a poco, y entonces empezó la auténtica diversión. Oye, ¿te has follado alguna vez a una mujer chalada? Vale la pena. Desde el momento en que se la metí, empezó a hablar por los codos. No te lo puedo describir exactamente, pero era como si no supiese que me la estaba jodiendo. Oye, no sé si alguna vez te has follado a una mujer, mientras se comía una manzana... bueno, pues, ya te puedes imaginar el efecto que te causa. Ésta era mil veces peor. Me crispó los nervios de tal modo, que empecé a pensar que también yo estaba un poco chiflado... Y ahora escucha esto, que te costará creer, pero te estoy diciendo la verdad. ¿Sabes lo que hizo, cuando acabamos? Me abrazó y me dio las gracias... Espera, eso no es todo. Después se levantó de la cama, se arrodilló y elevó una plegaria por mi alma. ¡La Virgen! Eso no lo puedo olvidar. "Por favor, haz que Mac sea mejor cristiano", dijo. Y yo allí tumbado escuchándola con la picha flácida. No sabía si estaba soñando o qué.

“¡Por favor, haz que Mac sea mejor cristiano!” ¿Qué te parece?»

«¿Qué vas a hacer esta noche?», añadió alegre.

«Nada en particular», dije.

«Entonces, vente conmigo. Tengo una chavala que quiero que conozcas... *Paula*. La conocí en el Roseland la otra noche. No está loca: sólo es ninfómana. Quiero verte bailar con ella. Será un placer... sólo de verte. Mira, si no te corres en los pantalones, cuando empiece a menearse, entonces yo soy un hijo de puta. Vamos, cierra la queli. ¿Qué cojones hacemos aquí?»

Como había mucho tiempo por matar antes de ir al Roseland, nos fuimos a un tugurio cerca de la Séptima Avenida. Antes de la guerra había sido francés; ahora era una taberna clandestina regentada por un par de italianinis. Había una pequeña barra junto a la puerta y en la trastienda un cuartito con el suelo cubierto de serrín y una máquina de música tragaperras. Nuestra intención era tomar un par de copas y después comer. Ésa era nuestra *intención*. Sin embargo, conociéndolo como lo conocía, no estaba nada seguro de que fuéramos al Roseland juntos. Si aparecía una mujer que fuese de su gusto —y para eso no importaba que fuera fea, que tuviese mal aliento, ni que fuera coja—, yo sabía que me dejaría en la estacada y se largaría. Lo único que me preocupaba, cuando estaba con él, era asegurarme por adelantado de que tenía dinero suficiente para pagar las copas que pedíamos. Y, naturalmente, no perderlo nunca de vista hasta que estuviesen pagadas.

Las dos o tres primeras copas lo sumían siempre en los recuerdos. Reminiscencias de jais, claro está. Sus recuerdos traían a la memoria una historia que me había contado una vez y que me había causado una impresión indeleble. Trataba de un escocés en su lecho de muerte.

Justo cuando estaba a punto de fallecer, su mujer, al verlo hacer esfuerzos por decir algo, se inclinó sobre él con ternura y le dijo: «¿Qué, Jock? ¿Qué es lo que estás intentando decir?». Y Jock, con un último esfuerzo, se alzó fatigosamente y dijo: «Pues joder... joder... joder».

Ése era siempre el tema inicial y el tema final, con MacGregor. Era su forma de decir: *futilidad.* El leitmotiv era la enfermedad, porque entre polvo y polvo, por decirlo así, se preocupaba hasta perder la cabeza o, mejor, el capullo. Era la cosa más natural del mundo, al final de una noche, que dijera: «Vamos arriba un momento, que quiero enseñarte la picha». De tanto sacarla, mirarla, lavarla y restregarla una docena de veces al día, la tenía siempre, como es lógico, hinchada e inflamada. De vez en cuando iba al médico para que se la explorara con la sonda. O bien el médico le daba, sólo para tranquilizarlo, una cajita de ungüento y le decía que no bebiese demasiado. Eso provocaba discusiones interminables, porque, como me decía, «si el ungüento sirve para algo, ¿por qué tengo que dejar de beber?». O, «si dejara del todo de beber, ¿crees tú que necesitaría ponerme el ungüento?». Desde luego, fuera cual fuese mi recomendación, por un oído le entraba y por otro le salía. Tenía que preocuparse de algo y el pene era, sin duda, buen motivo de preocupación. A veces, lo que le preocupaba era el cuero cabelludo. Tenía caspa, como casi todo el mundo, y, cuando tenía la picha en buenas condiciones, se olvidaba de ella y se preocupaba del cuero cabelludo. O, si no del pecho. En cuanto se acordaba del pecho, se ponía a toser. ¡Y qué tos! Como si estuviera en las últimas fases de la tisis. Y, cuando andaba tras una mujer, estaba nervioso e irritable como un gato. Nunca la conseguía demasiado rápido para su gusto. En cuanto la había poseído, ya estaba preocupándose de cómo librarse de ella.

A todas les encontraba alguna falta, alguna cosa trivial, por lo general, que le quitaba el apetito.

Había vuelto a empezar con ese rollo, mientras estábamos sentados en la penumbra de la trastienda. Después de tomar un par de copas, se levantó, como de costumbre, para ir al servicio y de camino echó una moneda en la máquina tragaperras y el mecanismo se puso en marcha, ante lo cual se animó y señalando los vasos, dijo: «¡Pide otra ronda!». Volvió del servicio con aspecto de lo más satisfecho, no sé si por haber vaciado la vejiga o por haberse tropezado con una chavala en el pasillo. El caso es que, mientras se sentaba, cambió de tema... muy sosegado ahora y sereno, casi como un filósofo. «¿Sabes una cosa, Henry? Estamos entrando en años. Ni tú ni yo deberíamos estar desperdiciando el tiempo así. Si es que alguna vez vamos a llegar a algo, ya es hora de que empecemos...» Hacía años que le oía ese rollo y sabía cuál iba a ser la conclusión. Era un pequeño paréntesis, mientras echaba un vistazo despacio por el local a ver cuál era la chati menos mamada. Mientras charlaba sobre el lamentable fracaso de nuestras vidas, le bailaban los pies y los ojos le brillaban cada vez más. Ocurría, como siempre, que, mientras decía: «Mira Woodruff, por ejemplo. Nunca saldrá adelante, porque es un hijo de puta, mezquino y gorrón por naturaleza...», en ese preciso instante, como digo, alguna gorda borracha pasaba ante la mesa y le llamaba la atención y, sin la menor pausa, interrumpía su relato para decir: «¡Hola, chica! ¿Por qué no te sientas y tomas una copa con nosotros?». Y, como una puta borracha así nunca anda sola, sino en pareja siempre, pues, nada, respondía: «¿Cómo no? ¿Puedo traer a mi amiga?». Y MacGregor, como si fuera el tío más galante del mundo, decía: «¡Pues, claro! ¿Por qué no? ¿Cómo se llama?». Y después, tirándome de la manga, se inclinaba hacia mí y me susurraba: «No te me escapes, ¿me oyes? Las invitamos a una copa y nos las quitamos de encima, ¿entendido?».

Y, como ocurría siempre, tras una copa venía otra y la cuenta estaba subiendo demasiado y él no conseguía entender por qué había de desperdiciar el dinero con un par de gorronas, conque sal tú primero, Henry, y haz como que vas a comprar una medicina y te seguiré dentro de unos minutos... pero espérame, so hijoputa, no me dejes en la estacada como hiciste la última vez. Y, como hacía siempre, cuando salí afuera, caminé todo lo rápido que me permitieron las piernas, riéndome para mis adentros y agradeciendo a mi buena estrella por haberme librado de él tan fácilmente. Con todas aquellas copas en la barriga, no me importaba demasiado adonde me llevaran los pies. Broadway, iluminado exactamente tan demencial como siempre y la multitud espesa como melaza. Métete en ella como una hormiga y déjate llevar a empujones. Todo el mundo lo hacía, unos por alguna razón válida y otros sin razón alguna. Todos esos empujones y movimientos representan acción, éxito, progreso. Párate a mirar los zapatos o las camisas elegantes, el nuevo abrigo para el otoño, anillos de matrimonio a noventa y ocho centavos cada uno. Uno de cada dos establecimientos es de comida.

Cada vez que llegaba a aquel gallinero hacia la hora de cenar, una fiebre de expectación se apoderaba de mí. Es sólo un trecho de unas cuantas manzanas desde Times Square hasta la Calle 50 y, cuando dices Broadway, eso es lo único que quieres decir en realidad y la verdad es que no es nada, un simple gallinero y, para colmo, asqueroso, pero a las siete de la tarde, cuando todo el mundo se precipita hacia una mesa, hay como un chisporroteo eléctrico en el aire y se te ponen los pelos de punta como antenas y, si eres receptivo, no sólo percibes todos los destellos y parpadeos, sino que, además, te entra el prurito estadístico, el *quid pro quo* de la suma interactiva, intersticial, ectoplasmática de cuerpos chocando en el espacio como las estrellas que componen la Vía Láctea, sólo que ésta es la Alegre Vía Blanca, la cima del mundo sin techo ni raja o agujero siquiera bajo los pies por el que caer y decir que es mentira. Su absoluta impersonalidad te provoca tal grado de cálido delirio humano, que te hace correr hacia adelante como una jaca ciega y sacudir tus delirantes orejas. Todo el mundo deja de ser quien es tan total y execrablemente, que te conviertes al instante en la personificación de toda la raza humana, estrechando mil manos humanas, cacareando con mil lenguas humanas diferentes, maldiciendo, aplaudiendo, silbando, canturreando, soliloquiando, perorando, gesticulando, orinando, fecundando, camelando, engatusando, lloriqueando, cambalacheando, alcahueteando, maullando, etcétera. Eres todos los hombres que vivieron hasta Moisés y, además, una mujer que compra un sombrero, o una jaula de pájaro; o una simple trampa para ratones. Puedes quedarte al acecho en un escaparate, como un anillo de oro de quince quilates, o puedes trepar por el costado de un edificio como una mosca humana, pero nada detendrá la procesión, ni siquiera paraguas que vuelen a la velocidad de la luz, ni morsas de dos pisos que avancen con calma hacia los bancos de ostras. Broadway, tal como lo veo ahora y lo he visto durante veinticinco años, es una rampa concebida por Santo Tomás de Aquino, cuando todavía estaba en el útero. En un principio, estaba destinada a ser usado sólo por serpientes y lagartos, por el lagarto cornudo y la garza roja, pero, cuando la Armada Invencible española se hundió, la especie humana salió culebreando del queche y se derramó por doquier, cerrando mediante una especie de serpentear y culebrear ignominiosos la raja coñiforme que va de Broadway, al Sur, a los campos de golf, al Norte, a través del centro muerto y agusanado de la isla de Manhattan. De Times Square a la Calle 50 abarca todo lo que Santo Tomás de Aquino olvidó incluir en su *magnum opus*, es decir, entre otras cosas, hamburguesas, botones de cuello, perros de lanas, máquinas tragaperras, bombines grises, cintas de máquina de escribir, pirulíes, retretes gratuitos, paños higiénicos, pastillas de menta, bolas de billar, cebollas picadas, servilletas arrugadas, bocas de alcantarilla, goma de mascar, sidecares y caramelos ácidos, celofán, neumáticos radiales, magnetos, linimento para caballos, pastillas para la tos, pastillas de menta y esa opacidad felina de eunuco histéricamente dotado que se dirige al despacho de refrescos con un fusil de cañones recortados entre las piernas. La atmósfera de antes de comer, la mezcla de pachulí, pecblenda caliente, electricidad helada, sudor azucarado y orina pulverizada te provoca una fiebre de expectación delirante. Cristo no volverá a bajar nunca más a la Tierra ni habrá legislador alguno, ni cesarán los asesinatos ni los robos ni las violaciones y sin embargo... y, sin embargo, esperas algo, algo aterradoramente maravilloso y absurdo, quizás una langosta fría con mayonesa servida gratis, tal vez una invención, como la luz eléctrica, como la televisión, pero más devastadora, más desgarradora, una invención inconcebible que produzca una calma y un vacío demoledores, no la calma y el vacío de la muerte, sino de una vida como la que soñaron los monjes, como la que sueñan todavía en el Himalaya, en Tíbet, en Lahore, en las islas Aleutianas, en Polinesia, en la isla de Pascua, el sueño de hombres anteriores al diluvio, antes de que se escribiera la palabra, el sueño de hombres de las cavernas y antropófagos, de los que tienen sexo doble y colas cortas, de aquellos de quienes se dice que están locos y no tienen modo de defenderse porque los que no están locos los sobrepasan en número. Energía fría atrapada por brutos astutos y después liberada como cohetes explosivos, ruedas intrincadamente engranadas para causar la ilusión de fuerza y velocidad, unas para producir luz, otras energía, otras movimiento, palabras telegrafiadas por maníacos y montadas como dientes postizos, perfectos y repulsivos como leprosos, movimiento congraciador, suave, escurridizo, absurdo, vertical, horizontal, circular, entre paredes y a través de paredes, por placer, por cambalache, por delito, por el sexo; todo luz, movimiento, poder concebido impersonalmente, generado y distribuido a lo largo de una raja coñiforme asfixiada y destinada a deslumbrar y espantar al salvaje, al patán, al extranjero, pero nadie deslumbrado ni espantado, éste hambriento, aquél lascivo, todos uno y el mismo y no diferentes del salvaje, el patán, el extranjero, salvo en insignificancias, un batiburrillo, las burbujas del pensamiento, el serrín de la mente. En la misma raja coñiforme, atrapados pero no deslumbrados, millones han caminado antes que yo, entre ellos uno, Blaise Cendrars, que después voló a la Luna y de ella a la Tierra de nuevo y Orinoco arriba personificando a un hombre alocado, pero en realidad sano como un botón, si bien ya no vulnerable, ya no mortal, masa magnífica de un poema dedicado al archipiélago del insomnio. De los que padecían esa fiebre pocos salieron del cascarón, entre ellos yo mismo aún sin salir de él, pero permeable y maculado, conocedor con calma ferocidad del tedio de la deriva y el movimiento incesantes. Antes de cenar, el restallar y tintinear de la luz del cielo que se filtra suave por la cúpula de gris osamenta, los hemisferios errantes cubiertos de esporas con núcleos de huevos azules coagulándose, ramificándose, en un cesto langostas, en el otro la germinación de un mundo antisépticamente personal y absoluto. De las bocas de las alcantarillas, cenicientas con la vida subterránea, hombres del mundo futuro saturados de mierda, la electricidad helada mordiéndolos como ratas, el día que se acaba y la obscuridad que se acerca como las frías y refrescantes sombras de las alcantarillas. Como un nabo blando que se sale deslizándose de un coño recalentado, yo, el que aún no ha salido del cascarón, haciendo algunas contorsiones abortivas, pero todavía no lo bastante muerto y blando o libre de esperma y patinando *ad astra*, pues aún no es hora de cenar y un frenesí peristáltico se apodera del intestino grueso, la región hipogástrica, el lóbulo umbilical pospineal. Las langostas, cocidas vivas, nadan en hielo, sin dar ni pedir cuartel, tan sólo inmóviles e inmotivadas en el tedio acuoso y helado de la muerte, mientras la vida flota a la deriva por el escaparate rebozado en desolación, un escorbuto lastimoso devorado por la tomaína, mientras el gélido vidrio de la ventana corta como una navaja, limpio y sin residuos.

La vida que pasa a la deriva por el escaparate... también yo soy parte de la vida, como la langosta, el anillo de catorce quilates, el linimento para caballos, pero hay un hecho muy difícil de probar y es el de que la vida es una mercancía con una carta de porte pegada, pues lo que escojo para comer es más importante que yo, el que come, ya que el uno se come al otro y, en consecuencia, comer, *el verbo*, es el rey del gallinero. En el acto de comer el huésped se ve perturbado y la justicia derrotada temporalmente. El plato y lo que en él hay, mediante la capacidad depredadora del aparato intestinal, exige atención y unifica el espíritu, primero hipnotizándolo, después tragándolo despacio, luego masticándolo, después absorbiéndolo. La parte espiritual del ser desaparece como espuma, no deja testimonio ni rastro alguno de su paso, se esfuma, se esfuma más completamente incluso que un punto en el espacio tras una disertación matemática. La fiebre, que puede volver mañana, guarda la misma relación con la vida que el mercurio de un termómetro con el calor. La fiebre no convertirá la vida en calor, que es lo que se había de probar, por lo que consagra las albóndigas y los espaguetis. Masticar mientras otros miles mastican, cuando cada mascada es un asesinato, proporciona el necesario molde social desde el que te asomas a la ventana y ves que hasta se puede hacer una escabechina justa con la especie humana o que se la puede mutilar o matar de hambre o torturar, porque, mientras masticas, la simple ventaja de estar sentado en una silla con la ropa puesta, limpiándote la boca con una servilleta, te permite comprender lo que los más sabios nunca han sido capaces de comprender, a saber, que no hay otra forma de vida posible, pues con frecuencia dichos sabios no se dignan usar silla, ropa ni servilleta. Así, los hombres que corren cada día a horas regulares por una raja coñiforme de una calle llamada Broadway, en busca de esto o lo otro, suelen establecer esto y lo otro, lo que es exactamente el método de los matemáticos, lógicos, físicos, astrónomos y demás. La prueba es el hecho y el hecho no tiene otro significado que el que le atribuyen los que establecen los hechos.

Devoradas las albóndigas, tirada con cuidado al suelo la servilleta de papel, eructando un poquito y sin saber por qué ni adónde, salí al centelleo de veinticuatro quilates y entré en formación con la multitud que se dirigía al teatro. Esa vez erré por las calles adyacentes siguiendo a un ciego con acordeón. De vez en cuando me siento en un porche y escucho un aria. En la ópera, la música carece de sentido; aquí, en la calle, presenta el tono demente preciso que le infunde intensidad. La mujer que acompaña al ciego sostiene una taza de hojalata en las manos; el ciego forma parte de la vida también, como la taza de hojalata, la música de Verdi, la Metropolitan Opera House. Todo el mundo y todas las cosas forman parte de la vida, pero, cuando se han sumado todas, todavía le falta algo para ser vida. *¿Cuándo es vida?*, me pregunto, *¿y por qué ahora no?* El ciego sigue su vagabundeo y yo me quedo sentado en el porche. Las albóndigas estaban muy malas; el café, asqueroso; la mantequilla, rancia. Todo lo que miro está podrido, asqueroso, rancio. La calle es como un mal aliento; la calle siguiente es igual y la siguiente y la siguiente. En la esquina el ciego se vuelve a detener y toca *Home to Our Mountains*. Me encuentro un trozo de goma de mascar en el bolsillo: me pongo a mascarla. Masco por mascar. No hay lo que se dice nada mejor que hacer, a no ser tomar una decisión, lo que es imposible. El porche es cómodo y nadie me molesta. Formo parte del mundo, de la vida, como se suele decir, y pertenezco y no pertenezco a ella.

Me quedo sentado en el porche una hora más o menos, soñando despierto. Llego a las mismas conclusiones a que llego siempre, cuando dispongo de un minuto para pensar. O debo ir a casa en seguida para empezar a escribir o debo huir e iniciar una nueva vida. La idea de comenzar un libro me aterra: hay tanto que decir, que no sé dónde o cómo empezar. La idea de huir y empezar de nuevo es igualmente aterradora; significa trabajar como un negro para subsistir. Para un hombre de mi temperamento, siendo el mundo como es, no hay la más mínima esperanza ni solución. Aun cuando *pudiera* escribir el libro que quiero escribir, nadie lo aceptaría: conozco a mis compatriotas demasiado bien. Aun cuando *pudiese* empezar de nuevo, sería inútil, fundamentalmente porque no deseo trabajar ni llegar a ser un miembro útil de la sociedad. Me quedo ahí sentado mirando la casa de enfrente. No sólo tiene aspecto feo y carente de sentido, como todas las demás casas de la calle, sino que, además, de mirarla tan intensamente, se ha vuelto absurda de pronto. La idea de construir un lugar para refugiarse de esa forma particular me parece absolutamente demencial. La propia ciudad me parece un ejemplo de la mayor demencia: todo lo que hay en ella, alcantarillas, metro elevado, máquinas tragaperras, periódicos, teléfonos, polis, pomos de puerta, hostales de mala muerte, rejas, papel higiénico, todo. Todo podría muy bien no existir y no sólo no se habría perdido nada, sino que se habría ganado todo un universo. Miro a la gente que pasa presurosa a mi lado para ver si por casualidad uno de ellos pudiera coincidir conmigo. Supongamos que detuviese a uno de ellos y le hiciera una sencilla pregunta. Supongamos que me limitase a decirle de sopetón: «¿Por qué sigue usted llevando la vida que lleva?». Probablemente llamaría a un guripa. Me pregunto: «¿Se habla alguien a sí mismo como lo hago yo?». Me pregunto si me pasará algo raro. La única conclusión que puedo sacar es la de que *soy diferente*. Y eso es muy serio, lo mires como lo mires. Henry, me digo, alzándome despacio del porche, estirándome, sacudiéndome el polvo y escupiendo la goma de mascar, Henry, me digo, todavía eres joven, eres un chaval y, si les dejas que te atrapen por los cojones, eres un idiota, porque vales más que cualquiera de ellos, sólo que necesitas liberarte de tus ideas erróneas sobre la Humanidad. Has de comprender, Henry, hijo, que tienes que habértelas con asesinos, con caníbales, sólo que van bien vestidos, afeitados, perfumados, pero eso es lo que son: asesinos, caníbales. Lo mejor que puedes hacer ahora, Henry, es ir a comprarte un helado de chocolate y, cuando te sientes en el despacho de refrescos, estate ojo avizor y olvídate del destino del hombre, porque aún podrías echar un polvete y un polvete te limpiará los rodamientos de bolas y te dejará buen sabor de boca, mientras que esto lo único que produce es dispepsia, caspa, halitosis, encefalitis. Y, mientras estoy calmándome así, se me acerca un tipo a pedirme diez centavos y le doy veinticinco para no quedarme corto, pensando para mis adentros que, si hubiera tenido un poco más de sentido común, me habría tomado una jugosa chuleta de cerdo con ellos en lugar de las asquerosas albóndigas, pero qué más da ahora, todo es comida, la comida produce energía y la energía es lo que mueve el mundo. En lugar de tomarme el helado de chocolate, sigo caminando y al cabo de poco estoy exactamente donde he querido estar todo el tiempo, que es delante de la ventanilla de despacho de localidades del Roseland. Y ahora, Henry, voy y me digo, si tienes suerte, tu viejo amigo MacGregor estará aquí y primero te echará una bronca de la hostia por escapar corriendo y luego te prestará cinco pavos y, si contienes la respiración mientras subes las escaleras, quizá veas a la ninfómana también y te des un filetazo. ¡Entra con mucha calma, Henry, y estate ojo avizor! Y entro con pies de plomo, siguiendo las instrucciones, dejo el sombrero en el guardarropa, orino un poco, cosa normal, y después vuelvo a bajar las escaleras y examino a las tanguistas, todas diáfanamente vestidas, empolvadas, perfumadas, con aspecto lozano y despierto, pero probablemente muertas de aburrimiento y con las piernas cansadas. Al pasar, echo un polvo imaginario a todas y cada una de ellas. El local está rebosante de coños y jodienda y por eso estoy bastante seguro de encontrar a mi viejo amigo MacGregor aquí. Es maravilloso con qué facilidad he dejado de pensar en el estado del mundo. Lo digo porque por un momento, justo mientras estudiaba con la mirada un jugoso culo, he tenido una recaída. Casi he vuelto a entrar en trance. Estaba pensando, ¡palabra!, que quizá debería largarme a casa y empezar el libro. ¡Una idea aterradora! En cierta ocasión pasé toda una tarde sentado en una silla y no vi ni oí nada. Debí de escribir un libro de buen tamaño antes de despertar. Mejor no sentarse. Más vale seguir circulando. Henry, lo que deberías hacer es venir aquí algún día con una pasta gansa y ver lo que daba de sí. Quiero decir cien o doscientos dólares y gastarlos como agua y decir que sí a todo. Esa de aspecto arrogante y figura de estatua, apuesto a que se retorcería como una anguila, si se le untara bien la mano. Supongamos que dijese: *«¡Veinte dólares!»* y tú pudieras decir: *«¡Cómo no!»*. Supongamos que pudieses decir: «Oye, tengo un coche abajo... vámonos a Atlantic City por unos días». Henry, no hay coche ni veinte dólares. *No te sientes... sigue circulando.*

En la barandilla que separa de la pista de baile me quedo parado y los miro deslizarse. No es una recreación inofensiva... es cosa seria. A cada extremo de la pista de baile hay un letrero que dice: «Prohibido bailar indecorosamente». Pero que muy requetebién. No hay nada malo en colocar un letrero en cada extremo de la pista. En Pompeya probablemente colgaran un falo. En América se hace así. Significa lo mismo. No debo pensar en Pompeya o acabaré sentado y escribiendo un libro de nuevo. *Sigue circulando, Henry, y estáte atento a la música.* Sigo haciendo esfuerzos para imaginar lo bien que me lo pasaría; si tuviese el precio de una ristra de boletos, pero cuantos más esfuerzos hago, más vuelvo a caer. Al final, estoy hundido hasta las rodillas en lechos de lava y el gas me está asfixiando. No fue la lava la que mató a los pompeyanos, fue el gas venenoso que precipitó la erupción. Por eso los atrapó la lava en posturas tan extrañas, con los pantalones bajados, por decirlo así. Si de repente todo Nueva York se viera sorprendido así... ¡qué museo formaría! Mi amigo MacGregor restregándose la picha ante el lavabo... abortistas del East Side cogidos con las manos en la masa... las monjas tumbadas en la cama y masturbándose unas a otras... el subastador con un despertador en la mano... las telefonistas ante el conmutador... J. P. Morgana sentado en la taza del retrete y limpiándose el culo plácidamente... los guripas torturando con mangueras de goma... bailarinas desnudistas haciendo el último *striptease*...

Hundido en la lava hasta las rodillas y con los ojos nublados de esperma: J. P. Morgana se está limpiando el culo plácidamente, mientras las telefonistas conectan las clavijas, mientras unos guripas torturan con mangueras de goma, mientras mi viejo amigo MacGregor se restriega la picha para quitarse los gérmenes, le unta pomada y la examina al microscopio. Todo el mundo sorprendido con los pantalones bajados, incluidas las bailarinas desnudistas que no llevan pantalones, ni barba, ni bigote, sólo un pedacito de tela para taparse el coñito centelleante. Sor Antolina tumbada en la cama del convento, con la barriga ajustada con un braguero, los brazos en jarras y esperando la Resurrección, esperando, esperando una vida sin hernia, sin relaciones sexuales, sin pecado, sin maldad, mientras mordisquea unas galletas, un pimiento morrón, unas aceitunas finas, un poco de cabeza de jabalí. Los muchachos judíos en el East Side, en Harlem, en el Bronx, Canarsie, Bronsville, abriendo y cerrando las trampas, sacando los brazos y las piernas, haciendo girar la máquina de fabricar salchichas, obstruyendo los desagües, trabajando como furias por dinero al contado y, si abres el pico, a la calle vas. Con mil cien boletos en el bolsillo y un Rolls Royce esperándome abajo, podría pasármelo bomba, echando un polvo a todas y cada una de ellas, respectivamente, y sin tener en cuenta edad, sexo, raza, religión, nacionalidad, nacimiento ni educación. No hay remedio para un hombre como yo, por ser yo quien soy y el mundo lo que es. El mundo se divide en tres partes, de las cuales dos son albóndigas y espaguetis y la otra un enorme chancro sifilítico. La arrogante de la figura de estatua probablemente no se ande con rodeos para echar un polvo de buenas a primeras, debe de ser como un *con anonyme* revestido de hoja de oro y papel de estaño. Más allá de la desesperanza y la desilusión hay siempre la ausencia de cosas peores y los emolumentos del hastío. Nada es más asqueroso ni más vano que la alegría viva captada en plena juerga por el ojo mecánico de la época mecánica, la vida que madura en una caja negra, un negativo cosquilleando con un ácido y que revela un simulacro momentáneo de nada. En el límite extremo de esa nada momentánea, llega mi amigo MacGregor y se detiene a mi lado y con él está aquella de la que ha hablado, la ninfómana llamada Paula. Ésta se mueve con ese balanceo flexible y garboso del sexo de dos cañones, todos sus movimientos irradian de la ingle, siempre en equilibrio, siempre lista para derramarse, para serpentear, retorcerse y estrechar, con los ojos haciendo tic-tac, los dedos de los pies crispándose y centelleando, la carne rizándose como un lago surcado por una brisa. Encarna la alucinación del sexo, la ninfa del mar culebreando en brazos del maníaco. Los observo a los dos mientras se mueven espasmódicamente centímetro a centímetro por la pista; se mueven como un pulpo excitado por el celo. Entre los tentáculos balanceantes, la música riela y centellea, tan pronto estalla en una cascada de esperma y agua de rosas, como forma de nuevo un chorro aceitoso, una columna que se yergue sin base, se desintegra otra vez como tiza, dejando la parte superior de la pierna fosforescente, una cebra de pie en un charco de malvavisco, con una pierna desnuda y la otra derretida. Un malvavisco dorado con charnelas de goma y pezuñas derretidas, el sexo suelto y retorcido en un nudo. En el suelo marino las ostras bailan la danza de San Vito, unas con trismo, otras con rodillas de articulación doble. La música está espolvoreada con raticida, con el veneno de la serpiente de cascabel, el fétido aliento de la gardenia, el esputo del yak sagrado, el sudor de la rata almizclera, la nostalgia confitada del leproso. La música es una diarrea, un lago de gasolina, estancado con cucarachas y orina de caballo rancia. Las notas que gotean son la espuma y la baba del epiléptico, el sudor nocturno de la negra fornicadora jodida por el judío. Toda América está en la cintura del trombón, ese relincho agotado y exhausto de las morsas gangrenadas y atracadas a la altura de Point Loma, Pawtucket, cabo Hatteras, Labrador, Canarsie y puntos intermedios. El pulpo baila como una picha de goma: la rumba de Spuyten Duyvil *inédit*. Laura, la ninfómana, baila la rumba, con el sexo exfoliado y retorcido como la cola de una vaca. En el vientre del trombón se encuentra el alma americana peyéndose a sus anchas. Nada se desperdicia: ni el menor esputo de un pedo. En el sueño dorado y dulzón de la felicidad, en la danza de orines y gasolina pastosos, la gran alma del continente americano galopa como un pulpo, con todas las alas desplegadas, las escotillas echadas y el motor zumbando como una dínamo. La gran alma dinámica atrapada en el clic del ojo de la cámara, en el ardor del celo, exangüe como un pez, resbaladiza como moco, el alma de gentes de razas distintas copulando en el suelo marino, con ojos desorbitados por el deseo, atormentados por la lascivia. La danza del sábado por la noche, la danza de melones que se pudren en el cubo de la basura, de moco verde fresco y ungüentos viscosos para las partes tiernas. La danza de las máquinas tragaperras y los monstruos que las inventan. La danza de los revólveres y los cabrones que los usan. La danza de la cachiporra y los capullos que golpean sesos hasta convertirlos en un pulpo de pólipo. La danza del mundo del magneto, la bujía que no hace chispa, el suave zumbido del mecanismo perfecto, la carrera de velocidad en una plataforma giratoria, el dólar a la par y los bosques muertos y mutilados. El sábado por la noche de la danza vacía del alma, en la que cada bailarín que brinca es una unidad funcional en el baile de San Vito del sueño de la tiña. Laura, la ninfómana, esgrimiendo el coño, con los dulces labios de pétalo de rosa dentados con garras de rodamiento de bolas y el culo como una articulación de rótula. Centímetro a centímetro, milímetro a milímetro empujan por la pista el cadáver copulador. Y después, ¡zas! Como si desconectaran un conmutador, cesa la música de repente y con la interrupción los bailarines se separan, con los brazos y las piernas intactos, como hojas de té que bajan al fondo de la taza. Ahora el aire está amoratado de palabras, un lento chisporroteo como el del pescado en la plancha. La broza del alma vacía alzándose como cháchara de monos en las copas de los árboles. El aire amoratado de palabras que salen por los ventiladores y vuelven de nuevo en el sueño por chimeneas arrugadas, aladas como el antílope, rayadas como la cabra, que tan pronto están inmóviles cual molusco como escupen llamas. Laura, la nifómana, fría como una estatua, con las partes devoradas y el cabello arrebatado musicalmente. Al borde del sueño, Laura está con los labios mudos y sus palabras caen como polen por entre una niebla. La Laura de Petrarca sentada en un taxi, cada una de cuyas palabras sueña en la caja registradora y después queda estirilizada y luego cauterizada. Laura, el basilisco hecho enteramente de amianto, caminando hacia la hoguera llameante con la boca llena de goma de mascar. Chipendi-lerendi es la palabra que lleva en los labios. Los pesados labios aflautados de la concha marina, los labios de Laura, los labios de un amor uraniano perdido. Todo flotando hacia la sombra por entre la niebla en declive. Últimas heces murmurantes de labios como conchas deslizándose frente a la costa del Labrador, rezumando hacia el Este en la corriente de yodo. Laura perdida, la última de los Petrarcas, desvaneciéndose despacio al borde del sueño. No es gris el mundo, sino soso, el ligero sueño de bambú de la inocencia suave como la superficie de una cuchara.

Y esto en la negra nada frenética del vacío de la ausencia deja una deprimente sensación de desaliento saturado, muy parecida a la cima más alta de la desesperación, que no es sino el alegre gusano juvenil de la exquisita ruptura de la muerte con la vida. Desde ese cono invertido del éxtasis la vida volverá a alzarse hasta la prosaica eminencia del rascacielos, arrastrándome por los pelos y los dientes, henchido de un tremendo gozo vacío, el feto animado del nonato gusano de la muerte al acecho de la descomposición y la putrefacción.

El domingo por la mañana me despierta el teléfono. Es mi amigo Maxie Schnadig, que me anuncia la muerte de nuestro amigo Luke Ralston. Maxie ha adoptado un tono de voz de lo más acongojado, que me molesta. Dice que Luke era un tío cojonudo. Eso también me suena a falso, porque Luke era buen tío, pero sólo del montón, no lo que se dice un tío cojonudo, precisamente. Luke era sarasa de nacimiento y, en definitiva, cuando llegué a conocerlo íntimamente, un palizas. Así se lo dije a Maxie por teléfono; por la forma como me respondió comprendí que no le hizo mucha gracia. Dijo que Luke siempre había sido un amigo para mí. Era cierto, pero no del todo. La verdad era que me alegraba de veras de que Luke la hubiera palmado en el momento oportuno: ahora podría olvidar los ciento cincuenta dólares que le debía. De hecho, al colgar el aparato sentí auténtico júbilo. Era un alivio tremendo no tener que pagar aquella deuda. En cuanto al fallecimiento de Luke, no me perturbaba lo más mínimo. Al contrario, me iba a permitir visitar a su hermana, Lottie, a quien siempre había querido tirarme, sin conseguirlo nunca por una u otra razón. Ya me veía presentándome de día a darle el pésame. Su marido estaría en la oficina y no habría ningún obstáculo. Me veía rodeándola con los brazos y consolándola; no hay nada como abordar a una mujer cuando está apenada. La veía desorbitar los ojos —tenía ojos grises, grandes y hermosos—, mientras la trasladaba hacia el sofá. Era de esas mujeres que te dejan echarles un polvo, mientras fingen estar escuchando música o algo así. No le gustaba la realidad tal como es, los hechos desnudos, por decirlo así. Al mismo tiempo, tenía la suficiente presencia de ánimo para colocarse una toalla debajo con el fin de no manchar el sofá. Me la conocía yo a fondo. Sabía que el mejor momento para conseguirla era ahora, ahora que era presa de la emoción por la muerte del pobre Luke...

a quien, por cierto, no tenía en gran concepto. Por desgracia, era domingo y seguro que el marido estaría en casa. Volví a la cama y me quedé tumbado pensando primero en Luke y en todo lo que había hecho por mí y después en ella, Lottie. Se llamaba Lottie Sommers: siempre me pareció un nombre bonito. Le cuadraba perfectamente. Luke era tieso como un palo, con cara como de calavera e impecable y justo hasta lo indecible. Ella era el extremo opuesto: suave, llenita, hablaba despacio, acariciaba las palabras, se movía lánguida, usaba los ojos con eficacia. Nadie habría dicho que eran hermanos. Me excité tanto pensando en ella, que intenté abordar a mi mujer. Pero la pobre gilipuertas, con su complejo de puritanismo, fingió horrorizarse. Apreciaba a Luke. No se le habría ocurrido decir que era un tío cojonudo, porque no era su forma de expresarse, pero insistió en que era un amigo de verdad, leal, fiel, etcétera. Yo tenía tantos amigos de verdad, leales y fieles, que eso era pura cháchara para mí. Al final, tuvimos una discusión tan violenta a causa de Luke, que le dio un ataque de histeria y se puso a lamentarse y a sollozar... en la cama, fijaos bien. Eso me dio hambre. La idea de llorar antes del desayuno me pareció monstruosa. Bajé a la cocina y me preparé un desayuno maravilloso y, mientras me lo comía, me reía para mis adentros de Luke, de los ciento cincuenta dólares que su repentina muerte había borrado de la lista, de Lottie y de la forma como me miraría, cuando llegara el momento... y, por último, lo más absurdo de todo, pensé en Maxie, Maxie Schnadig, el fiel amigo de Luke, con una gran corona ante la tumba y quizás arrojando un puñado de tierra al ataúd en el preciso momento en que lo bajaban. No sé por qué, aquello me pareció de una estupidez espantosa. No sé por qué había de parecerme tan ridículo, pero así era.

Maxie era un bobalicón. Yo lo soportaba sólo porque podía darle un sablazo de vez en cuando. Y, además, no hay que olvidar a su hermana Rita. Solía dejarle que me invitara a su casa de vez en cuando fingiendo interés por su hermano, que estaba trastornado. Siempre era una buena comida y el hermano subnormal era muy divertido. Parecía un chimpancé y como tal hablaba. Maxie era demasiado inocente como para sospechar que tan sólo me estaba divirtiendo; creía que me interesaba de verdad por su hermano.

Era un domingo hermoso y, como de costumbre, tenía unos veinticinco centavos en el bolsillo. Caminé por ahí sin saber adónde ir a dar un sablazo. No es que fuera difícil juntar un poco de pasta, no, pero el caso era conseguir la pasta y largarse sin que te mataran de aburrimiento. Recordé a una docena de mendas del barrio mismo, que apoquinarían sin refunfuñar, pero sabía que después vendría una larga conversación: sobre arte, religión, política. Otra cosa que podía hacer, que había hecho una y mil veces en un apuro, era presentarme en las oficinas de telégrafos, simulando una visita amistosa de inspección y después, en el último minuto, sugerirles que sacaran de la caja un dólar o algo así hasta el día siguiente. Eso exigiría tiempo y, peor aún, conversación. Después de pensarlo fría y calculadoramente, llegué a la conclusión de que lo mejor era recurrir a mi coleguilla Curley, que vivía en Harlem. Si Curley no tenía dinero, se lo cogería a su madre del monedero. Sabía que podía confiar en él. Desde luego, iba a querer acompañarme, pero ya encontraría modo de librarme de él antes de que pasara la tarde. Como era aún un chaval, no tenía que ser delicado con él.

Lo que me gustaba de Curley era que, pese a ser sólo un chaval de diecisiete años, no tenía el menor sentido moral ni escrúpulos ni vergüenza. Había acudido a mí en busca de trabajo de repartidor, siendo un muchacho de catorce años. Sus padres, que por aquel entonces estaban en Sudamérica, lo habían enviado por barco a Nueva York para dejarlo a cargo de una tía suya, que lo sedujo casi en seguida. Nunca había ido al colegio, porque los padres siempre estaban viajando; eran saltimbanquis que vivían «a salto de mata», como él decía. El padre había estado en la cárcel varias veces. Por cierto, que no era su padre auténtico. El caso es que Curley vino a verme siendo un mozalbete que necesitaba ayuda, un amigo más que nada. Al principio, pensé que podría hacer algo por él. Cayó simpático al instante a todo el mundo, sobre todo a las mujeres. Se convirtió en el niño mimado de la oficina. Sin embargo, no tarde en comprender que era incorregible, que en el mejor de los casos tenía madera de delincuente astuto. No obstante, me gustaba y seguí ayudándolo, pero nunca me fié de él como para quitarle la vista de encima. Creo que me gustaba sobre todo porque no tenía el menor sentido del honor. Era capaz de hacer cualquier cosa por mí y, al mismo tiempo, de traicionarme. No podía reprochárselo... me divertía. Tanto más cuanto que era franco al respecto. Es que no podía evitarlo. Su tía Sophie, por ejemplo. Decía que lo había seducido. Era cierto, pero lo curioso era que se había dejado seducir, mientras leían la Biblia juntos. Pese a ser tan joven, parecía comprender que su tía Sophie lo necesitaba en ese sentido. Conque se dejó seducir, según dijo, y después, cuando hacía un tiempo que nos conocíamos, se ofreció a presentarme a su tía para que me la beneficiara. Llegó hasta el extremo de hacerle chantaje. Cuando tenía gran necesidad de dinero, iba a verla y se lo sacaba... con veladas amenazas de contar la verdad. Con cara inocente, desde luego. Era asombroso lo que se parecía a un ángel, con grandes ojos claros que parecían tan frescos y sinceros. Tan dispuesto a hacerte favores... casi como un perro fiel. Y después, cuando se había ganado tu aprecio, lo bastante astuto para hacerte complacerlo en sus caprichos. Y, además, muy inteligente. La sagaz inteligencia de un zorro y... la absoluta crueldad de un chacal.

En consecuencia, no me sorprendió en absoluto enterarme aquella tarde de que había estado haciendo de las suyas con Valeska. Después de Valeska, abordó a la prima, que ya había sido desflorada y necesitaba un hombre en quien poder confiar. Y de ésta, por último, pasó a la enana, que se había hecho un nidito en casa de Valeska. La enana le interesaba porque tenía un coño perfectamente normal. No había tenido intención de hacer nada con ella, porque, según dijo, era una lesbiana repulsiva, pero un día se tropezó con ella, mientras se bañaba, y así empezó la cosa. Reconoció que estaba empezando a resultarle insoportable, porque las tres lo perseguían sin cesar. La que más le gustaba era la prima, porque tenía algo de pasta y estaba dispuesta a soltarla. Valeska era demasiado astuta y, además, olía un poco fuerte. De hecho, estaba empezando a hartarse de las mujeres. Decía que era culpa de su tía Sophie. Lo había iniciado mal. Mientras me cuenta eso, va registrando con afán los cajones de la cómoda. Su padre es un hijoputa despreciable que se merece la horca, dice, mientras busca infructuosamente. Va y me enseña un revólver con cachas de nácar... ¿cuánto darían por él? Un revólver era algo demasiado bueno para usarlo contra el viejo... le gustaría dinamitarlo. Al intentar averiguar *por qué* odiaba tanto al viejo, resultó que el chaval estaba enamorado de su madre. No podía soportar la idea de que el viejo se acostara con ella. ¿No pretenderás decir que estás celoso de tu viejo?, le pregunté. Sí, está celoso. Si quería saber la verdad, no le importaría acostarse con su madre. *¿Por qué no?* Por eso había permitido a su tía Sophie que lo sedujera... pensaba constantemente en su madre. Pero, ¿no te sientes mal, cuando le registras el monedero?, le pregunté. Se echó a reír. No es dinero *de ella*, sino *de él*. ¿Y qué han hecho por mí? Se han pasado la vida dejándome a cargo de otra gente. La primera cosa que me enseñaron fue a engañar a la gente. ¡Bonita forma de educar a un niño!...

No hay ni un centavo en la casa. La solución que se le ocurre a Curley es ir conmigo a la oficina en la que trabaja y, mientras yo doy conversación al director, registrar el vestuario y limpiar toda la calderilla. O, si no temo arriesgarme, registrará la caja. Nunca sospecharán de *nosotros*, dice. Le pregunto si ha hecho eso alguna otra vez. Pues claro... una docena de veces o más y en las narices del director. ¿Y no hubo un escándalo? Claro que sí... despidieron a algunos empleados. ¿Por qué no pides algo prestado a tu tía Sophie?, le propongo. Eso es muy fácil, pero tendría que echarle un quiqui rápido y no quiere echarle más quiquis. Huele que apesta, la tía Sophie. ¿Qué quieres decir con eso de que *apesta?* Pues eso... que no se lava a menudo. ¿Por qué? ¿Qué le pasa? Nada, que es religiosa. Y, además, se está poniendo gorda y grasienta. Pero le sigue gustando que le eches un quiqui, ¿verdad? *¿Que si le gusta?* Se pirra más que nunca por el asunto. Es repugnante. Es como acostarse con una marrana. ¿Qué piensa tu madre de ella? *¿De ella?* Está más cabreada que la hostia con ella. Piensa que Sophie está intentando seducir al viejo. Bueno, ¡puede que sea verdad! No, el viejo tiene otras cosas. Una noche lo cogí con las manos en la masa, en el cine, muy acaramelado con una chavala. Es una manicura del Hotel Astor. Probablemente esté intentando sacarle algo de pasta. Ésa es la única razón por la que se liga a una mujer. Es un hijoputa asqueroso y despreciable, ¡y me gustaría verlo algún día en la silla eléctrica! Tú eres el que vas a acabar en la silla eléctrica algún día, si no te andas con ojo. ¿*Quién, yo?* ¡*De eso, nada!* Soy demasiado listo. Eres bastante listo, pero te vas de la lengua. Yo que tú, procuraría mantener el pico cerrado. ¿Sabes una cosa?, añadí, para asustarlo un poco más. O'Rourke te ha calado; si alguna vez riñes con O'Rourke, estás perdido... ¿Y por qué no dice nada, si sabe algo? No te creo.

Le explico con cierto detalle que O'Rourke es una de esas poquísimas personas del mundo que prefieren *no* causar dificultades a otra persona, si pueden evitarlo. O'Rourke, le digo, tiene instinto de detective sólo en el sentido de que le gusta *saber* lo que sucede a su alrededor; lleva el carácter de las personas grabado y archivado permanentemente en la cabeza, de igual modo que los comandantes de un ejército no dejan en ningún momento de tener presente el terreno del enemigo. La gente cree que O'Rourke anda por ahí husmeando y espiando, que siente un placer especial al hacer ese trabajo sucio para la empresa. No es así. O'Rourke es un estudioso nato de la naturaleza humana. Se entera de las cosas sin esfuerzo, gracias, sin duda, a su forma peculiar de observar el mundo. Ahora bien, por lo que a ti respecta... no me cabe duda de que sabe todo sobre ti. Nunca se lo he preguntado, lo reconozco, pero lo imagino por las preguntas que hace de vez en cuando. Quizá lo único que quiera es que te confíes. Alguna noche se encontrará contigo por casualidad y quizá te pida que vayas con él a algún sitio a tomar un bocado. Y de buenas a primeras te dirá: ¿recuerdas, Curley, cuando trabajabas en una oficina SA y despidieron a aquel oficinista judío por robar la caja? Creo que hacías horas extraordinarias aquella noche, ¿verdad? Un caso interesante, ése. Mira, nunca descubrieron si el empleado robó la caja o no. Naturalmente, tuvieron que despedirlo por negligencia, pero no podemos asegurar que robara el dinero de verdad. Llevo cierto tiempo pensando en ese asunto. Tengo una corazonada sobre quién cogió el dinero, pero no estoy del todo seguro... Y entonces probablemente te mire a los ojos y de pronto cambie de conversación. Probablemente te cuente una historia sobre un ladrón que conoció y que se creía muy listo y pensaba que iba a poder escapar. Prolongará la historia para ti hasta que te parezca estar sentado sobre brasas. Para entonces estarás deseando largarte, pero, justo cuando estés a punto de marcharte, recordará de repente otro caso muy interesante y te dirá que esperes un poquito más, mientras pide otro postre. Y seguirá así tres o cuatro horas de un tirón, sin hacer en ningún momento la menor insinuación clara, pero sin dejar tampoco de estudiarte detenidamente, y, por último, cuando te creas libre, justo cuando estés dándole la mano y suspirando de alivio, te cortará el paso y, colocándote sus enormes pies entre las piernas, te cogerá de la solapa y mirándote fijo a los ojos, dirá con voz dulce y agradable: *«Mira una cosa, chaval, ¿no crees que sería mejor que confesaras?»*. Y si crees que sólo está intentando amedrentarte y que puedes fingirte inocente y salir bien librado, te equivocas. Porque, al llegar a ese extremo, cuando te pide que confieses, habla en serio y nada en el mundo va a detenerlo. Cuando llega a ese extremo, te recomiendo que desembuches hasta el último centavo. No me pedirá que te despida ni te amenazará con la cárcel: se limitará a sugerirte tan tranquilo que ahorres un poquito cada semana y se lo entregues a él. Nadie se enterará. Probablemente ni siquiera me lo diga a mí. No, es muy delicado con esas cosas, ¿comprendes?

«¿Y si le digo», dice Curley de improviso, «que robé ese dinero para ayudarte a ti? ¿Qué?» Y se echó a reír como un histérico.

«No creo que O'Rourke te creyera», dije con calma. «Naturalmente, puedes intentarlo, si crees que te ayudará a salvarte. Pero me parece que más que nada será contraproducente. O'Rourke me conoce... sabe que no te dejaría hacer una cosa así.»

«Pero, ¡sí que me dejaste hacerlo!»

«No te dije que lo hicieras. Lo hiciste sin que yo lo supiese. Eso es muy distinto. Además, ¿puedes probar que acepté dinero de ti? ¿No parecerá un poco ridículo que me acuses a mí, el que te protegió, de incitarte a dar un golpe así? ¿Quién te va a creer? O'Rourke, no. Además, todavía no te ha echado el guante. ¿Por qué preocuparte de antemano? Quizá podrías empezar a devolver el dinero poco a poco antes de que te tenga acorralado. Hazlo anónimamente.»

Para entonces Curley estaba agotado. Había un poco de aguardiente en el aparador, que su viejo guardaba de reserva, y le propuse que tomáramos un poco para animarnos. Mientras lo bebíamos, recordé de pronto que Maxie había dicho que estaría en casa de Luke dando el pésame. Era el momento oportuno para pegársela. Estaría embargado de sensiblería y yo podría contarle cualquier camelo, por manido que fuese. Podría decir que había adoptado un tono tan duro por teléfono porque estaba desesperado, porque no sabía a quién recurrir en busca de los diez dólares que necesitaba con tanta urgencia. Al mismo tiempo podría quedar con Lottie. Esa idea me hizo sonreír. ¡Si Luke pudiese ver qué clase de amigo era yo! Lo más difícil sería acercarse al féretro y mirar apenado a Luke. *¡No reírse!*

Expliqué la idea a Curley. Se rió con tantas ganas, que le caían lágrimas por la cara, cosa que me convenció, dicho sea de paso, de que lo más prudente sería dejar a Curley abajo, mientras daba el sablazo. El caso es que así lo decidimos.

Estaban sentándose a la mesa precisamente, cuando entré con la expresión más triste que pude poner. Maxie estaba allí y casi se escandalizó de mi repentina aparición. Lottie ya se había ido. Eso me ayudó a mantener el semblante triste. Pedí que me dejaran solo con Luke unos minutos, pero Maxie insistió en acompañarme. Los otros sintieron alivio, supongo, pues habían pasado la tarde acompañando a los desconsolados amigos hasta el féretro. Y, como buenos alemanes que eran, no les gustaba que les interrumpiesen la cena. Mientras miraba a Luke, aún con esa expresión apenada que había conseguido poner, noté los ojos de Maxie fijos en mí inquisitivamente. Alcé la vista y le sonreí como de costumbre. Ante lo cual puso cara de absoluta perplejidad. «Oye, Maxie», dije, «¿estás seguro de que no nos oyen?» Puso cara de mayor asombro y aflicción todavía, pero asintió con la cabeza para tranquilizarme. «Pasa lo siguiente, Maxie... he subido aquí a propósito para verte... para pedirte que me prestes unos pavos. Sé que parece ruin, pero puedes imaginarte lo desesperado que debo de estar para hacer una cosa así.» Mientras le soltaba esto, él sacudía la cabeza muy serio formando una gran O con la boca, como si estuviera intentando ahuyentar a los espíritus. «Mira, Maxie», proseguí rápido, intentando mantener la voz baja y triste, «éste no es el momento de echarme un sermón. Si quieres hacer algo por mí, déjame diez pavos ahora mismo... pásamelos aquí, mientras contemplo a Luke. Mira, la verdad es que apreciaba a Luke. No hablaba en serio por teléfono. Me has cogido en un mal momento. Mi mujer estaba tirándose de los pelos. Estamos en un lío, Maxie, y cuento contigo para hacer algo. Sal conmigo, si puedes, y te lo explicaré con más detalle...» Como yo esperaba, Maxie no podía salir conmigo. No se le ocurriría siquiera la idea de abandonarlos en un momento así... «Pues dámelos ahora», dije, casi brutalmente. «Te lo explicaré todo mañana. Comeré contigo en el centro.»

«Oye, Henry», dijo Maxie, hurgándose en el bolsillo y violento ante la idea de que lo sorprendieran con un fajo en la mano en ese momento, «mira», dijo, «no me importa darte el dinero, pero, ¿no podrías haber encontrado otra forma de ponerte en contacto conmigo? No es por Luke... es...» Empezó a toser y tartamudear, sin saber en realidad lo que quería decir.

«¡Por el amor de Dios!», musité, inclinándome más sobre Luke para que, si alguien nos sorprendía, no sospechara lo que me traía entre manos..., «por el amor de Dios, no discutas ahora... pásamelo y acabemos de una vez... estoy desesperado, ¿me oyes?» Maxie estaba tan confuso y aturdido, que no podía separar un billete sin sacar el fajo del bolsillo. Mientras me inclinaba, reverente, sobre el féretro, tiré del primer billete que sobresalía de su bolsillo. No pude distinguir si era de un dólar o de diez. No me detuve a examinarlo, me lo guardé lo más rápido que pude y me erguí. Después cogí a Maxie del brazo y volví a la cocina, donde la familia estaba comiendo muy seria, pero con ganas. Querían que me quedara a tomar un bocado y era difícil negarse, pero me negué lo mejor que pude y me largué, con la cara crispada ya por la risa histérica.

En la esquina, junto al farol, me esperaba Curley. Ya no pude contenerme más. Cogí a Curley del brazo y corriendo y tirando de él calle abajo me eché a reír, a reír como raras veces he reído en mi vida. Creía que no iba a cesar nunca. Cada vez que abría la boca para empezar a explicar el incidente, me daba un ataque. Al final, me asusté. Pensé que quizá me muriera de risa. Después de haber conseguido calmarme un poco, en medio de un largo silencio, va Curley y dice de repente: *¿Lo has conseguido?* Aquello provocó otro ataque, más violento incluso que los anteriores. Tuve que inclinarme sobre una barandilla y sujetarme el vientre. Sentía un dolor terrible en él, pero era un dolor agradable.

Lo que me alivió más que nada fue ver el billete que había sacado del fajo de Maxie. ¡Era de veinte dólares! Eso me calmó al instante. Y al tiempo me enfureció un poco. Me enfureció pensar que en el bolsillo de aquel idiota de Maxie había otros billetes más, probablemente otros más de veinte, de diez, de cinco. Si hubiera salido conmigo, como le sugerí, y hubiese echado un buen vistazo a aquel fajo, no habría tenido reparo en obligarle a dármelo por la fuerza. No sé por qué, pero me enfureció. En lo primero que pensé fue en librarme de Curley lo más rápido posible —un billete de cinco dólares y listo— y después irme de juerga un poco. Lo que sobre todo deseaba era encontrar a una tía guarra que no tuviera ni pizca de decencia. ¿Dónde encontrar a una así... *exactamente así?* En fin, primero librarme de Curley. Curley, claro está, se siente ofendido. Esperaba quedarse conmigo. Finge no querer los cinco pavos, pero, cuando ve que estoy dispuesto a guardármelos, se apresura a cogerlos y ocultarlos.

La noche de nuevo, la noche incalculablemente árida, fría, mecánica, de Nueva York, en la que no hay paz, ni refugio, ni intimidad. La inmensa y helada soledad de la multitud de un millón de pies, el fuego frío y superfluo de la ostentación eléctrica, la abrumadora insensatez de la perfección de la mujer que, mediante la perfección, ha cruzado la frontera del sexo y ha pasado al signo menos, ha pasado al rojo, como la electricidad, como la energía neutral de los hombres, como los planetas sin aspecto, como los programas de paz, como el amor por la radio. Llevar dinero en el bolsillo por entre energía blanca y neutra, caminar sin sentido y sin fecundar a través del brillante resplandor de las calles blanqueadas, pensar en voz alta en plena soledad y al borde de la locura, ser de una ciudad, una gran ciudad, ser del último momento del tiempo en la mayor ciudad del mundo y no sentirse parte de ella, es convertirse uno mismo en una ciudad, un mundo de piedra inerte, de luz superflua, de movimiento ininteligible, de imponderables e incalculables, de la perfección secreta de todo lo que es menos. Caminar con dinero entre la multitud nocturna, protegido por el dinero, arrullado por el dinero, embotado por el dinero, la propia muchedumbre dinero, el aliento dinero, ni un solo objeto, por pequeño que sea, en ninguna parte que no sea dinero, dinero, dinero por doquier y, aun así, no es bastante y luego no hay dinero o poco dinero o menos dinero o más dinero o no tienes dinero, lo que cuenta es el dinero y el dinero hace dinero, pero, *¿qué es lo que hace al dinero hacer dinero?*

Otra vez la sala de baile, el ritmo del dinero, el amor que llega por la radio, el contacto impersonal y sin alas de la multitud. Una desesperación que llega hasta las propias suelas de los zapatos, un hastío, una desesperanza. En medio de la mayor perfección mecánica, bailar sin gozo, estar tan desesperadamente solo, ser casi inhumano porque eres humano. Si hubiera vida en la Luna, ¿qué prueba podría haber más perfecta, más triste que ésta? Si alejarse del Sol es llegar a la fría idiotez de la Luna, en ese caso hemos llegado a nuestra meta y la vida no es sino la fría incandescencia lunar del Sol. Es la danza de la vida helada en el hueco de un átomo y cuanto más bailamos, más se enfría.

Conque bailamos, al son de un ritmo glacial y frenético, de ondas cortas y ondas largas, una danza dentro de la taza de la nada y cada centímetro de lascivia se cuenta en dólares y centavos. Pasamos de una hembra perfecta a otra en busca del defecto vulnerable, pero son perfectas e impermeables en su impecable consistencia lunar. Ésa es la helada virginidad blanca de la lógica del amor, la telaraña de la marea baja, la franja de la vacuidad absoluta. Y en esa franja de la lógica virginal de la perfección estoy bailando la danza del alma y la desesperación blanca, el último hombre blanco apretando el gatillo contra la última emoción, el gorila de la desesperación golpeándose el pecho con garras enguantadas e inmaculadas. Soy el gorila que nota que le crecen las alas, un gorila aturdido en el centro de un vacío parecido a la nada; también la noche crece como una planta eléctrica proyectando brotes al rojo al espacio de terciopelo negro. Soy el negro espacio de la noche en que los capullos revientan con angustia, una estrella de mar nadando en el helado rocío de la Luna. Soy el germen de una nueva demencia, un bicho raro revestido de lenguaje inteligible, un sollozo sepultado como una esquirla en la médula del alma. Estoy bailando la danza muy sensata y encantadora del gorila angélico. Éstos son mis hermanos y hermanas, locos y anangélicos. Estamos bailando en el hueco de la taza de la nada. Somos de una misma carne, pero estamos separados como estrellas.

En ese momento todo está claro para mí, está claro que en esta lógica no hay redención, pues la propia ciudad es la forma suprema de locura y todas y cada una de las partes, orgánicas o inorgánicas, expresión de esa misma locura. Me siento absurda y humildemente grande, no como un megalómano, sino como una espora humana, como la esponja muerta de la vida hinchada hasta la saturación. Ya no miro a los ojos de la mujer que estrecho en los brazos, sino que nado a través de ellos —cabeza, brazos y piernas—, y veo que tras las cuencas de los ojos hay una región inexplorada, el mundo del futuro, y aquí no hay lógica alguna, sólo el germinar de sucesos no interrumpidos por la noche ni por el día, por el ayer ni por el mañana. El ojo, acostumbrado a la concentración en puntos del espacio, se concentra ahora en puntos del tiempo; el ojo ve hacia adelante y hacia atrás, como guste. El ojo que era el yo del sí mismo ya no existe; este ojo sin yo no revela ni ilumina. Viaja por la línea del horizonte, viajero incesante e indocumentado. Al intentar conservar el cuerpo perdido, crecí en lógica como la ciudad, un punto dígito en la anatomía de la perfección. Crecí más allá de mi propia muerte, espiritualmente brillante y duro. Estaba dividido en ayeres infinitos, mañanas interminables, descansando sólo en la cúspide del suceso: una pared con muchas ventanas, pero la casa había desaparecido. Debo destrozar las paredes y las ventanas, el último caparazón del cuerpo perdido, si quiero incorporarme al presente. Por eso no miro ya a los ojos ni *a través de* los ojos, sino que mediante la prestidigitación de la voluntad nado a través de ojos, cabeza, brazos y piernas para explorar la curva de la visión. Veo a mi alrededor, como la madre que en otro tiempo me llevó en su seno veía a la vuelta de las esquinas del tiempo. He roto el muro creado por el nacimiento y la línea del viaje es redonda y continua, uniforme como el ombligo. No hay forma, ni imagen, ni arquitectura, sólo vuelos concéntricos de auténtica locura. Soy la flecha de la substancialidad del sueño. Verifico volando. Anulo dejándome caer a tierra.

Así pasan los momentos, momentos verídicos del tiempo sin espacio en que lo sé todo y, sabiéndolo todo, me desplomo bajo el salto del sueño sin yo.

Entre esos momentos, en los intersticios del sueño, la vida intenta construir en vano, pero el andamio de la insensata lógica de la ciudad no sirve de apoyo. Como individuo, como carne y sangre, me nivelan todos los días para formar la ciudad sin carne ni sangre, cuya perfección es la sima de toda lógica y la muerte del alma. Estoy luchando contra una muerte oceánica en la que mi propia muerte no es sino una gota de agua que se evapora. Para alzar mi vida individual una simple fracción de centímetro por sobre este mar de sangre que naufraga, he de tener una fe mayor que la de Cristo, una sabiduría más profunda que la del mayor profeta. He de tener la capacidad y la paciencia para formular lo que no va contenido en el lenguaje de nuestro tiempo, pues lo que ahora es inteligible carece de sentido. Mis ojos son inútiles, pues sólo me devuelven la imagen de lo conocido. Mi cuerpo entero ha de convertirse en un rayo constante de luz, que se mueva con mayor rapidez todavía, que nunca se detenga, nunca mire hacia atrás, nunca se consuma. La ciudad crece como un cáncer; yo he de crecer como un sol. La ciudad corroe cada vez más el rojo; es un insaciable piojo blanco que tarde o temprano debe morir de inanición. Voy a matar de hambre al piojo blanco que me devora. Voy a morir en cuanto ciudad para volver a ser un hombre. Así, pues, cierro los oídos, los ojos, la boca.

Antes de volver a ser todo un hombre, probablemente existiré como parque, como un parque natural al que la gente vaya a descansar, a pasar el rato. Lo que digan o hagan poco importará, pues sólo traerán su fatiga, su aburrimiento, su desesperanza. Seré un amortiguador entre el piojo blanco y el glóbulo rojo. Seré un ventilador para erradicar los venenos acumulados mediante el esfuerzo por perfeccionar lo que es imperfectible. Seré ley y orden, tal como existe en la naturaleza, tal como se proyecta en el sueño. Seré el parque salvaje en plena pesadilla de la perfección, el sueño sosegado, inconmovible, en plena actividad frenética, el tiro al azar en la blanca tabla de billar de la lógica. No sabré llorar ni protestar, pero estaré siempre ahí en absoluto silencio para recibir y restituir. No diré nada hasta que llegue otra vez el momento de ser un hombre. No haré esfuerzos para preservar ni para destruir. No emitiré juicios ni críticas. Los que estén hartos acudirán a mí en busca de reflexión y meditación; los que no lo estén morirán como vivieron, en el desorden, en la desesperanza, ignorando la verdad de la redención. Si alguien me dice: «debes ser religioso», no responderé. Si alguien me dice: «Ahora no tengo tiempo, me está esperando una ja», no responderé. Ni aunque esté tramándosc una revolución responderé. Siempre habrá una ja o una revolución a la vuelta de la esquina, pero la madre que me llevó en su seno dobló más de una esquina y no respondió y, al final, se volvió *y yo soy* la *respuesta.*

Naturalmente, a partir de tan delirante manía de perfección nadie habría esperado la conversión en parque natural, ni siquiera yo, pero, mientras esperas la muerte, es infinitamente mejor vivir en estado de gracia y perplejidad natural. Infinitamente mejor, a medida que la vida avanza hacia una perfección mortal, ser una simple brizna de espacio vivo, un trecho de verde, un poco de aire fresco, un estanque de agua. Mejor también recibir a los hombres en silencio y abrazarlos, pues no hay respuesta que darles, mientras sigan corriendo frenéticos a doblar la esquina.

Pienso ahora en la pedrea de una tarde de domingo mucho tiempo atrás, cuando estaba pasando una temporada en casa de mi tía Caroline cerca de Hill Gate. Mi primo Gene y yo nos habíamos visto acorralados por una pandilla de chicos, mientras jugábamos en el parque. No sabíamos de qué parte luchábamos, pero luchábamos con todo ahínco entre el montón de piedras, junto a la orilla del río. Teníamos que mostrar más valor incluso que los otros muchachos, porque sospechaban que éramos mariquitas. Y ocurrió que matamos a uno de la pandilla contraria. Justo cuando nos atacaban, mi primo Gene tiró una piedra de buen tamaño al cabecilla y le dio en el vientre. Yo lancé mi piedra en el mismo instante y le di en la sien y se quedó en el sitio sin decir ni pío. Unos minutos después llegaron los guripas y encontraron muerto al muchacho. Tenía ocho o nueve años, más o menos la misma edad que nosotros. No sé lo que nos habrían hecho, si nos hubiesen atrapado. El caso es que, para no despertar sospechas, corrimos a casa, por el camino nos habíamos limpiado un poco y nos habíamos peinado. Entramos con aspecto tan inmaculado como cuando habíamos salido de casa. La tía Caroline nos dio nuestras dos grandes rebanadas habituales de pan de centeno con mantequilla fresca y un poco de azúcar encima y nos sentamos a la mesa de la cocina y estuvimos escuchándola con sonrisa angelical. Era un día muy caluroso y pensó que era mejor que nos quedáramos en casa, en la gran habitación de la entrada, donde habían bajado las persianas, y jugásemos a las canicas con nuestro amigo Joey Kesselbaum. Joey tenía fama de ser un poco retrasado y normalmente lo habríamos desplumado, pero aquella tarde, en virtud de una especie de acuerdo tácito, Gene y yo le permitimos que nos ganara todo lo que teníamos. Joey estaba tan contento, que después nos llevó abajo, a su sótano, e hizo que su hermana levantase las faldas y nos enseñara lo que había debajo. Weesie la llamaban y recuerdo que yo le hice tilín al instante. Yo era de otra parte de la ciudad, tan lejana, les parecía, que era casi como si fuese de otra ciudad. Incluso parecían pensar que no hablaba como ellos. Mientras que los otros chavales pagaban para que Weesie se levantara las faldas, para nosotros lo hacía por amor. Al cabo de un tiempo, la convencimos para que no volviese a hacerlo para los otros chicos: estábamos enamorados de ella y queríamos que fuese honesta.

Después de separarme de mi primo al final del verano, no volví a verlo durante veinte años o más. Cuando por fin volvimos a vernos, lo que me impresionó profundamente fue su expresión de inocencia: la misma que el día de la pedrea. Cuando le hablé de ésta, me asombró aún más descubrir que había olvidado que fuimos nosotros quienes matamos al muchacho; recordaba la muerte del muchacho, pero, por el modo como hablaba de ella, parecía que ni él ni yo hubiéramos tenido nada que ver. Cuando mencioné el nombre de Weesie, le costó trabajo situarla. ¿No recuerdas el sótano de la casa de al lado... *Joey Kesselbaum?* Al oír eso, una débil sonrisa pasó por su rostro. Le parecía extraordinario que yo recordara cosas así. Ya estaba casado, tenía hijos y trabajaba en una fábrica de estuches para pipas de lujo. Consideraba extraordinario recordar sucesos de un pasado tan lejano.

Al separarme de él aquella tarde, me sentí muy abatido. Era como si hubiese intentado extirpar una parte preciosa de mi vida y a él mismo con ella. Parecía más apegado a los peces tropicales que coleccionaba que al maravilloso pasado. Por mi parte, recuerdo todo, todo lo que ocurrió aquel verano y, en particular, el día de la pedrea. De hecho, hay ocasiones en que el sabor de aquella gran rebanada de pan de centeno que su madre me dio aquella tarde es más fuerte que el de la comida que estoy saboreando. Y la imagen del chichi de Weesie casi más vívida que la sensación real de lo que tengo en la mano. La forma como quedó tumbado el muchacho, después de que lo derribáramos, mucho, pero que mucho más impresionante que la historia de la guerra mundial. De hecho, todo aquel largo verano me parece como un idilio propio de las leyendas artúricas. Con frecuencia me pregunto qué hubo en aquel verano particular que lo hace tan vívido en mi recuerdo. Basta con que cierre los ojos un momento para volver a vivir cada uno de aquellos días. Desde luego, la muerte del muchacho no me causó angustia: antes de que pasara una semana, había quedado olvidada. También la imagen de Weesie en la penumbra del sótano con las faldas levantadas se esfumó fácilmente. Lo extraño es que la gruesa rebanada de pan de centeno que su madre me daba todos los días parece tener más fuerza que ninguna otra imagen de aquella época. Me sorprende... me sorprende profundamente. Quizá sea porque, siempre que me daba la rebanada de pan, lo hacía con una ternura y una simpatía que yo nunca había conocido. Era una mujer bastante fea, mi tía Caroline. Tenía la cara marcada de viruela, pero era una cara cordial, simpática, que ninguna deformidad podía estropear. Era muy enérgica y tenía una voz suave y cariñosa. Cuando se dirigía a mí, parecía prestarme más atención incluso, tenerme más consideración, que a su propio hijo. Me habría gustado quedarme con ella para siempre; si me lo hubiesen permitido, la habría escogido como madre. Recuerdo perfectamente que, cuando mi madre vino de visita, pareció enojarse de que estuviera tan contento con mi nueva vida. Comentó incluso que era un desagradecido, cosa que nunca olvidé, porque entonces comprendí por primera vez que tal vez fuera necesario y conveniente ser desagradecido. Si cierro los ojos ahora y pienso en ella, en la rebanada de pan, recuerdo casi al instante que en aquella casa nunca supe lo que era una regañina. Creo que, si hubiese dicho a mi tía Caroline que había matado a un muchacho en el solar, si le hubiera contado exactamente cómo ocurrió, me habría pasado el brazo por el hombro y me habría perdonado... al instante. Quizá sea por eso por lo que aquel verano es tan precioso para mí. Fue un verano de absolución tácita y total. Por eso, tampoco puedo olvidar a Weesie. Tenía una bondad natural; era una niña enamorada de mí y que no hacía reproches. Fue la primera persona del otro sexo que me admiró por ser *diferente*. Después de Weesie, fue al revés. Me amaban, pero también me odiaban por ser lo que era. Weesie hizo un esfuerzo para entender. El propio hecho de que yo procediera de otro lugar, de que hablase otra lengua, la aproximó más a mí. El brillo de sus ojos, cuando me presentó a sus amiguitos, es algo que nunca olvidaré. Sus ojos parecían rebosar de amor y admiración. A veces, los tres íbamos paseando hasta la orilla del río al atardecer y, sentados al borde, hablábamos como hablan los niños, cuando los mayores no están presentes. Hablábamos entonces, ahora lo sé muy bien, de forma más sana y profunda que nuestros padres. Para darnos aquella gruesa rebanada de todos los días, los padres tenían que pagar un precio muy alto. El precio más alto era acabar alejados de nosotros. Pues, con cada rebanada que nos daban, nos volvíamos no sólo más indiferentes hacia ellos, sino también más superiores. Nuestra fuerza y nuestra belleza radicaban en nuestra ingratitud. Al no ser afectuosos, éramos inocentes de cualquier delito. El asesinato de aquel muchacho al que vi caer muerto, que yacía allí inmóvil, sin emitir el menor sonido ni gemido, parece casi una acción limpia, sana. En cambio, la lucha por la comida parece asquerosa y degradante y, cuando estábamos delante de nuestros padres, sentíamos que habían llegado hasta nosotros impuros y eso era algo que nunca podríamos perdonarles. La espesa rebanada de pan de las tardes, precisamente porque no la ganábamos, nos sabía deliciosa. Nunca volverá el pan a tener ese sabor. Nunca volverán a dárnoslo así. El día del asesinato estaba más sabroso incluso que nunca. Tenía un ligero gusto a terror que no ha vuelto a tener nunca más. Y lo recibimos con la tácita pero total absolución de la tía Caroline.

Hay algo en el pan de centeno que estoy intentando desentrañar: algo vagamente delicioso, terrorífico y liberador, algo asociado con los primeros descubrimientos. Pienso en otra rebanada de pan de centeno de un período anterior, cuando mi amiguito Stanley y yo solíamos saquear la nevera. Aquél era pan *robado* y, por consiguiente, más maravilloso incluso para el paladar que el que nos daban con amor. Pero fue en el acto de comer el pan de centeno, de caminar por ahí con él y hablar al mismo tiempo, como ocurrió algo parecido a una revelación. Fue como un estado de gracia, un estado de completa ignorancia, de abnegación. Parece que he conservado intacto lo que se me comunicó en aquellos momentos y no hay miedo de que vaya a perder nunca el conocimiento que obtuve. Quizá fuese simplemente que no se trataba de conocimiento tal como se suele concebir. Era casi como recibir una verdad, si bien verdad es una palabra demasiado precisa. Lo importante de las charlas que sosteníamos, mientras comíamos el pan de centeno, es que siempre se producían lejos de casa, lejos de la mirada de nuestros padres, a quienes temíamos, pero nunca respetábamos. Abandonados a nosotros mismos, no había límites para lo que podíamos imaginar. Los hechos tenían poca importancia para nosotros: lo que pedíamos a un tema era que nos diese la oportunidad de extendernos. Lo que me asombra, cuando vuelvo a pensarlo, es lo bien que nos entendíamos, lo bien que calábamos en el carácter esencial de todos y cada uno, joven o viejo. A la edad de siete años sabíamos con absoluta certeza, por ejemplo, que tal tipo acabaría en la cárcel, que otro trabajaría como un esclavo y otro sería un inútil, etcétera. Nuestros diagnósticos eran absolutamente correctos, mucho más correctos, por ejemplo, que los de nuestros padres, que los de nuestros maestros, más correctos, de hecho, que los de los llamados psicólogos. Alfie Betcha resultó ser un vago rematado; Johnny Gerhardt fue a la cárcel; Bob Kunst llegó a ser un burro de carga. Predicciones infalibles. Las enseñanzas que recibíamos sólo servían para obscurecer nuestra visión. Desde el día en que entramos en el colegio, no aprendimos nada; al contrario, nos volvieron obtusos, nos envolvieron en una bruma de palabras y abstracciones.

Con el pan de centeno el mundo era lo que en esencia es, un mundo primitivo regido por la magia, un mundo en que el miedo desempeña el papel más importante. El muchacho que podía inspirar más miedo era el jefe y se lo respetaba, mientras pudiese mantener su poder. Había otros chicos rebeldes y se los admiraba, pero nunca llegaban a ser el jefe. La mayoría eran barro en las manos de los que no tenían miedo; en unos pocos se podía confiar, pero en la mayoría no. El aire estaba lleno de tensión: nada podía predecirse para mañana. Aquel núcleo vago y primitivo de una sociedad creaba apetitos vehementes, emociones intensas, curiosidad incisiva. Nada se daba por sentado: cada día requería una nueva prueba de poder, una nueva sensación de fuerza o fracaso. Y así, hasta la edad de nueve o diez años, conocimos el auténtico sabor de la vida: éramos independientes. Es decir, aquellos de nosotros que teníamos la suerte de no haber sido echados a perder por nuestros padres, aquellos de nosotros que éramos libres para vagar por las calles de noche y descubrir las cosas con nuestros propios ojos.

Lo que pienso, con cierta pena y nostalgia, es que esa vida tan limitada de la infancia parece un universo infinito y la vida posterior, la del adulto, un ámbito en merma constante. Desde el momento en que te meten en el colegio, estás perdido; tienes la sensación de que te han puesto un ronzal en torno al cuello. El pan pierde el sabor, como la vida. Conseguir el pan pasa a ser más importante que comerlo. Todo está calculado y tiene un precio.

Mi primo Gene llegó a ser una absoluta nulidad; Stanley llegó a ser un fracasado de primera. Además de esos dos muchachos, por los que sentía el mayor afecto, había otro, Joey, que más adelante llegó a ser cartero. Me dan ganas de llorar al pensar en lo que la vida ha hecho de ellos. De niños eran perfectos: Stanley el que menos, porque era más temperamental. Se ponía furioso de vez en cuando y no sabías a qué atenerte con él de un día para otro. Pero Joey y Gene eran la esencia de la bondad: eran amigos en el antiguo sentido de la palabra. Pienso con frecuencia en Joey, cuando voy al campo, porque era lo que se llama un muchacho de campo. Eso significaba, en primer lugar, que era más leal, más sincero, más tierno, que los muchachos que nosotros conocíamos. Vuelvo a verlo viniendo a mi encuentro; siempre corría con los brazos abiertos y dispuesto a abrazarme, siempre sin aliento al contarme las aventuras que planeaba para que yo participara, siempre cargado de regalos que había guardado para cuando yo llegase. Joey me recibía como los monarcas de tiempos antiguos a sus huéspedes. Todo lo que veía era mío. Teníamos infinidad de cosas que contarnos y nada era tedioso ni aburrido. La diferencia entre nuestros mundos respectivos era enorme. Aunque yo también era de la ciudad, cuando visitaba a mi primo Gene, me daba cuenta de que existía una ciudad más grande, una ciudad de Nueva York propiamente dicha, en la que mi mundanidad era insignificante. Stanley no había hecho nunca excursiones fuera de su barrio, pero había venido de otro país, de allende el mar, Polonia, y entre nosotros siempre había el signo distintivo del viaje. El hecho de que hablase otra lengua también aumentaba nuestra admiración hacia él. Cada uno de nosotros iba rodeado de un aura que lo distinguía, una identidad nítida que se mantenía inviolada. Con la entrada en la vida esos rasgos diferenciales desaparecieron y todos nos volvimos más o menos parecidos y, desde luego, muy diferentes de lo que habíamos sido. Y es esa pérdida del yo particular, de la individualidad, quizá sin importancia, lo que me entristece y hace resaltar vivamente el pan de centeno. El maravilloso pan de centeno contribuyó a la formación de nuestros yoes individuales; era como el pan de la comunión en el que todos participan, pero del que cada cual recibe según su estado de gracia particular. Ahora comemos del mismo pan, pero sin el beneficio de la comunión, sin gracia. Comemos para llenar el vientre y tenemos el corazón frío y vacío. Somos distintos, pero no somos individuos.

Otra cosa en relación con el pan de centeno era que con frecuencia lo comíamos con una cebolla cruda. Recuerdo estar al atardecer con Stanley y un bocadillo en la mano, ante la casa del veterinario, justo enfrente de la mía. Parecía ser siempre al atardecer, cuando el doctor McKinney decidía castrar a un semental, operación que se hacía en público y congregaba siempre a una pequeña multitud. Recuerdo el olor a hierro caliente y el temblor de las patas del caballo, la perilla del doctor McKinney, el sabor de la cebolla cruda y el olor a gas de alcantarilla justo detrás de nosotros, donde estaban colocando una nueva tubería. Era una operación olfativa del principio al fin y, como muy bien la describe Abelardo, prácticamente indolora. Por no saber el motivo de la operación, sosteníamos después largas discusiones, que solían acabar en una pelea. Tampoco gustaba a nadie el doctor MacKinney; olía a yodo y a orina de caballo rancia. A veces, el arroyo delante de su consulta estaba cubierto de sangre y en invierno la sangre se helaba y daba un aspecto extraño a su acera. De vez en cuando llegaba el gran carro de dos ruedas, un carro abierto que olía a mil demonios, y cargaban en él un caballo muerto. Más que nada lo izaban, el cadáver, mediante una larga cadena que producía un crujido como la bajada de un ancla. El de un caballo muerto e hinchado es un olor pestilente y nuestra calle estaba llena de olores pestilentes. En la esquina estaba la tienda de Paul Sauer, delante de la cual apilaban en la calle misma pieles en bruto y curtidas, que también echaban una peste espantosa. Y, además, el acre olor de la fábrica de estaño detrás de la casa: como el olor del progreso moderno. El olor de un caballo muerto, que es casi insoportable, es mil veces mejor que el olor de substancias químicas en combustión. Y el espectáculo de un caballo muerto con el agujero de una bala en la sien, la cabeza en un charco de sangre y el culo reventando con la última evacuación espasmódica, es todavía mejor que el de un grupo de hombres con delantales azules saliendo del portal arqueado de la fábrica de hojalata con una carretilla cargada de fardos de hojalata recién fabricada. Por fortuna para nosotros, frente a la fábrica de hojalata había una panadería y, por la parte trasera de ésta, que era sólo una verja, podíamos ver trabajar a los panaderos y percibir el irresistible olor dulce del pan y los bollos. Y si, como digo, estaban colocando las tuberías del gas, había otra extraña mezcla de olores: de la tierra recién movida, las tuberías de hierro oxidado, el gas de las alcantarillas y los bocadillos de cebolla que comían los trabajadores italianos, recostados contra los montones de tierra removida. Había también otros olores, claro está, pero menos intensos, como, por ejemplo, el de la sastrería de Silverstein, donde siempre estaban planchando ropa. Era un hedor caliente y fétido, que puede comprenderse mejor imaginando que Silverstein, judío flaco y hediondo, estaba, a su vez, limpiando los pedos que sus clientes habían dejado en los pantalones. La puerta contigua era la tienda de caramelos y objetos de escritorio propiedad de dos solteronas chifladas y beatas; allí había el olor casi empalagoso de melcocha, cacahuetes españoles, azufaifa, caramelos *Sen-Sen* y cigarrillos *Sweet Caporal*. La papelería era como una cueva bonita, siempre fresca, siempre llena de objetos intrigantes; donde estaba el despacho de refrescos, que despedía otro olor característico, se extendía una losa de mármol que en verano se volvía acre, pero, aun así, se mezclaba agradablemente con el olor seco y algo picante del agua gaseosa, cuando caía con efervescencia en el vaso de helado.

Con los refinamientos propios de la madurez, los olores fueron esfumándose para quedar substituidos por otro olor claramente memorable y placentero: el olor a coño. Y, en particular, el olor que queda en los dedos después de magrear a una mujer, pues —no sé si se habrá observado antes— ese olor es más grato, incluso quizá porque ya lleva consigo el perfume del pretérito, que el propio olor a coño. Pero este olor, que corresponde a la madurez, es tenue comparado con los olores vinculados a la infancia. Es un olor que se evapora casi tan rápido en la imaginación como en la realidad. Puedes recordar muchas cosas de la mujer que has amado, pero es difícil recordar el olor de su coño... con alguna certeza. En cambio, el olor a cabello mojado, a cabello mojado de mujer, es mucho más fuerte y duradero... por qué no lo sé. Incluso ahora, casi cuarenta años después, recuerdo el olor del cabello de mi tía Tillie después de que se lo hubiera lavado con champú. Lo hacía en la cocina, que siempre estaba recalentada. Solía ser un sábado por la tarde en que se preparaba para un baile, lo que significaba también otra cosa singular: que iba a aparecer un sargento de caballería con preciosos galones amarillos, un sargento particularmente guapo, que incluso a mí, que era un niño, me parecía demasiado apuesto, viril e inteligente para una imbécil como mi tía Tillie. Pero el caso es que allí estaba sentada en un taburete junto a la mesa de la cocina secándose el cabello con una toalla. Junto a ella había una lamparita con la mecha ennegrecida y junto a la lámpara dos rizadores que, sólo de verlos, me daban una repugnancia inexplicable. Por lo general, tenía un espejito sobre la mesa; vuelvo a verla haciendo muecas de desagrado al mirarse, mientras se apretaba las espinillas de la nariz. Era una criatura viscosa, fea e imbécil, con dos enormes dientes que le sobresalían y le daban expresión de caballo, siempre que retiraba los labios al sonreír. También olía a sudor, aun después del baño. Pero el olor de su cabello... nunca podré olvidarlo, porque va unido, en cierto modo, a mi odio y desprecio hacia ella. Ese olor, cuando el cabello estaba secándose, era como el que sube del fondo de una ciénaga. Había dos olores: uno, el del cabello mojado, y otro, el del mismo cabello, cuando lo arrojaba al hornillo y estallaba en llamas. Siempre se le quedaban en el peine nudos rizados de su cabello mezclados con caspa y el sudor de su cuero cabelludo, grasiento y sucio. Solía quedarme a su lado observándola y preguntándome cómo sería el baile y cómo se conduciría en él. Cuando estaba toda acicalada, me preguntaba si estaba bonita y si la quería y, naturalmente, yo le decía que sí. Pero después, en el retrete, que estaba en el pasillo contiguo a la cocina, me sentaba a la luz oscilante de la vela que ardía sobre la repisa de la ventana y me decía que parecía una loca. Después de que se hubiera ido, cogía los rizadores, los olía y los estrujaba. Eran nauseabundos y fascinantes... como arañas. Todo lo que había en aquella cocina me fascinaba. Pese a lo bien que la conocía, nunca conseguí apropiármela. Era tan pública e íntima a un tiempo. Ahí me bañaban los sábados, en el gran barreño de estaño. Ahí se bañaban y acicalaban las tres hermanas. Ahí, en la pila, se lavaba mi abuelo hasta la cintura y después me entregaba los zapatos para lustrarlos. Ahí me quedaba en invierno mirando por la ventana caer la nieve, miraba con ojos nebulosos e inexpresivos, como si estuviera en la matriz y oyese correr el agua, mientras mi madre estaba sentada en el retrete. En la cocina celebraban sus conversaciones secretas, sesiones aterradoras y odiosas, de las que siempre reaparecían con caras largas y serias y ojos enrojecidos por el llanto. Por qué corrían a la cocina es algo que no sé. Pero con frecuencia, cuando estaban así, celebrando una conferencia secreta, porfiando a propósito de un testamento o decidiendo cómo librarse de algún pariente pobre, se abría la puerta de repente y llegaba un visitante, ante lo cual la atmósfera cambiaba de inmediato. Quiero decir que cambiaba violentamente, como si se sintieran aliviados porque una fuerza exterior hubiese intervenido para evitarles los horrores de una prolongada sesión secreta. Ahora recuerdo que, al ver abrirse aquella puerta y asomar la cara de un visitante inesperado, mi corazón daba un brinco de alegría. No tardarían en darme una gran jarra de vidrio y pedirme que fuera al bar de la esquina, donde entregaba la jarra, por la ventanita de la puerta de entrada particular, y esperaba hasta que me la devolvían rebosante de cerveza espumosa, Aquella carrerita hasta la esquina en busca de una jarra de cerveza era una expedición de proporciones absolutamente incalculables. En primer lugar, estaba la barbería justo debajo de nosotros, donde el padre de Stanley ejercía su profesión. Una y mil veces, justo cuando yo salía pitando a algún recado, veía al padre dando a Stanley una zurra con el asentador de la navaja, espectáculo que me encendía la sangre. Stanley era mi mejor amigo y su padre no era sino un polaco borracho. Sin embargo, una noche, al salir disparado con la jarra, tuve el intenso placer de ver a otro polaco atacar al viejo de Stanley con una navaja. Vi a su viejo atravesar la puerta de espaldas, con la sangre corriéndole por el cuello y la cara blanca como una sábana. Cayó en la acera frente a la tienda, crispado y gimiendo, y recuerdo que lo miré un minuto o dos y seguí caminando absolutamente feliz y satisfecho. Stanley había salido a hurtadillas durante la pelea y me acompañó hasta la puerta del bar. También se alegraba, si bien estaba un poco asustado. Cuando volvimos, había una ambulancia ante la puerta y estaban subiéndolo en la camilla con la cara y el cuerpo cubiertos con una sábana. A veces ocurría que, cuando yo salía, pasaba ante la casa el niño cantor predilecto del padre Carroll. Ése era un acontecimiento de primera importancia. El muchacho era mayor que todos nosotros y un afeminado, un sarasa en formación. Hasta sus andares nos enfurecían. En cuanto lo avistábamos, corría la noticia en todas direcciones y, antes de que hubiera llegado a la esquina, se veía rodeado por una pandilla de muchachos mucho más pequeños que se burlaban de él y lo imitaban hasta que se echaba a llorar. Entonces nos abalanzábamos sobre él, como una manada de lobos, lo tirábamos al suelo y le desgarrábamos la ropa por la espalda. Era un espectáculo vergonzoso, pero nos hacía sentir bien. Ninguno de nosotros sabía aún lo que era un marica, pero, fuera lo que fuese, estábamos en contra. De igual modo estábamos en contra de los chinos. Había un chino, el de la lavandería del final de la calle, que solía pasar con frecuencia y, como el mariquita de la iglesia del padre Carroll, tenía también que pasar por baquetas. Era idéntico a los dibujos de *coolies* que se ven en los libros escolares. Llevaba una chaqueta de alpaca negra con ojales de trencilla, zapatillas sin tacones y coleta. Por lo general, caminaba con las manos metidas en las mangas. Lo que mejor recuerdo son sus andares, unos andares taimados, dengosos, femeninos, totalmente extraños y amenazadores para nosotros. Nos inspiraba un espanto mortal y lo odiábamos porque no se inmutaba ante nuestras burlas. Pensábamos que era demasiado ignorante para reparar en nuestros insultos. Hasta que un día, cuando entramos en la lavandería, nos dio una sorpresita. Primero nos entregó el paquete de ropa; luego se inclinó por debajo del mostrador y recogió un puñado de semillas de lichis de una gran bolsa. Cuando salió de detrás del mostrador para abrir la puerta, iba sonriendo. Seguía sonriendo cuando agarró a Alfie Betcha y le tiró de las orejas: nos agarró a cada uno por turno y nos tiró de las orejas, sin dejar de sonreír. Después hizo una mueca feroz y, ligero como un gato, corrió hasta detras del mostrador y cogió un cuchillo largo y horrible que blandió hacia nosotros. Salimos atropellándonos unos contra otros. Cuando llegamos a la esquina y volvimos la vista atrás, lo vimos parado en la puerta con una plancha en la mano, tranquilo y pacífico. Después de aquel incidente, nadie quiso volver nunca más a la lavandería; teníamos que pagar al pequeño Louis Pirossa cinco centavos cada uno para que fuese a recoger la ropa por nosotros. El padre de Louis era el dueño del puesto de fruta de la esquina. Solía darnos los plátanos pasados como muestra de afecto. A Stanley le gustaban de modo especial los plátanos pasados, pues su tía solía freírselos. En casa de Stanley consideraban una golosina los plátanos pasados. Una vez, el día de su cumpleaños, dieron una fiesta para Stanley e invitaron a todo el vecindario. Todo salió a pedir de boca hasta que llegaron los plátanos fritos. No sé por qué, pero nadie quiso probar los plátanos, pues era un plato que sólo conocían polacos como los padres de Stanley. Se consideraba repugnante comer plátanos fritos. En pleno desconcierto, algún listillo propuso que diéramos los plátanos fritos al loco de Willie Maine. Éste era mayor que nosotros, pero no sabía hablar. Lo único que decía era: «¡Bjork! ¡Bjork!». Era la única respuesta que daba. Conque, cuando le pasaron los plátanos, dijo: «¡Bjork!», y se abalanzó por ellos con las dos manos. Pero estaba allí su hermano George, quien consideró una ofensa que endilgaran los plátanos pasados a su hermano loco. Así, que George inició una pelea y Willie, al ver a su hermano atacado, se puso a luchar también, gritando: «¡Bjork! ¡Bjork!». No sólo golpeaba a los otros chicos, sino también a las chicas, lo que provocó un pandemónium. Por fin, el viejo de Stanley, al oír el ruido, subió desde la barbería con un asentador de navaja en la mano. Cogió al loco de Willie Maine por el cogote y empezó a zurrarlo. Mientras tanto, su hermano George salió a hurtadillas a llamar al señor Maine. Éste, que era también algo borrachín, llegó en mangas de camisa y, al ver que el barbero borracho estaba pegando al pobre Willie, se lanzó sobre él con sus vigorosos puños y lo golpeó sin piedad. Willie, que entretanto había logrado soltarse, se puso a devorar a gatas los plátanos fritos que habían caído al suelo. Se los zampaba como una cabra tan pronto como los encontraba. Cuando el viejo lo vio masticando sin parar como una cabra, se puso furioso y, cogiendo el asentador, se lanzó contra Willie como una fiera. Entonces Willie empezó a gritar: «¡Bjork! ¡Bjork!», y de repente todo el mundo se echó a reír. Aquello aplacó al señor Maine. Por fin, se sentó y la tía de Stanley le trajo un vaso de vino. Al oír el alboroto, acudieron otros vecinos y se sirvió más vino, después cerveza y luego aguardiente y, al cabo de poco, todo el mundo estaba contento, cantando y silbando, y hasta los chicos se emborracharon y entonces el loco de Willie se emborrachó, volvió a ponerse a gatas como una cabra y gritó: «¡Bjork! ¡Bjork!», y Alfie Betcha, que pese a tener sólo ocho años estaba muy borracho, dio un mordisco al loco de Willie Maine en el trasero y después Willie lo mordió a él y luego todos empezamos a mordernos unos a otros y los padres se reían y daban gritos de júbilo y el loco de Willie Maine intentó cantarnos algo, pero sólo pudo cantar «¡Bjork! ¡Bjork!». Fue un éxito asombroso, la fiesta de cumpleaños, y durante una semana o más nadie habló sino de la fiesta y de que la familia de Stanley era polaca buena. También los plátanos fritos fueron un éxito y por un tiempo fue difícil conseguir plátanos pasados del viejo de Louis Pirossa, porque había gran demanda de ellos. Y después ocurrió un suceso que entristeció a todo el vencindario: la derrota de Joe Gerhardt a manos de Joe Silverstein. Éste era el hijo del sastre, un muchacho de quince o dieciséis años, bastante tranquilo y estudioso, a quien los otros chicos daban de lado por ser judío. Un día, cuando iba a entregar unos pantalones en Fillmore Place, Joe Gerhardt, que era de su edad más o menos y se consideraba un ser bastante superior, se dirigió a él. Cruzaron unas palabras y después Joe Gerhardt arrebató los pantalones al joven Silverstein y los tiró al arroyo. Nadie habría imaginado nunca que el joven Silverstein respondería a semejante insulto recurriendo a los puños, por lo que, cuando lanzó un golpe a Joe Gerhardt y le acertó en plena mandíbula, todo el mundo quedó desconcertado, el propio Joe Gerhardt más que nadie. Hubo una pelea, que duró unos veinte minutos, y al final Joe Gerhardt quedó tirado en la acera sin poder levantarse. Acto seguido, el joven Silverstein recogió los pantalones y regresó tranquilo y orgulloso a la tienda de su padre. Nadie le dijo ni palabra. Se consideró una calamidad. ¿Quién había oído hablar nunca de que un judío diese una paliza a un gentil? Era algo inconcebible y, sin embargo, había sucedido y en las narices de todo el mundo. Noche tras noche, sentados en el bordillo de la acera, como de costumbre, comentábamos la situación desde todos los puntos de vista, pero sin solución hasta que... pues, hasta que el hermano menor de Joe Gerhardt, Johnny, se exaltó tanto, que decidió zanjar la cuestión por su cuenta. Johnny, pese a ser más joven y más pequeño que su hermano, era tan fuerte e invencible como un joven puma. Era un representante típico de los irlandeses de las chabolas que componían el vecindario. Para desquitarse del joven Silverstein, se le ocurrió esperarlo al acecho una noche, cuando saliera de la tienda, y echarle la zancadilla. Cuando le echó la zancadilla aquella noche, llevaba preparadas dos piedras, escondidas en los puños, y, cuando el pobre joven Silverstein cayó, se abalanzó sobre él y con las dos piedras le cascó en las sienes. Ante su asombro, Silverstein no ofreció resistencia; ni siquiera cuando se levantó y le dio la oportunidad de ponerse de pie, se movió lo más mínimo Silverstein. Entonces Johnny se asustó y escapó corriendo. Debió de darse un susto de muerte, porque nunca más volvió; lo único que se volvió a saber de él fue que lo habían detenido en algún lugar del Oeste y lo habían metido en un reformatorio. Su madre, que era una mala puta irlandesa, desaliñada y alegre, dijo que se lo tenía merecido y que pedía a Dios no volver a ponerle la vista encima. Cuando el joven Silverstein se recuperó, ya no era el mismo; la gente decía que la paliza lo había afectado en la cabeza, que había quedado un poco chiflado. En cambio, Joe Gerhardt volvió a adquirir preeminencia. Al parecer, había ido a ver al joven Silverstein, cuando éste estaba en cama, y había tenido la nobleza de pedirle perdón. Eso tampoco se había visto nunca. Fue algo tan extraño, tan insólito, que se consideró a Joe Gerhardt casi un caballero andante. Nadie había aprobado la conducta de Johnny, pero a nadie se le habría ocurrido presentarse ante el joven Silverstein y pedirle perdón. Fue un acto de tal delicadeza, de tal elegancia, que se consideró a Joe Gerhardt casi un auténtico caballero: el primero y único caballero del barrio. Esa palabra nunca se había usado entre nosotros y ahora estaba en boca de todo el mundo y se consideraba distinguido ser un caballero. Recuerdo que aquella repentina transformación del derrotado Joe Gerhardt en un caballero me impresionó mucho. Unos años después, cuando me trasladé a otro barrio y conocí a Claude de Lorraine, un muchacho francés, estaba preparado para entender y aceptar a «un caballero». Aquel Claude era un muchacho como no había conocido nunca. En el barrio anterior lo habrían considerado un mariquita; en primer lugar, hablaba demasiado bien, demasiado correcto, demasiado educado, y, además, era demasiado atento, cortés, galante. Y luego que, mientras jugábamos con él, oírlo ponerse a hablar francés, cuando llegaba su padre o su madre, nos producía algo así como un sobresalto. Alemán ya habíamos oído y hablar alemán era una transgresión permisible, pero, ¡francés! Pero, bueno, si hablar francés o incluso entenderlo, era ser completamente forastero, aristocrático, corrupto, *distingué*. *Y*, sin embargo, Claude era uno de los nuestros, tan bueno como nosotros en cualquier sentido, un poquito mejor incluso, teníamos que reconocerlo en secreto. Pero tenía un defecto: ¡su francés! Nos contrariaba. No tenía derecho a vivir en nuestro barrio, a ser tan capaz y viril. Muchas veces, cuando su madre lo llamaba y le decíamos adiós, nos reuníamos en el solar y hablábamos de la familia Lorraine. Nos preguntábamos, por ejemplo, qué comerían; porque siendo franceses debían de tener costumbres diferentes de las nuestras. Nadie había puesto nunca los pies en casa de Claude de Lorraine: otra cosa sospechosa y desagradable. ¿Por qué? ¿Qué ocultaban? Y, sin embargo, cuando se cruzaban con nosotros por la calle, siempre se mostraban muy cordiales, siempre sonreían, siempre hablaban en inglés y, además, muy bien. Nos hacían sentir bastante avergonzados de nosotros mismos: eran superiores, eso era lo que pasaba. Y había otra cosa desconcertante: con los otros chicos una pregunta directa recibía una respuesta directa, pero con Claude de Lorraine nunca había respuestas directas. Siempre sonreía con mucho encanto antes de responder y se mostraba muy sereno y calmado; empleaba una ironía y una burla que no alcanzábamos a entender. Era una espina que teníamos clavada, Claude de Lorraine, y, cuando por fin se mudó a otro barrio, todos suspiramos aliviados. Por mi parte, hasta quizá diez o quince años después no pensé en aquel muchacho y en su extraño y elegante comportamiento. Y fue entonces cuando tuve la impresión de que había cometido un gran error. Pues un día recordé de pronto que Claude de Lorraine se me había acercado en cierta ocasión, para ganarse mi amistad, evidentemente, y yo lo había tratado con bastante arrogancia. En el momento en que pensé en aquel incidente, caí en la cuenta de pronto de que Claude de Lorraine debió de ver algo distinto en mí y quiso honrarme tendiéndome la mano de la amistad. Pero en aquella época yo tenía un código de honor —malo o bueno, es igual—, que era el de seguir en el rebaño. Si me hubiera convertido en amigo del alma de Claude de Lorraine, habría traicionado a los otros chicos. Fueran cuales fuesen las ventajas que me hubiese podido deparar aquella amistad, no eran para mí; era uno de la pandilla y mi deber era mantenerme alejado de alguien como Claude de Lorraine. He de decir que volví a recordar aquel incidente mucho después: cuando, tras haber vivido unos meses en Francia, la palabra *raisonnable* había llegado a adquirir un significado totalmente nuevo para mí. De pronto, un día, al oírla a alguien al pasar, pensé en la iniciativa de Claude de Lorraine en la calle delante de su casa. Recordé con toda claridad que había usado la palabra *razonable*. Probablemente me hubiera pedido que fuese *razonable*, palabra que entonces nunca se me habría ocurrido pronunciar, ya que no la necesitaba en mi vocabulario. Era una palabra, como «caballero», que raras veces se empleaba y, si acaso, con mucho tacto y circunspección. Era una palabra que podía hacer que los demás se rieran de ti. Había muchas palabras como ésa: *ciertamente*, por ejemplo. Ningún conocido mío había usado nunca la palabra *ciertamente*... hasta que apareció Jack Lawson. Éste la usaba porque sus padres eran ingleses y, aunque nos reíamos de él, se la perdonábamos. *Ciertamente* era una palabra que me recordaba al instante al pequeño Carl Ragner, del barrio anterior. Carl Ragner era el hijo único de un político que vivía en la callecita, bastante distinguida, llamada Fillmore Place. Vivía cerca del final de la calle, en una casita de ladrillo rojo que siempre estaba divinamente cuidada. Recuerdo la casa, porque, al pasar ante ella camino de la escuela, solía observar lo bien bruñidos que estaban los pomos metálicos de su puerta. De hecho, nadie tenía pomos metálicos en su puerta. El caso es que el pequeño Carl Ragner era uno de esos muchachos a los que no permitían juntarse con otros chicos. En realidad, raras veces lo veíamos. Por lo general, lo veíamos un instante algún domingo, caminando con su padre. Si su padre no hubiese sido una figura influyente en el barrio, habrían apedreado a Carl hasta matarlo. Estaba lo que se dice ridículo con su traje de los domingos. No sólo llevaba pantalones largos y zapatos de charol, sino que, además, lucía sombrero hongo y bastón. A los seis años de edad, un muchacho que se dejaba vestir así tenía que ser un memo: era la opinión unánime. Algunos decían que era un enclenque, como si eso fuese excusa para su excéntrica forma de vestir. Lo extraño es que ni una vez lo oí hablar. Era tan elegante, tan refinado, que quizá se imaginara que era de mala educación hablar en público. En cualquier caso, solía esperarlo al acecho los domingos por la mañana sólo para verlo pasar con su viejo. Lo miraba con la misma curiosidad ávida con que miraba a los bomberos limpiar las máquinas en el cuartel. A veces, de vuelta a casa, llevaba una cajita de helado, la más pequeña que había y probablemente sólo para él, para postre. «Postre» era otra palabra con la que de algún modo nos habíamos familiarizado y que usábamos en tono despectivo, cuando nos referíamos a gente como Carl Ragner y su familia. Podíamos pasarnos horas preguntándonos qué comería de *postre* aquella gente y nuestro placer consistía principalmente en repetir aquella palabra recién descubierta, *postre*, que probablemente hubiera salido de contrabando de la casa de los Ragner. Debió de ser también por aquella época, cuando Santos Dumont se hizo famoso. Para nosotros en el nombre de Santos Dumont había algo grotesco. Sus proezas no nos interesaban... sólo el nombre. Para la mayoría de nosotros olía a azúcar, a plantaciones cubanas, a la extraña bandera cubana que tenía una estrella en un ángulo y era muy apreciada siempre por los que coleccionaban los cromos que daban con los cigarrillos *Sweet Caporal* y en los que aparecían representadas las banderas de las diferentes naciones, las actrices célebres o los púgiles famosos. Así que Santos Dumont era algo deliciosamente extranjero, a diferencia de las personas u objetos extranjeros habituales, como la lavandería china o la altiva familia de Claude de Lorraine. Santos Dumont era una expresión mágica que sugería un bello bigote ondeante, un sombrero de ala ancha, espuelas, algo etéreo, delicado, gracioso, quijotesco. A veces traía el aroma de granos de café y esteras de paja o, por ser tan totalmente exótica y quijotesca, provocaba una digresión sobre la vida de los hotentotes. Pues entre nosotros había chicos mayores que estaban empezando a leer y nos entretenían horas enteras con relatos fantásticos de libros como *Ayesha* o *Under Two Flags* de Ouida. El auténtico sabor del conocimiento va asociado del modo más preciso en mi mente con el solar vacío de la esquina en el nuevo barrio, donde me transplantaron a la edad de diez años.

Allí, cuando llegaban los días otoñales y nos reuníamos en torno a la hoguera a asar pajaritos y patatas en las latitas que llevábamos con nosotros, surgía otra clase de charlas, diferentes de las antiguas en que sus orígenes eran siempre librescos. Alguien acababa de leer un libro de aventuras, o un libro científico, e inmediatamente toda la calle se animaba con la introducción de un tema hasta entonces desconocido. Podía ser que uno de aquellos chicos acabara de descubrir la existencia de la corriente japonesa e intentase explicarnos cómo se formó y cuál era su efecto. Ése era nuestro único modo de aprender las cosas: recostados contra la valla, por decirlo así, mientras asábamos pajaritos y patatas. Aquellos retazos de saber penetraban profundamente... tan profundamente, de hecho, que más adelante, confrontados con conocimientos más exactos, muchas veces resultaba difícil desalojar los antiguos. Así, un día un chico mayor nos explicó que los egipcios conocían la circulación de la sangre, algo que nos parecía tan natural, que después nos resultó difícil tragar la historia de su descubrimiento por un inglés llamado Harvey. Tampoco me parece extraño ahora que en aquellos días la mayoría de nuestras conversaciones versaran sobre lugares remotos, como China, Perú, Egipto, África, Islandia, Groenlandia. Hablábamos de fantasmas, Dios, la transmigración de las almas, el infierno, astronomía, aves y peces extraños, la formación de piedras preciosas, las plantaciones de caucho, métodos de tortura, los aztecas y los incas, la vida marina, volcanes y terremotos, ritos funerarios y ceremonias nupciales en diferentes partes de la tierra, lenguas, el origen de la América india, los búfalos que estaban extinguiéndose, enfermedades extrañas, canibalismo, brujería, viajes a la Luna y cómo se estaría allí, asesinos y bandoleros, los milagros de la Biblia, alfarería, mil y un objetos que nunca mencionaban en casa ni en la escuela y que eran de vital importancia para nosotros porque estábamos hambrientos de saber y el mundo estaba lleno de maravilla y misterio y, sólo cuando nos reuníamos en el solar vacío tiritando, nos poníamos a hablar en serio y sentíamos necesidad de comunicación, a un tiempo agradable y aterradora.

La maravilla y el misterio de la vida... ¡que sofocan en nosotros cuando nos convertimos en miembros responsables de la sociedad! Hasta que nos obligaron a trabajar, el mundo era muy pequeño y vivíamos en su periferia, en la frontera, por decirlo así, de lo desconocido. Un pequeño mundo griego que, sin embargo, era lo bastante profundo para proporcionar toda clase de variaciones, toda clase de aventuras y especulaciones. Tampoco era tan pequeño, ya que tenía en reserva las posibilidades más ilimitadas. Nada he ganado con la ampliación de mi mundo: al contrarío, he perdido. Quiero volverme cada vez más infantil y superar la infancia en la dirección contraria. Quiero desarrollarme en sentido exactamente contrario al normal, pasar a un reino superinfantil del ser, que será absolutamente demencial y caótico, pero no como el mundo que me rodea. He sido adulto, padre y miembro responsable de la sociedad. Me he ganado el pan de cada día. Me he adaptado a un mundo que nunca fue mío. Quiero abrirme paso a través de este mundo más amplio y encontrarme de nuevo en la frontera de un mundo ignoto que arroje a las sombras este mundo descolorido, unilateral. Quiero pasar de la responsabilidad de padre a la irresponsabilidad del hombre anárquico, al que no se puede someter, sobornar, ni calumniar. Quiero adoptar como guía a Oberón, el jinete nocturno que, bajo sus negras alas desplegadas, elimina tanto la belleza como el horror del pasado; quiero huir hacia una aurora perpetua con una rapidez y una inexorabilidad que no permitan el pesar, la lamentación ni el arrepentimiento. Quiero sobrepasar al hombre inventivo, que es un azote de la Tierra, para encontrarme de nuevo ante un abismo infranqueable que ni siquiera las alas más robustas me permitan atravesar. Aun cuando deba convertirme en un parque salvaje y natural habitado sólo por soñadores ociosos, no he de detenerme a descansar aquí, en la estupidez ordenada de la vida adulta y responsable. He de hacerlo en memoria de una vida que no se puede comparar con la que se me prometió, en memoria de la vida de un niño al que asfixió y sofocó la aquiescencia mutua de los que habían cedido. Repudio todo lo que los padres y las madres crearon. Regreso a un mundo más pequeño aún que el helénico, un mundo que siempre puedo tocar con los brazos extendidos, el mundo de lo que sé, veo y reconozco de un momento a otro. Cualquier otro mundo carece de sentido para mí y es ajeno y hostil. Al volver a atravesar el primer mundo luminoso que conocí de niño, no deseo descansar en él, sino abrirme paso a la fuerza hasta un mundo más luminoso del que debo de haber escapado. Cómo será ese mundo no lo sé, ni estoy seguro siquiera de poder encontrarlo, pero es mi mundo y ninguna otra cosa me intriga.

La primera vislumbre, la primera comprensión del nuevo mundo luminoso se produjo al conocer a Roy Hamilton. Estaba entonces en mi vigésimo primer año, probablemente el peor de toda mi vida. Me encontraba en tal estado de desesperación, que había decidido irme de casa. No pensaba sino en California, donde había proyectado empezar una nueva vida, ni hablaba de otra cosa. Tan intensamente soñaba con aquella nueva tierra prometida, que después, al regreso, apenas recordaba la California que había visto, sino que sólo pensaba en la que había conocido en mis sueños. Justo antes de partir fue cuando conocí a Hamilton. Era posible, pero no seguro, que fuera medio hermano de mi amigo MacGregor; hacía poco que se habían conocido, pues Roy, que había vivido la mayor parte de su vida en California, había tenido siempre la impresión de que su auténtico padre era el señor Hamilton y no el señor MacGregor. De hecho, había venido al Este precisamente para desentrañar el misterio de su origen. Al parecer, la vida con los MacGregor no lo había acercado más a la solución del misterio. En realidad, parecía estar más perplejo que nunca tras haber conocido al hombre que, según había deducido, debía de ser su padre legítimo. Estaba perplejo, como me confesó más adelante, porque en ninguno de los dos hombres podía encontrar parecido con el hombre que consideraba ser. Probablemente fuera aquel problema obsesivo de decidir a quién tomar por padre lo que estimulase el desarrollo de su propio carácter. Digo esto porque, nada más conocerlo, sentí que me encontraba ante un ser como no había conocido nunca. Por la descripción que MacGregor me había dado, esperaba encontrarme con un individuo bastante «extraño», palabra que en boca de MacGregor significaba un poco chiflado. Era extraño, en efecto, pero tan profundamente sensato, que al instante me sentí entusiasmado. Por primera vez hablaba con un hombre que pasaba por encima del significado de las palabras e iba a la esencia misma de las cosas. Tuve la impresión de estar hablando con un filósofo, no como los que había conocido en los libros, sino alguién que no cesaba de filosofar... *y vivía el sistema que presentaba.* Es decir, que no tenía teoría alguna, excepto la de penetrar hasta la esencia misma de las cosas y, a la luz de cada nueva revelación, vivir su vida de tal modo, que hubiera un mínimo de desacuerdo entre las verdades que se le revelaban y su ejemplificación en la práctica. Naturalmente, su comportamiento era extraño para los que lo rodeaban. Sin embargo, no había sido extraño para los que lo conocieron en el Oeste, donde, según decía, estaba en su elemento. Al parecer, allí lo consideraban un ser superior y lo escuchaban con el mayor respeto, con reverencia incluso.

Lo conocí en medio de una lucha cuya importancia no aprecié hasta muchos años después. En aquella época no comprendía yo por qué atribuía tanto valor al descubrimiento de su padre auténtico: de hecho, solía yo gastarle bromas a ese respecto, porque la función del padre significaba poco para mí, ni la función de la madre, si vamos al caso. En Roy Hamilton vi la lucha heroica de un hombre que ya se había emancipado y, sin embargo, intentaba establecer un sólido vínculo biológico que no necesitaba en absoluto. Paradójicamente, aquel conflicto sobre el padre auténtico lo había convertido en un superpadre. Era un maestro y un modelo; bastaba con que abriese la boca para que yo comprendiera que estaba oyendo una sabiduría totalmente distinta de cuanto hasta entonces había asociado con esa palabra. Habría sido fácil desecharlo por místico, pues sin duda lo era, pero era el primer místico por mí conocido que también sabía mantenerse de pies a tierra. Era un místico que sabía inventar cosas prácticas, entre ellas un taladro del tipo que necesitaba urgentemente la industria petrolera y con el que más adelante hizo una fortuna. Sin embargo, a causa de su extraña charla metafísica, nadie prestó atención en aquella época a su invento, tan práctico. Se consideró otra de sus estrafalarias ideas.

Hablaba sin cesar de sí mismo y de su relación con el mundo que lo rodeaba, característica que daba la desafortunada impresión de que no era sino un charlatán egotista. Incluso se decía —y no dejaba de ser cierto—

que parecía más preocupado por la verdad de la paternidad del señor MacGregor que por el señor MacGregor, el padre. Lo que querían dar a entender era que no amaba de verdad a su recién hallado padre, sino que tan sólo obtenía una profunda satisfacción personal con la verdad del descubrimiento, que estaba aprovechándolo para ensalzarse, como de costumbre. Desde luego, era muy cierto, porque el señor MacGregor en carne y hueso era infinitamente menos que el señor MacGregor como símbolo del padre perdido. Pero los MacGregor no sabían nada de símbolos y nunca los habrían entendido, aunque se los hubieran explicado. Estaban haciendo un esfuerzo contradictorio para acoger al instante al hijo por mucho tiempo perdido y a la vez reducirlo a un nivel comprensible, en el que pudieran verlo, no como el «hijo perdido», sino tan sólo como el hijo. Mientras que para cualquiera con dos dedos de frente estaba claro que ese hijo no era un hijo, sino algo así como un padre espiritual, un Cristo, podríamos decir, que estaba haciendo un esfuerzo de lo más valeroso para aceptar como carne y sangre aquello de lo que se había librado con toda claridad.

Por eso, me sorprendió y halagó que aquel extraño individuo por el que sentía la más ardiente admiración me eligiese para confidente suyo. En comparación con él, yo era muy libresco, intelectual y mundano de un modo equivocado. Pero casi al instante deseché ese aspecto de mi naturaleza y me dejé bañar por la luz cálida e inmediata que creaba su intuición profunda y natural de las cosas. En su presencia tenía la impresión de estar desnudo o, mejor, descortezado, pues lo que exigía a la persona a la que hablaba era mucho más que mera desnudez. Al hablarme, se dirigía a un yo mío cuya existencia sólo había yo sospechado vagamente, el yo mío, por ejemplo, que surgía cuando al leer un libro, me daba cuenta de repente de que había estado soñando. Pocos libros tenían esa virtud de colocarme en trance, ese trance de lucidez absoluta en que, sin saberlo, adoptas las resoluciones más profundas. La conversación de Roy Hamilton tenía esa virtud. Me hacía estar más despierto que nunca, preternaturalmente despierto, sin por ello desintegrar la trama del sueño. En otras palabras, atraía al germen del yo, al ser que tarde o temprano crecería más que la personalidad desnuda, la individualidad sintética, y me dejaría solo y solitario para cumplir mi destino.

Nuestra charla era como un lenguaje secreto en medio del cual los demás se dormían o se esfumaban como fantasmas. A mi amigo MacGregor lo desconcertaba e irritaba; me conocía mejor que nadie, pero nunca había encontrado en mí algo que correspondiese al personaje que ahora le mostraba. Decía que Roy Hamilton era una mala influencia, cosa que también era del todo cierta, ya que aquel encuentro inesperado con su medio hermano contribuyó más que nada a distanciarnos. Hamilton me abrió los ojos y me ofreció nuevos valores y, aunque más adelante había de perder la visión que me había legado, nunca podría volver a ver el mundo, ni a mis amigos, como los había visto antes de su llegada. Hamilton me transformó profundamente, como sólo un libro, una personalidad, una experiencia poco comunes pueden transformarte. Por primera vez en mi vida entendí lo que era experimentar una amistad esencial sin sentirse esclavizado ni atado por esa experiencia. Después de que nos separáramos, nunca sentí la necesidad de su presencia efectiva; se había entregado completamente y lo poseí sin que me poseyese. Fue la primera experiencia de amistad pura y completa y nunca se repitió con nadie más. Más que un amigo, Hamilton era la amistad personificada. Era el símbolo personificado en consecuencia, enteramente satisfactorio y, por tanto, ya no necesario para mí. Él mismo lo entendió cabalmente. Quizá fuera el hecho de no tener padre lo que lo adentrase por el camino que conducía al conocimiento del yo, que es el proceso final de indentificación con el mundo y, por consiguiente, la comprensión de la inutilidad de los vínculos. Desde luego, en su posición de entonces, en la plenitud total de la autocomprensión, nadie era necesario para él y menos que nadie el padre de carne y hueso que en vano buscó en el señor MacGregor. Su venida al Este y la búsqueda de su padre auténtico debió de ser algo así como una prueba final, pues cuando se despidió, cuando renunció al señor MacGregor y también al señor Hamilton, era como un hombre que se había purificado de toda la escoria. Nunca he visto a un hombre tan singular, tan totalmente solo y vivo y con tanta confianza en el futuro como Roy Hamilton, cuando se despidió. Y nunca he visto tanto desconcierto e incomprensión como la que dejó tras sí en la familia MacGregor. Era como si hubiese muerto entre ellos, hubiera resucitado y estuviese despidiéndose como individuo enteramente nuevo, desconocido. Vuelvo a verlos en el patio, con las manos estúpida, irremediablemente vacías, llorando sin saber por qué, a no ser que fuese porque se veían privados de algo que nunca habían poseído. Me gusta verlo sólo así. Estaban perplejos y despojados y vaga, muy vagamente conscientes de que en cierto modo se les había ofrecido una gran oportunidad y no habían tenido fuerza ni imaginación para aprovecharla. Eso era lo que la estúpida y vacía agitación de las manos me indicaba; no puedo concebir gesto más penoso de contemplar. Me hizo sentir la horrible inadecuación del mundo, cuando se encuentra frente a frente con la verdad. Me hizo sentir la estupidez del vínculo de sangre y del amor que no esté empapado de espiritualidad.

Miro atrás rápidamente y vuelvo a verme en California. Estoy solo, trabajando como un esclavo en el naranjal de Chula Vista. ¿Estoy logrando lo que quería? Creo que no. Soy una persona muy desgraciada, desamparada, miserable. Parece que he perdido todo. De hecho, apenas soy una persona: estoy más cerca de un animal. Me paso todo el día de pie o caminando tras los dos asnos uncidos a mi almádena. No tengo pensamientos, ni sueños, ni deseos. Estoy totalmente sano y vacío. Soy una nulidad. Estoy tan vivo y sano como la exquisita y engañosa fruta que cuelga de los árboles californianos. Otro rayo de sol y estaré podrido. *Pourri avant d'être mûr!*

¿Soy *yo* quien se pudre bajo este luminoso sol de California? ¿Es que no queda nada de mí, de todo lo que era hasta este momento? Dejadme pensar un momento... Estuve en Arizona. Recuerdo ahora que era ya de noche cuando pisé por primera vez el suelo de Arizona. Había sólo la luz suficiente para percibir la última vislumbre de una meseta que se apagaba. Voy caminando por la calle principal de un pueblecito cuyo nombre he olvidado. ¿Qué estoy haciendo en esta calle, en este pueblo? Pues es que estoy enamorado de Arizona, una Arizona de la imaginación que en vano busco con los ojos. En el tren me acompañaba aún la Arizona que había traído de Nueva York... aun después de que cruzáramos la frontera del estado. ¿No había un puente sobre un cañón que me había sobresaltado y me había sacado de mi ensueño? ¿Un puente como no había visto antes, un puente natural creado por una erupción cataclismática, miles de años atrás? Y sobre aquel puente había visto cruzar a un hombre, un hombre a caballo que parecía indio y llevaba una gran alfombra colgada junto al estribo. Un puente natural y milenario que en el ocaso y con un aire tan claro parecía el puente más joven y nuevo imaginable. Y sobre aquel puente tan sólido, tan duradero, pasaban, alabado sea Dios, un hombre y un caballo, nada más. Conque eso era Arizona, Arizona *no* era producto de la imaginación, sino la imaginación misma con figura de caballo y jinete. Y eso era algo más incluso que la propia imaginación, porque no había aura de ambigüedad, sino sólo la cosa misma clara y totalmente aislada que era el sueño y el soñador mismo a caballo. Y, al pasar el tren, pongo pie a tierra y mi pie ha dejado un agujero profundo en el sueño: estoy en el pueblo de Arizona que figura en la guía y se trata tan sólo de la Arizona geográfica que cualquiera que tenga dinero puede visitar. Voy caminando por la calle principal con una maleta y veo hamburguesas y agencias inmobiliarias. Me siento tan engañado, que me echo a llorar. Ahora es de noche y estoy parado al final de una calle, donde empieza el desierto, y lloro como un bobo. ¿Cuál yo es el que llora? Hombre, pues, el nuevo y pequeño yo que había empezado a germinar allí, en Brooklyn, y que ahora está en medio de un vasto desierto y condenado a perecer. *¡Ahora te necesito, Roy Hamilton!* Te necesito por un momento, sólo un momento, mientras me desmorono. Te necesito porque no estaba del todo preparado para hacer lo que he hecho. ¿Y acaso no recuerdo que me dijiste que no era necesario hacer el viaje, pero que lo hiciese, si debía hacerlo? ¿Por qué no me convenciste para que no me marchara? Ah, convencer nunca fue lo suyo. Y pedir consejo nunca fue lo mío. Conque aquí estoy, fracasado en el desierto, y detrás de mí está el puente que era real y ante mí lo irreal y sólo Cristo sabe que estoy tan descorcertado y perplejo que, si pudiera hundirme en la tierra y desaparecer lo haría.

Rememoro rápidamente y veo a otro hombre que poco a poco quedó para el arrastre en el seno de su familia: *mi padre*. Si me remonto muy, muy atrás y pienso en calles como Maujer, Conselyea, Humboldt... sobre todo, Humboldt, entiendo mejor lo que le ocurrió. Esas calles pertenecían a un barrio que no quedaba demasiado lejos del nuestro, pero era diferente, más fascinante, más misterioso. Yo sólo había estado una vez, de niño, en Humboldt Street y ya no recuerdo el motivo de aquella excursión, salvo tal vez el de visitar a algún pariente enfermo que se consumiese en un hospital alemán. Pero la calle misma me dejó la impresión más duradera; por qué es algo de lo que no tengo la menor idea. Permanece en mi recuerdo como la calle más misteriosa y prometedora que jamás he visto. Quizá cuando estábamos preparándonos para irnos, mi madre prometiera, como de costumbre, alguna recompensa espectacular por acompañarla. Siempre me estaba prometiendo cosas que nunca se hacían realidad. Quizás entonces, cuando llegué a Humboldt Street y contemplé asombrado aquel nuevo mundo, olvidara por completo lo que me habían prometido y la calle misma se convirtiese en la recompensa. Recuerdo que era muy ancha y que había porches muy altos, como no había visto nunca, a ambos lados de la calle. También recuerdo que en la tienda de una modista, en el primer piso de una de aquellas casas extrañas, había un busto en la ventana con un metro colgado al cuello y sé que aquella imagen me conmovió profundamente. Había nieve en el suelo, pero el sol brillaba con fuerza y recuerdo muy bien que en torno al fondo de los cubos de basura que se habían helado había un charquito de agua formado por la nieve al derretirse. La calle entera parecía derretirse en el radiante sol invernal. En las barandillas de los altos porches los montículos de nieve que habían formado tan bonitas almohadillas estaban ya empezando a deslizarse, a desintegrarse, dejando al descubierto trechos obscuros de la piedra parda, entonces muy en boga. Los rotulitos de cristal de los dentistas y los médicos, colocados en los ángulos de las ventanas, lanzaban brillantes destellos con el sol del mediodía y me daban la sensación por primera vez de que aquellos consultorios quizá no fuesen las cámaras de tortura que yo conocía. Imaginé, a mi modo infantil, que en aquel barrio, en aquella calle particular, la gente era más amable, más expansiva y, desde luego, infinitamente más rica. Debí de expansionarme enormemente, pese a ser sólo un niño, porque por primera vez miraba una calle que parecía libre de terror. Era esa clase de calle amplia, lujosa, brillante, con nieve derretida, que más adelante, cuando empecé a leer a Dostoyevski, asocié con el deshielo de San Petersburgo. Hasta las iglesias eran de un estilo arquitectónico diferente; había algo semioriental en ellas, algo grandioso y cálido, que me asustaba e intrigaba a un tiempo. En aquella calle ancha y espaciosa vi que las casas estaban muy retiradas de la acera, descansando con calma y dignidad, en un orden que no desfiguraba la intercalación de tiendas, talleres y establos de veterinario. Vi una calle compuesta exclusivamente de residencias y me sentí embargado de asombro y admiración. Todo esto lo recuerdo y sin duda me afectó profundamente; sin embargo, nada de esto basta para explicar el extraño poder y hechizo que la simple mención de Humboldt Street despierta en mí. Unos años después, volví de noche a contemplar de nuevo aquella calle y me sentí más conmovido aún que la primera vez. Desde luego, el aspecto de la calle había cambiado, pero era de noche y la noche siempre es menos cruel que el día. Una vez más experimenté el extraño deleite de la espaciosidad, de aquel lujo ahora algo marchito, pero aún evocador, firme aún a trechos, como en tiempos las barandillas de piedra parda destacaban por entre la nieve que se deshacía. Sin embargo, lo más claro de todo era la sensación casi voluptuosa de estar al borde de un descubrimiento. Volví a sentir intensamente la presencia de mi madre, de las grandes mangas abultadas de su abrigo de piel, de la cruel rapidez con que me había arrastrado por las calles años atrás y la terca tenacidad con que me había yo regalado la vista con todo lo nuevo y extraño. En aquella segunda visita me pareció recordar vagamente a otro personaje de mi infancia, la vieja ama de llaves a la que llamaban con el estrafalario nombre de señora Kicking. No recordaba que hubiera caído enferma, pero parecía recordar que estábamos visitándola en el hospital donde agonizaba y que aquel hospital debía de estar cerca de Humboldt Street, nada agonizante, ésta, sino lustrosa en la nieve que se derretía con el sol invernal. Entonces, ¿qué era lo que me había prometido mi madre y que no he podido recordar nunca? Capaz como era de prometer cualquier cosa, quizás aquel día, en un momento de distracción, me hubiese prometido algo tan disparatado, que ni siquiera yo, con mi credulidad infantil, podía tragármelo del todo. Y, aun así, si me hubiese prometido la Luna, aunque sabía que era imposible, me habría esforzado por infundir a su promesa algo de fe. Deseaba locamente todo lo que me prometían y si, después de reflexionar, comprendía que era de todo punto imposible, intentaba, de todos modos a mi manera encontrar un medio de volver realizables esas promesas. Que la gente pudiese hacer promesas sin tener la menor intención de cumplirlas era algo inimaginable para mí. Hasta cuando me engañaban de la forma más cruel, yo seguía creyendo; creía que algo extraordinario y del todo ajeno a la voluntad de la otra persona había intervenido para dejar sin efecto la promesa.

Ese asunto de la creencia, esa antigua promesa que nunca se cumplió, es lo que me hace pensar en mi padre, que se vio abandonado en el momento de mayor necesidad. Hasta la época de su enfermedad, ni mi madre ni él habían mostrado nunca la menor inclinación religiosa. Aunque siempre defendían a la iglesia ante los demás, personalmente nunca pusieron los pies en una iglesia desde que se casaron. Consideraban un poco chiflados a los que iban a la iglesia con demasiada frecuencia. La propia forma como decían «Fulano de Tal es muy religioso» era suficiente para dar a entender el desdén y el desprecio o la compasión, que sentían por esas personas. Si de vez en cuando, por algo relacionado con nosotros, los niños, venía a casa el pastor inesperadamente, lo trataban como a alguien con quien estaban obligados a mostrar deferencia por cortesía normal, pero con quien nada tenían en común, de quien recelaban un poco, de hecho, como representante de una especie a medio camino entre un bobo y un charlatán. A nosotros, por ejemplo, nos decían: «un hombre encantador», pero cuando llegaban sus amigos y empezaba el cotilleo, se oían comentarios muy diferentes, acompañados por lo general de estruendosas carcajadas despectivas e imitaciones disimuladas.

Mi padre cayó mortalmente enfermo por dejar de beber de la noche a la mañana. Toda su vida había sido un hombre alegre, sociable y simpático: había echado una barriga que le favorecía, tenía las mejillas llenitas y rojas como tomates, sus modales eran suaves e indolentes y parecía destinado a vivir hasta edad avanzada, sano como una manzana. Pero, por debajo de aquella apariencia tranquila y alegre, las cosas no iban nada bien. Sus negocios andaban mal, se iban acumulando deudas y ya algunos de sus amigos más antiguos estaban empezando a abandonarlo. La actitud de mi madre era lo que más le inquietaba. Ella lo veía todo muy negro y no se molestaba en ocultarlo. De vez en cuando le entraba la histeria y se ponía como una fiera con él, diciendo las palabrotas más groseras, rompiendo platos y amenazando con marcharse para siempre. Total, que una mañana él se levantó decidido a no probar ni una gota más de alcohol. Nadie creyó que lo dijera en serio; había habido otros en la familia que habían dejado de beber, se habían pasado al agua, como decían, pero pronto volvieron a caer. Nadie de la familia —y todos ellos lo habían intentado en diferentes momentos— había conseguido nunca volverse abstemio. Pero mi viejo era diferente. Sólo Dios sabe de dónde o cómo sacó la fuerza para mantener su resolución. Me parece increíble, porque, si yo hubiera estado en su pellejo, habría bebido hasta morir. Pero mi viejo, no. Fue la primera vez en su vida que mostró resolución en algo. Mi madre estaba tan asombrada, que, como una idiota que era, empezó a burlarse de él, a lanzarle pullas sobre esa fuerza de voluntad que hasta entonces había brillado por su ausencia. Aun así, él se mantuvo en sus trece. Sus compañeros de bebida desaparecieron pronto. En resumen, no tardó en verse casi completamente aislado. Aquello debió de herirlo en lo vivo, pues, al cabo de pocas semanas, cayó mortalmente enfermo y hubo que consultar al médico. Se recuperó un poco, lo suficiente para levantarse de la cama y andar, pero seguía muy enfermo. Decían que padecía de úlceras de estómago, aunque nadie estaba completamente seguro de lo que le aquejaba. Ahora bien, todo el mundo pensaba que había cometido un error al dejar de beber tan bruscamente. Sin embargo, era demasiado tarde para regresar a un modo de vida moderado. Su estómago estaba tan débil, que ni siquiera toleraba un plato de sopa. Al cabo de dos meses, era casi un esqueleto. Y viejo. Parecía Lázaro recién salido de la tumba.

Un día mi madre me llevó aparte y con lágrimas en los ojos, me pidió que fuera a ver al médico de la familia y me enterase de la verdad sobre el estado de mi padre. El doctor Rausch era el médico de la familia desde hacía años. Era el típico alemán chapado a la antigua, ya bastante cansado y extravagante después de años de ejercer y, aun así, incapaz de separarse de sus pacientes. A su estúpido modo teutónico, intentaba asustar a los pacientes menos graves para que no volvieran, intentaba curarlos a discusiones, por decirlo así. Cuando entrabas en su consulta, ni siquiera se molestaba en mirarte, sino que seguía escribiendo o lo que estuviese haciendo, al tiempo que te bombardeaba a preguntas de un modo rutinario e insultante. Se comportaba con tanta rudeza, tanta suspicacia, que, por ridículo que pueda parecer, casi parecía esperar que sus pacientes trajeran no sólo sus dolencias, sino también la *prueba* de sus dolencias. Te hacía sentir que había no sólo algo físico que no funcionaba, sino también algo mental. «Eso son imaginaciones suyas», era su frase favorita, que espetaba sarcástico y malicioso. Conociéndolo como lo conocía, y detestándolo con toda el alma, fui preparado, es decir, con el análisis de laboratorio de las evacuaciones de mi padre. Llevaba también un análisis de orina en el bolsillo del abrigo, por si exigía más pruebas.

Cuando yo era niño, el doctor Rausch había mostrado cierto afecto por mí, pero desde el día en que fui a verlo con purgaciones había perdido la confianza en mí y siempre me ponía mala cara, cuando yo asomaba por la puerta. De tal palo, tal astilla, era su lema, y, en consecuencia, no me sorprendió, cuando, en lugar de darme la información que le pedía, se puso a sermonearnos, a mí y al viejo a un tiempo, por nuestra forma de vida. «No se puede ir contra la Naturaleza», dijo haciendo una solemne mueca de desagrado y sin mirarme al pronunciar las palabras, sino haciendo alguna anotación inútil en su libreta. Me acerqué en silencio a su escritorio, me quedé a su lado un momento sin decir palabra y después, cuando levantó la vista con su habitual expresión afligida e irritada, dije: «No he venido en busca de enseñanzas morales... quiero saber cómo está mi padre». Al oír aquello, dio un brinco y volviéndose hacia mí con su expresión más severa, dijo, como el estúpido y brutal alemán que era: «Tu padre no tiene ninguna posibilidad de recuperarse; morirá antes de seis meses». Dije: «Gracias, eso es lo único que quería saber», y me dirigí hacia la puerta. Entonces, como si hubiera comprendido que había metido la pata, me siguió con andar vacilante y, tras ponerme la mano en el hombro, intentó modificar la declaración tosiendo y tartamudeando y diciendo que no era absolutamente seguro que fuese a morir y que si tal y que si cual, lo que corté en seco abriendo la puerta y gritándole, a pleno pulmón, para que los pacientes de la sala de espera lo oyesen: «Me parece que es usted un viejo gilipuertas y espero que la diñe pronto. ¡Buenas noches!».

Cuando llegué a casa, modifiqué el informe del doctor un poco diciendo que el estado de mi padre era muy grave, pero que, si se cuidaba, se salvaría. Aquello pareció reanimar enormemente al viejo. Por su propia iniciativa, se puso a dieta de leche y bizcochos, cosa que, fuera o no lo que más le convenía, no le haría daño, desde luego. Siguió en estado de semiinvalidez durante un año, calmándose por dentro cada vez más a medida que pasaba el tiempo y decidido, al parecer, a no dejar que nada turbara su paz mental, pero nada, aunque se hundiese el mundo. A medida que recuperaba las fuerzas, le dio por dar un paseo diario hasta el cementerio, que quedaba cerca. Allí se sentaba en un banco al sol y miraba a los viejos pasar entre las tumbas. La proximidad de la tumba, en lugar de entristecerlo, parecía animarlo. Si acaso, parecía haberse reconciliado con la idea de su posible muerte, hecho que hasta entonces se había negado sin duda a encarar. Muchas veces volvía a casa con flores que había cogido en el cementerio, con la cara rebosante de alegría serena, y, tras sentarse en el sillón, contaba la charla que había tenido aquella mañana con uno de los otros carcamales que frecuentaban el cementerio. Al cabo de un tiempo, resultó evidente que estaba disfrutando de verdad con su reclusión o, mejor, no precisamente disfrutando, sino aprovechando a fondo la experiencia de un modo que superaba la inteligencia de mi madre. Se estaba volviendo perezoso: así lo expresaba ella. A veces incluso lo expresaba de un modo más extremo, llevándose el dedo índice a la sien al hablar de él, pero sin decir nada a las claras a causa de mi hermana, que sin lugar a dudas estaba un poco mal de la cabeza.

Y luego, un día, por cortesía de una anciana viuda que visitaba la tumba de su hijo todos los días y era, como decía mi madre, «religiosa», conoció a un ministro perteneciente a una de las iglesias vecinas. Aquél fue un acontecimiento transcendental en la vida de mi viejo. De repente, retoñó y la esponjita de su alma, que casi se había atrofiado por falta de alimento, adquirió tales proporciones, que se volvió casi irreconocible. El hombre responsable de aquel cambio extraordinario en mi viejo no tenía nada de extraordinario; era un ministro congregacionista adscrito a una modesta parroquia pequeña que lindaba con nuestro barrio. Su única virtud era la de mantener su religión en segundo plano. Mi viejo no tardó en caer en una especie de idolatría de adolescente; no hablaba sino de aquel ministro, a quien consideraba su amigo. Como en la vida había abierto la Biblia, ni ningún otro libro, si vamos al caso, fue bastante asombroso, por no decir más, oírle pronunciar una corta oración antes de comer. Ejecutaba esa breve ceremonia de modo extraño, como si se tomara un tónico, por ejemplo. Si me recomendaba leer determinado capítulo de la Biblia, añadía muy en serio: «Te hará bien». Había descubierto una nueva medicina, como un remedio de curandero garantizado para curar todas las enfermedades y que se podían tener, aunque no tuviera ninguna, porque, en cualquier caso, no podía hacer daño, desde luego. Asistía a todos los oficios, a todas las funciones, que se celebraban en la iglesia y, entre uno y otro, cuando salía a dar un paseo, por ejemplo, se detenía en la casa del ministro y charlaba un poco con él. Si el ministro decía que el presidente era un alma buena y merecía la reelección, mi viejo repetía a todo el mundo exactamente lo que el ministro había dicho e instaba a todo el mundo a votar por la reelección del presidente. Dijera lo que dijese el ministro, era correcto y justo y nadie podía contradecirlo. Sin duda fue una educación para el viejo. Si el ministro había citado las pirámides en su sermón, el viejo se ponía a informarse al instante sobre las pirámides. Por su forma de hablar de las pirámides, parecía como si todo el mundo debiera haber llegado a conocer esa materia. El ministro había dicho que las pirámides eran una de las glorias supremas del hombre, *ergo*, no saber de las pirámides era ser un ignorante vergonzoso, casi un pecador.

Por fortuna, el ministro no insistía demasiado en el tema del pecado; era uno de esos curas modernos que convencen a sus fieles despertando su curiosidad más que apelando a su conciencia. Sus sermones se parecían más a un curso de ampliación de escuela nocturna y, por tanto, para alguien como mi viejo eran muy entretenidos y estimulantes. De vez en cuando, invitaban a los miembros varones de la congregación a un pequeño banquete destinado a demostrar que el buen pastor no era sino un hombre común y corriente como ellos y, llegada la ocasión, podía disfrutar de una comida sabrosa e incluso de un vaso de cerveza. Además, se comentó que incluso cantaba: no himnos religiosos, sino alegres cancioncillas populares. Atando cabos, de semejante comportamiento alegre se podía inferir incluso que de vez en cuando disfrutaba echando un polvete... siempre con moderación, desde luego. Esa palabra fue como un bálsamo para el alma atormentada de mi viejo: «moderación». Fue como descubrir un nuevo signo del Zodíaco. Y, aunque todavía estaba demasiado enfermo como para volver a un modo de vida moderado, le sentó bien a su alma. Y, por eso, cuando el tío Ned, que no cesaba de pasarse al agua y volver a caer, vino a casa una noche, el viejo le echó un sermoncito sobre la virtud de la moderación. En aquel momento el tío Ned se había pasado al agua, por lo que, cuando mi viejo, movido por sus propias palabras, fue de repente al aparador a buscar una garrafa de vino, todo el mundo se escandalizó. Nadie se había atrevido nunca a invitar al tío Ned a beber, cuando había dejado la bebida; atreverse a una cosa así constituía una grave falta de lealtad. Pero mi viejo lo hizo con tal convicción, que nadie pudo ofenderse y el resultado fue que el tío Ned se tomó su vasito de vino y se fue a casa aquella noche sin detenerse en un bar a apagar la sed. Fue un acontecimiento extraordinario, del que se habló mucho los días siguientes. De hecho, el tío Ned empezó a actuar de forma un poco extraña desde aquel día. Al parecer, el día siguiente fue a la bodega y compró una botella de jerez, que vació en la garrafa. Colocó la garrafa en el aparador, como había visto hacer al viejo, y, en lugar de acabársela de un trago, se contentó con un vaso cada vez: «sólo una gotita», como él decía. Su comportamiento era tan extraordinario, que mi tía, que no podía dar crédito a sus ojos, vino un día a casa y sostuvo una larga conversación con mi viejo. Le pidió, entre otras cosas, que invitara al ministro a su casa una tarde, para que el tío Ned tuviese oportunidad de caer bajo su benéfica influencia. En resumen, que Ned no tardó en entrar en la congregación y, como a mi viejo, la experiencia pareció sentarle muy bien. Todo fue sobre ruedas hasta el día de la excursión al campo. Por desgracia, fue un día excepcionalmente caluroso y entre los juegos, la agitación, la hilaridad, al tío Ned le dio una sed tremenda. Hasta que estuvo borracho, no observó alguien la regularidad y frecuencia con que se acercaba al barril de cerveza. Entonces ya era demasiado tarde. Una vez en ese estado, no había quien pudiese con él. Ni siquiera el ministro pudo. Ned abandonó la excursión en silencio y se fue de parranda por tres días y tres noches. Quizás habría seguido más, si no hubiese tenido una pelea a puñetazos en el muelle, donde el vigilante nocturno lo encontró inconsciente. Lo llevaron al hospital con una contusión en la cabeza, de la que no se recuperó. Al volver del entierro, mi viejo dijo sin derramar una lágrima: «Ned no sabía ser moderado. Ha sido culpa suya. En fin, ya ha pasado a mejor vida...».

Y, como para demostrar al ministro que no era de la misma pasta que el tío Ned, se volvió más asiduo en el cumplimiento de sus deberes para con la iglesia. Lo habían nombrado «sacristán», cargo del que estaba muy orgulloso y en virtud del cual durante los oficios dominicales se le permitía ayudar a hacer la colecta. Imaginar a mi viejo avanzando por el pasillo de una iglesia congregacionista con la caja de la colecta en la mano, imaginarlo haciendo reverencias ante el altar con la caja de la colecta, mientras el ministro bendecía la ofrenda, me parece ahora algo tan increíble, que no sé qué decir. Como contraste, me gusta imaginar al hombre que era, cuando yo era un chavalín e iba a buscarlo al embarcadero un sábado a mediodía. En torno a la entrada del embarcadero había entonces tres bares, llenos, los sábados al mediodía, de hombres que habían parado a tomar un bocadillo y una jarra de cerveza en el mostrador. Vuelvo a ver a mi viejo, tal como era a los treinta años, una persona sana, afable, con una sonrisa para todo el mundo y una ocurrencia agradable para pasar el rato; vuelvo a verlo con el brazo apoyado en la barra, el sombrero de paja ladeado en la coronilla y la mano izquierda alzada para beber la cerveza espumeante. Mis ojos quedaban entonces a la altura dc la pcsada cadena de oro que le atravesaba el chaleco; recuerdo el traje escocés que llevaba en verano y la distinción que le daba entre los otros hombres del bar que no habían tenido la suerte de nacer sastres. Recuerdo cómo metía la mano en la gran fuente de cristal y me daba unas galletas saladas, al tiempo que me decía que fuese a mirar el marcador del escaparate del *Brooklyn Times*, que quedaba cerca. Y quizás, al salir corriendo a ver quién iba ganando, pasara cerca del bordillo una hilera de ciclistas por la pequeña franja de asfalto reservada para ellos. Quizá estuviese llegando al muelle el transbordador y me paraba un momento a mirar a los hombres en uniforme que tiraban de las enormes ruedas de madera a que estaban sujetas las cadenas. Cuando abrían las puertas de par en par y ponían las pasarelas, una multitud se precipitaba por el cobertizo y se dirigía hacia los bares que adornaban las esquinas más cercanas. Aquélla era la época en que el viejo sabía el significado de la «moderación», cuando bebía porque sentía verdadera sed y beber una jarra de cerveza junto al embarcadero era prerrogativa de un hombre. Entonces era como tan bien ha dicho Melville: «Da a todas las cosas el alimento que les conviene... es decir, si es asequible. El alimento de tu alma es luz y espacio. Pero la comida para el cuerpo es champán y ostras; así, pues, aliméntalo con champán y ostras; y así merecerá una gozosa resurrección, en caso de que la haya». Sí, me parece que entonces el alma de mi viejo no se había marchitado aún, estaba rodeada de luz y espacio interminables y su cuerpo, sin preocuparse de la resurrección, se alimentaba de todo lo conveniente y asequible: ya que no champán y ostras, por lo menos buena cerveza y galletas saladas. Entonces su cuerpo no estaba condenado, ni su modo de vida, ni su falta de fe. Tampoco estaba aún rodeado de buitres, sino sólo de buenos camaradas, comunes mortales como él, que no miraban ni hacia arriba ni hacia abajo, sino al frente, con los ojos siempre fijos en el horizonte y satisfechos de lo que veían.

Y ahora, hecho una ruina, se ha hecho sacristán de la iglesia y, encanecido y encorvado, se para ante el altar, mientras el ministro da la bendición a la mezquina colecta, que se destinará a construir una nueva bolera. Quizá necesitara experimentar el nacimiento del alma, alimentar aquel tumor y espongiforme con la luz y el espacio que la iglesia congregacionista ofrecía. Pero qué pobre substitutivo para un hombre que había conocido los placeres de la comida que el cuerpo apetecía y que, sin remordimientos de conciencia, había colmado hasta su alma y espongiforme de una luz y un espacio profanos, pero radiantes y terrestres. Vuelvo a recordar su atractiva «curva de la felicidad», sobre la que llevaba atada la gruesa cadena de oro y me parece que con la muerte de su panza sólo quedó con vida la esponja de un alma, como un apéndice de su muerte corporal. Veo al ministro que se lo tragó como una especie de devorador de esponjas inhumano, el guardián de un *wigwam* cubierto de escalpelos espirituales. Veo lo que después sucedió como una especie de tragedia en esponjas, pues, aunque prometió luz y espacio, tan pronto como desapareció de la vida de mi padre, todo el etéreo edificio se desplomó.

Todo ocurrió del modo más corriente y natural. Una noche, tras la reunión habitual de los hombres, mi viejo vino a casa con semblante apenado. Le habían comunicado aquella noche que el ministro los dejaba. Le habían ofrecido un puesto más ventajoso en el municipio de New Rochelle y, pese a que no le hacía ninguna gracia abandonar a sus fieles, había decidido aceptar la oferta. Tras mucho meditarlo, desde luego: en otras palabras, como un deber. Iba a significar ingresos mayores, claro está, pero eso no era nada en comparación con las importantes obligaciones que iba a asumir. Lo necesitaban en New Rochelle y obedecía a la voz de su conciencia. Mi viejo contó todo eso con la misma mojigatería con que el ministro había pronunciado sus palabras. Pero en seguida se vio claro que se sentía herido. No lograba entender por qué no podían encontrar a otro ministro en New Rochelle. Dijo que no era justo tentar al ministro con un salario mejor. *Lo necesitamos aquí*, dijo desconsolado, con tal tristeza, que casi sentí ganas de llorar. Añadió que iba a hablar claro con el ministro que, si alguien podía convencerlo para que se quedara, era él. En efecto, los días siguientes hizo todo lo que pudo, cosa que debió de desconcertar mucho al ministro. Era penoso ver la expresión de desconcierto con que volvía de aquellas conferencias: la expresión de un hombre que intentara agarrarse a un clavo ardiendo. Naturalmente, el ministro siguió en sus trece. Ni siquiera cuando mi viejo se derrumbó y se echó a llorar ante él pudo inducirlo a cambiar de idea. Ése fue el momento crucial. Desde aquel momento mi viejo experimentó un cambio radical. Pareció amargarse y volverse displicente. No sólo olvidó bendecir la mesa, sino que, además, dejó de ir a la iglesia. Reanudó su antigua costumbre de ir al cementerio a tomar el sol en un banco. Se volvió adusto, luego melancólico y, por último, apareció en su rostro una expresión de tristeza permanente, una tristeza teñida de desilusión, desesperanza, futilidad. No mencionó más el nombre del ministro, ni la iglesia, ni a ninguno de los sacristanes con los que en otro tiempo se había relacionado. Si por casualidad se cruzaba con ellos en la calle, les daba los buenos días sin detenerse a estrecharles la mano. Leía los periódicos sin falta, desde la primera página hasta la última, sin hacer comentarios. Hasta los anuncios leía, sin dejarse ninguno, como si intentara taponar un enorme agujero que tuviese ante los ojos constantemente. No volví a oírlo reír nunca más. Como máximo, nos mostraba una sonrisa cansada, desesperanzada, una sonrisa que se desvanecía al instante y nos ofrecía el espectáculo de una vida extinta. Estaba muerto como un cráter, muerto sin la menor esperanza de resurrección. Ni aunque le hubiesen dado un estómago nuevo o un nuevo y resistente tracto intestinal, habría sido posible devolverlo a la vida. Había dejado atrás el aliciente del champán y las ostras, la necesidad de luz y espacio. Era como el dodo, que entierra la cabeza en la arena y pía por el culo. Cuando se quedaba dormido en la poltrona, se le caía la mandíbula inferior como un gozne que se hubiera soltado; siempre había roncado lo suyo, pero ahora lo hacía más fuerte que nunca, como un hombre que de verdad estuviera muerto para el mundo. De hecho, sus ronquidos se parecían mucho al estertor de la muerte, salvo que se veían interrumpidos por un silbido prolongado e intermitente como el de los vendedores de cacahuetes. Cuando roncaba, parecía estar desmenuzando el universo entero a fin de que nosotros, los que lo sucedíamos, tuviéramos leña suficiente para toda la vida. Era el ronquido más horrible y fascinante que he oído en mi vida: era estertoroso y estentóreo, mórbido y grotesco; a veces era como un acordeón al plegarse, otras veces como una rana croando en las ciénagas; a un prolongado silbido seguía a veces un resuello espantoso, como si estuviera entregando el alma, después volvía a subidas y bajadas regulares, a un tajar constante y sordo, como si estuviese desnudo hasta la cintura, con un hacha en la mano, ante la locura acumulada de todo el batiburrillo de este mundo. Lo que daba a aquellos espectáculos un carácter ligeramente demencial era la expresión de momia de la cara, en que sólo los grandes belfos cobraban vida; eran como las branquias de un tiburón en la superficie del océano en calma. Roncaba como un bendito en el seno de las profundidades, sin que lo molestara un sueño ni una corriente, nunca inquieto, nunca importunado por un deseo insatisfecho; cuando cerraba los ojos y se desplomaba, la luz del mundo se iba y se quedaba solo como antes de nacer, un cosmos que se desintegraba. Estaba sentado ahí en su poltrona, como debió de estar sentado Jonás en el cuerpo de la ballena, seguro en el último refugio de una mazmorra, sin esperar nada, sin desear nada, muerto no, sino enterrado vivo, tragado entero e ileso, con los gruesos belfos oscilando suavemente en el flujo y el reflujo del blanco aliento del vacío. Estaba en la tierra de Nod, buscando a Caín y a Abel, pero sin encontrar un ser vivo ni una palabra ni un signo. Se sumergía con la ballena y rascaba el helado y negro fondo; recorría millas y millas a toda velocidad, guiado exclusivamente por las encrespadas crines de los animales submarinos. Era el humo que salía en volutas por las chimeneas, las densas capas de nubes que obscurecían la Luna, el espeso légamo que formaba el resbaladizo suelo de linóleo de las profundidades oceánicas. Estaba más muerto que los muertos por estar vivo y vacío, más allá de cualquier esperanza de resurrección, en el sentido de que había traspasado los límites de la luz y del espacio y estaba cobijado y seguro en el negro agujero de la nada. Era más digno de envidia que de compasión, pues su sueño no era una calma pasajera ni un intervalo, sino el propio sueño, que es el abismo, y, por eso, al dormir se hundía, se hundía cada vez más en el sueño al dormir, el sueño de las profundidades en el más profundo sueño, en la más honda profundidad profundamente dormido, el más profundo e hipnótico de los dulces sueños del sueño. Estaba dormido. *Está* dormido. *Estará* dormido. Duerme. Duerme. *Padre, duerme, te lo ruego, porque los que estamos despiertos nos consumimos de horror...*

Mientras el mundo se alejaba revoloteando en las últimas alas de un ronquido sordo, veo abrirse la puerta para dar paso a Grover Watrous. «¡Cristo sea con vosotros!», dice arrastrando su pie deforme. Ya es un joven hecho y derecho y ha encontrado a Dios. Sólo hay un Dios y Grover Watrous lo ha encontrado, conque no hay nada más que decir, excepto que todo tiene que volver a decirse en el nuevo lenguaje divino de Grover Watrous. Ese nuevo y brillante lenguaje que Dios inventó a propósito para Grover Watrous me intriga sobremanera: primero, porque siempre había considerado a Grover zoquete perdido; segundo, porque noto que ya no tiene manchas de tabaco en sus ágiles dedos. Cuando éramos niños, Grover vivía en la puerta contigua a la nuestra. Me visitaba de vez en cuando para practicar un dúo conmigo. Pese a tener sólo catorce o quince años, fumaba como un carretero. Su madre no podía hacer nada para impedirlo, porque Grover era un genio y un genio debía gozar de un poco de libertad, sobre todo cuando tenía, además, la mala suerte de haber nacido con un pie deforme. Grover era el tipo de genio al que encanta la suciedad. No sólo tenía manchas de nicotina en los dedos, sino que, además, llevaba unas uñas negras de porquería que se le rompían tras horas de practicar, por lo que imponían a Grover la cautivadora obligación de arrancárselas con los dientes. Grover solía escupir uñas rotas junto con partículas de tabaco que se le quedaban entre los dientes. Era encantador y estimulante. Los cigarrillos dejaban agujeros quemados en el piano y, como observaba mi madre en tono crítico, también *deslustraban* las teclas. Cuando Grover se marchaba, la sala apestaba como la trastienda de una funeraria. Apestaba a cigarrillos apagados, a sudor, a ropa sucia, a los tacos de Grover y al calor seco que dejaban las mortecinas notas de Weber, Berlioz, Liszt y Cía. Apestaba también al oído supurante de Grover y a sus dientes cariados. Apestaba a los mimos y lloriqueos de su madre. Su propia casa era un establo divinamente apropiado para su genio, pero el salón de nuestra casa era como la sala de espera de una funeraria y Grover era un zafio que ni siquiera sabía lavarse los pies. En invierno la nariz le goteaba como una alcantarilla y, por estar demasiado absorto en su música para preocuparse de limpiarse la nariz, dejaba chorrear el moco frío hasta que le llegaba a los labios, donde una lengua blanca y muy larga lo chupaba. A la flatulenta música de Weber, Berlioz, Liszt y Cía. agregaba una salsa picante que volvía tolerables a esas mediocridades. De cada dos palabras que salían de los labios de Grover una era un taco y su expresión favorita era: «No hay modo de que me salga bien este trozo de los cojones». A veces se enfadaba tanto, que se ponía a aporrear el piano con los puños como un loco. Era su genio, que le salía por donde no debía. De hecho, su madre atribuía gran importancia a aquellos arrebatos de cólera; la convencían de que llevaba algo dentro. La otra gente decía sencillamente que Grover era insoportable. No obstante, se le perdonaban muchas cosas por su pie deforme. Grover era lo bastante talmado como para aprovecharse de aquel defecto; siempre que quería algo a toda costa, le daba dolor en el pie. El piano era el único que no parecía respetar aquel miembro tullido. Así, pues, el piano era un objeto al que maldecir, patear y aporrear hasta hacerlo añicos. En cambio, si estaba en forma, Grover se pasaba horas sentado al piano; de hecho, no había quien lo arrancara de él. En esas ocasiones su madre se quedaba parada en el césped delante de la casa y acechaba a los vecinos para sacarles unas palabras de elogio. Tanto la embelesaba la «divina» interpretación de su hijo, que se olvidaba de hacer la comida. El viejo, que trabajaba en las alcantarillas, solía llegar a casa malhumorado y hambriento. A veces subía derecho a la sala y arrancaba de un tirón a Grover del piano. También él usaba un vocabulario bastante grosero y, cuando se lo soltaba al genio de su hijo, no quedaba a Grover gran cosa que decir. En opinión del viejo, Grover era sencillamente un desgraciado holgazán capaz de hacer mucho ruido. De vez en cuando amenazaba con tirar el piano de los cojones por la ventana... y a Grover con él. Si la madre era lo bastante temeraria como para intervenir durante esas escenas, le daba un bofetón y le decía que se fuera a la mierda. También tenía sus momentos de debilidad, naturalmente, y entonces preguntaba a Grover qué matraqueaba y, si éste decía, por ejemplo: «Pues, ya ves, la sonata *Pathétique*», el viejo buitre decía: «¿Qué diablos significa eso? Por los clavos de Cristo, ¿por qué no lo dicen en cristiano?». La ignorancia del viejo era aún más insoportable para Grover que su brutalidad. Sentía auténtica vergüenza de su viejo y, cuando éste no estaba delante, lo ridiculizaba sin piedad. Cuando se hizo un poco mayor, solía insinuar que no habría nacido con un pie deforme, si el viejo no hubiese sido tan cabrón y despreciable. Decía que el viejo debía de haber dado una patada a su madre en el vientre, cuando estaba encinta. Esa supuesta patada en el vientre debió de afectar a Grover de diversas formas, pues cuando llegó a ser un jovencito, como decía, se entregó a Dios con tal pasión, que no podías sonarte la nariz delante de él sin antes pedir permiso a Dios.

La conversión de Grover se produjo justo después de que mi viejo se desinflase; por eso la he recordado. Hacía años que nadie veía a los Watrous y después, en pleno ronquido fenomenal, podríamos decir, va y entra Grover pavoneándose, impartiendo bendiciones y poniendo a Dios por testigo, mientras se remangaba las mangas para librarnos del mal. Lo que primero noté en él fue el cambio en su apariencia personal; se había lavado en la sangre del cordero. Estaba tan inmaculado, la verdad, que casi emanaba de él un perfume. También su lenguaje era limpio ahora; en lugar de blasfemias feroces, ahora sólo había bendiciones e invocaciones. No era una charla lo que sostenía con nosotros, sino un monólogo en el que, si había alguna pregunta, él mismo la contestaba. Al tomar el asiento que le ofrecieron, dijo con la agilidad de una liebre que Dios había entregado a su amado Hijo único para que disfrutásemos de vida eterna. ¿Queríamos de verdad esa vida eterna... o tan sólo íbamos a revolcarnos en los goces de la carne y a vivir sin conocer la salvación? La incongruencia de mencionar los «goces de la carne» a una pareja entrada en años, uno de cuyos miembros estaba profundamente dormido y roncando, no se le pasó por la cabeza, desde luego. Estaba tan vivo y alborozado en el primer acceso de la misericordiosa gracia de Dios, que debió de haber olvidado que mi hermana estaba mochales, pues, sin siquiera preguntar cómo le había ido, se puso a arengarla con aquella palabrería espiritual recién descubierta, a la que ella era enteramente impenetrable, porque, como digo, le faltaban tantos tornillos, que, si hubiera estado hablando de espinacas picadas, le habría causado el mismo efecto. Una frase como «los placeres de la carne» significaba para ella algo así como un bello día con una sombrilla roja. Al verla sentada al borde de la silla y meneando la cabeza, comprendí que tan sólo estaba esperando a que él se detuviera a recobrar el aliento para contarle que el pastor —*su* pastor, que era episcopalista— acababa de regresar de Europa y que iba a haber una tómbola en el sótano de la iglesia en la que ella ocuparía una caseta llena de tapetes procedentes de las rebajas de los almacenes. En efecto, en cuanto hizo una pausa, le soltó todo el rollo: sobre los canales de Venecia, la nieve de los Alpes, los coches de dos ruedas de Bruselas, el estupendo *liverwurst* de Munich. No sólo era religiosa, mi hermana; es que estaba completamente chiflada. Grover acababa de decir que había visto un nuevo cielo y una nueva tierra... *pues el primer cielo y la primera tierra habían llegado a su fin*, dijo, mascullando las palabras en una especie de *glissando* histérico para revelar un mensaje profético sobre la Nueva Jerusalén que Dios había establecido en la Tierra y en la que él, Grover Watrous, que en otro tiempo había usado un lenguaje grosero y había estado desfigurado por un pie deforme, había encontrado la paz y la calma de los justos. *«No habrá más muerte...»*, empezó a gritar, cuando mi hermana se inclinó hacia adelante y le preguntó con toda inocencia si le gustaba jugar a los bolos, porque el pastor acababa de instalar una bolera muy bonita en el sótano de la iglesia y sabía que le gustaría ver a Grover, pues era un hombre encantador y bondadoso con los pobres. Grover dijo que jugar a los bolos era pecado y que él no pertenecía a ninguna iglesia, porque las iglesias eran impías; había dejado incluso de tocar el piano, porque Dios lo necesitaba para cosas más elevadas. *«El que salga victorioso heredará todas las cosas»*, añadió, *«y yo seré su Dios y él será mi hijo»*. Volvió a hacer una pausa para sonarse la nariz en un precioso pañuelo blanco, con lo que mi hermana aprovechó la ocasión para recordarle que en otro tiempo siempre le goteaba la nariz, pero nunca se la limpiaba. Grover la escuchó muy serio y después observó que se había curado de muchos malos hábitos. En aquel momento se despertó mi viejo y, al ver a Grover en persona sentado junto a él, se sobresaltó y por unos momentos pareció no estar seguro de si Grover era un fenómeno mórbido del sueño o una alucinación, pero la vista del pañuelo limpio le devolvió la lucidez. «¡Ah, eres tú!», exclamó. «El chico de los Watrous, ¿no? Bueno, hombre, ¿y qué haces aquí, por todos los santos?»

«He venido en nombre del Santo de Santos», dijo Grover tan campante. «Me ha purificado la muerte en el Calvario y estoy aquí en el dulce nombre de Cristo para que os redimáis y caminéis en la luz, el poder y la gloria.»

Mi viejo pareció aturdido. «Pero, hombre, ¿qué es lo que te ha pasado?», dijo, mostrando a Grover una débil sonrisa consoladora. Mi madre acababa de llegar de la cocina y se había quedado junto a la silla de Grover. Estaba haciendo una mueca con la boca para intentar dar a entender al viejo que Grover estaba chalado. Hasta mi hermana pareció darse cuenta de que algo raro le pasaba, sobre todo cuando se negó a visitar la nueva bolera que su amado pastor había instalado a propósito para jóvenes como Grover.

¿Qué le pasaba a Grover? Nada, excepto que tenía los pies sólidamente plantados en el quinto cimiento de la gran muralla de la Ciudad Santa de Jerusalén, el quinto cimiento compuesto enteramente de sardónice, desde el que dominaba la vista de un río puro de agua de vida que brotaba del trono de Dios. Y la vista de ese río de la vida era para Grover como la picadura de mil pulgas en su colon inferior. Hasta que hubiese dado al menos siete vueltas a la Tierra corriendo no iba a poder sentarse tranquilo a observar la ceguera e indiferencia de los hombres con alguna ecuanimidad. Estaba vivo y purificado y, aunque, para los espíritus indolentes y sucios de los cuerdos, estaba «chiflado», a mí me pareció infinitamente mejor así que antes. Era un pelmazo que no podía hacerte daño. Si lo escuchabas un buen rato, te purificaba un poco, aunque quizá no quedaras convencido. El nuevo y brillante lenguaje de Grover siempre se me metía hasta el diafragma y, mediante una risa tremenda, me limpiaba la porquería acumulada por la indolente cordura que me rodeaba. Estaba vivo como Ponce de León había esperado estarlo: vivo como sólo unos pocos hombres lo han estado. Y, al estar vivo de modo innatural, le importaba un comino que te rieras en sus narices, ni le habría importado que le robaras las pocas posesiones que tenía. Estaba vivo y vacío, lo que es tan próximo a Dios, que es demencial.

Con los pies sólidamente plantados en la gran muralla de la Nueva Jerusalén, Grover conocía un gozo inconmensurable. Quizá si no hubiera nacido con un pie deforme, no habría conocido ese gozo increíble. Quizás hubiese sido una suerte que su padre hubiera dado una patada a su madre en el vientre, mientras Grover estaba aún en la matriz. Tal vez hubiese sido aquella patada en el vientre lo que lo había hecho elevarse, lo que lo había vuelto tan completamente vivo y despierto, que hasta en el sueño pronunciaba mensajes de Dios. Cuanto más trabajaba, menos cansado se sentía. Ya no tenía más preocupaciones, ni remordimientos, ni recuerdos desgarradores. No reconocía deberes, ni obligaciones, salvo para con Dios. ¿Y qué esperaba Dios de él? Nada, nada... excepto que cantara alabanzas de Él. Dios sólo pedía a Grover Watrous que se revelara vivo en la carne. Sólo le pedía que estuviese cada vez más vivo. Y, cuando estaba del todo vivo, Grover era una voz y esa voz era un diluvio que reducía todas las cosas muertas a caos y ese caos, a su vez, se convirtió en la boca del mundo en cuyo centro mismo estaba el verbo *ser. En el principio era el Verbo, el Verbo era con Dios y el Verbo era Dios.* Conque Dios era ese extraño y pequeño infinitivo que es lo único que hay... ¿y no es bastante? Para Grover era más que suficiente: lo era todo. A partir de ese Verbo, ¿qué más daba el camino que siguiese? Separarse del Verbo era alejarse del centro, erigir una Babel. Quizá Dios hubiera lisiado deliberadamente a Grover Watrous para mantenerlo en el centro, en el Verbo. Mediante un cordón invisible, Dios mantenía a Grover Watrous sujeto a su estaca, que pasaba por el corazón del mundo, y Grover se convirtió en la gorda gansa que ponía un huevo de oro todos los días...

¿Por qué escribo sobre Grover Watrous? Porque he conocido a millares de personas y ninguna de ellas estaba tan viva como él. La mayoría de ellas eran más inteligentes, muchas de ellas brillantes, algunas famosas incluso, pero ninguna estaba viva y vacía como Grover. Grover era inagotable. Era como un trocito de radio que, aunque se lo sepulte bajo una montaña, no pierde su facultad de emitir energía. Había visto muchas personas de las llamadas *enérgicas* —¿acaso no está América llena de ellas?—, pero nunca un depósito inagotable de energía en forma de ser humano. ¿Y qué era lo que creaba ese depósito inagotable de energía? Una iluminación. Sí, ocurrió en un abrir y cerrar de ojos, única forma como ocurre algo importante. De la noche a la mañana Grover tiró por la borda sus valores preconcebidos. De repente, como si tal cosa, dejó de moverse como los demás. Echó el freno y dejó el motor en marcha. Si en otro tiempo había pensado, como otros, que era necesario llegar a algún sitio, ahora sabía que un sitio era cualquier sitio y, por tanto, aquí mismo, conque, ¿por qué moverse? ¿Por qué no aparcar el coche y mantener el motor en marcha? Entretanto, la propia Tierra gira y Grover sabía que giraba y que él giraba con ella. ¿Va la Tierra a algún sitio? Sin duda, Grover debió de hacerse esta pregunta y convencerse de que no iba a sitio alguno. Entonces, ¿quién había dicho que debíamos llegar a algún sitio? Grover preguntaba a éste y a aquél hacía dónde se dirigían y lo extraño era que, aunque todos se dirigían a sus destinos individuales, ninguno de ellos se detenía jamás a pensar que el único destino inevitable, igual para todos, era la tumba. Eso asombró a Grover, porque nadie podía convencerlo de que la muerte no era cosa segura, mientras que cualquiera podía convencer a cualquiera de que cualquier otro destino no era cosa segura. Convencido de la absoluta certeza de la muerte, Grover se volvió de pronto tremenda y abrumadoramente vivo. Por primera vez en su vida empezó a vivir y al mismo tiempo el pie deforme desapareció por completo de su conciencia. Esto es algo extraño también, si lo piensas, porque el pie deforme era, igualito que la muerte, otro hecho ineluctable. Y, sin embargo, el pie deforme desapareció de su mente o, lo que es más importante, todo lo que había ido unido a él. Del mismo modo, al haber aceptado la muerte, también la muerte desapareció de la mente de Grover. Al haber aceptado la certeza de la muerte, todas las incertidumbres desaparecieron. Ahora el resto del mundo iba cojeando con incertidumbres de pie deforme y Grover Watrous era el único libre y no impedido. Grover Watrous era la personificación de la certeza. Podía estar equivocado, pero estaba seguro. *¿Y de qué te sirve estar en lo cierto, si tienes que ir cojeando con un pie deforme?* Sólo unos pocos hombres han comprendido alguna vez esta verdad y sus nombres han pasado a ser grandes. Probablemente Grover Watrous no llegue a ser conocido nunca, pero no por ello deja de ser grande. Probablemente sea ésa la razón por la que escribo sobre él: la sencilla razón de que tuve suficiente juicio para comprender que Grover había alcanzado la grandeza, aun cuando nadie lo reconozca. En aquella época pensaba tan sólo que Grover era un fanático inofensivo, sí, un poco «chiflado», como insinuaba mi madre. Pero todos los hombres que comprendieron la verdad de la certeza estaban un poco chiflados y son los únicos que han llevado a cabo algo para el mundo. Otros hombres, otros *grandes* hombres, han destruido un poco aquí y allá, pero esos pocos de que hablo, y entre los cuales incluyo a

Grover Watrous, eran capaces de destruirlo todo para que la verdad viviera. Por lo general, esos hombres habían nacido con un impedimento, un pie deforme, por decirlo así, y, por una extraña ironía, lo único que los hombres recuerdan es el pie deforme. Si un hombre como Grover queda desposeído de su pie deforme, el mundo dice que ha llegado a estar «poseso». Ésa es la lógica de la incertidumbre y su fruto es la miseria. Grover fue el único ser alegre que conocí en mi vida y, en consecuencia, esto es un pequeño monumento que estoy erigiendo en su memoria, en memoria de esa certidumbre alegre. Es una lástima que tuviera que usar a Cristo de muleta, pero es que, ¿qué importa cómo llegues a la verdad, con tal de que la alcances y vivas gracias a ella?

Interludio

Confusión es una palabra que hemos inventado para un orden que no se entiende. Me gusta detenerme a pensar en aquella época en que las cosas estaban cobrando forma, porque el orden, de haberse entendido, debió de ser admirable. En primer lugar, debo citar a Hymie, Hymie el sapo, y también los ovarios de su mujer, que llevaban mucho tiempo pudriéndose. Hymie estaba por completo absorto en los podridos ovarios de su mujer. Era el tema diario de conversación; ahora tenía primacía sobre los purgantes y la lengua sucia. Hymie era especialista en «proverbios sexuales», como él los llamaba. Todo lo que decía partía de los ovarios o conducía a ellos. Pese a todo, seguía quilando con su mujer: prolongadas copulaciones, como de serpientes, en que solía fumar un cigarrillo o dos antes de sacarla. Trataba de explicarme que el pus de los podridos ovarios la ponía cachonda. Siempre había follado como los propios ángeles, pero ahora mejor que nunca. Una vez que le extirparan los ovarios, no se podía saber cómo reaccionaría. También ella parecía comprenderlo. Conque, ¡a follar se ha dicho! Todas las noches, después de lavar los platos, se desnudaban en su pisito y se acostaban como una pareja de serpientes. En varias ocasiones intentó describirme cómo follaba su mujer. Era como una ostra por dentro, con dientes suaves que lo mordisqueaban. A veces le parecía estar dentro mismo de su matriz, de blando y mullido que era, y aquellos suaves dientes que le mordían el canario y lo volvían loco. Solían yacer como tijeras y quedarse mirando el techo. Para no correrse, él pensaba en la oficina, en las pequeñas preocupaciones que lo tenían en vilo y le hacían sentir el corazón en un puño. Entre uno y otro orgasmo se ponía a pensar en otra, para que, cuando ella empezase a magrearlo de nuevo, pudiera imaginarse que estaba echando un polvo con otra tía. Solía colocarse de modo que pudiera mirar por la ventana, mientras soplaban. Se estaba habituando tanto a eso, que podía desnudar a una mujer que pasase por el bulevar, bajo su ventana, y transportarla a la cama; más aún: podía hacer que ocupara el lugar de su mujer, y todo ello sin sacarla. A veces, se pasaba dos horas jodiendo así y sin correrse siquiera. Como él decía: ¿para qué desperdiciarlo?

En cambio, Steve Romero las pasaba putas para contenerse. Steve tenía figura de toro y diseminaba su semen sin control. A veces cambiábamos impresiones en el restaurante chino, a la vuelta de la calle de la oficina. Era una atmósfera extraña. Tal vez porque no había vino. Tal vez por las curiosas setitas negras que nos servían. En cualquier caso, no era difícil sacar el tema a colación. Por lo general, cuando Steve se reunía con nosotros, ya había hecho su entrenamiento, se había duchado y se había dado fricciones. Estaba limpio por dentro y por fuera. Un ejemplar de hombre casi perfecto. No muy brillante, desde luego, pero buen chaval, buen compañero. En cambio, Hymie era como un sapo. Parecía venir a la mesa directamente desde las ciénagas donde había pasado el día ensuciándose. Llevaba churretes de mugre en torno a los labios, como si fuera miel. De hecho, en su caso no podía llamarse mugre, pues no había otro ingrediente con que compararla. Todo era una substancia fluida, viscosa, pegajosa, compuesta enteramente de sexo. Cuando miraba su comida, la veía como esperma en potencia; si el tiempo era cálido, decía que era bueno para los huevos; si montaba a un tranvía, sabía de antemano que su movimiento rítmico iba a estimularle el deseo, le iba a provocar una erección lenta y «personal», como él decía. Nunca conseguí saber por qué decía «personal», pero así la llamaba. Le gustaba salir con nosotros, porque siempre estábamos bastante seguros de conseguir algún ligue decente. Cuando salía solo, no siempre le iba tan bien. Con nosotros cambiaba de carne: jais gentiles, como él decía. Le gustaban las jais gentiles. Olían mejor que las judías, según él. También reían con mayor facilidad... A veces, en pleno tracatrá. Lo único que no podía tolerar era la carne obscura. Le asombraba y desagradaba verme salir con Valeska. En cierta ocasión, me preguntó si no olía como muy fuerte. Le dije que me gustaba así: fuerte y hediondo, con mucha salsa alrededor. Casi se sonrojó al oírme. Era asombroso lo delicado que podía ser para ciertas cosas. La comida, por ejemplo. Era muy melindroso con la comida. Tal vez se tratara de una peculiaridad racial. También era inmaculado en lo tocante a su persona. No podía ver una mancha en sus limpios puños. No paraba de cepillarse; a cada momento sacaba su espejo para ver si tenía restos de comida entre los dientes. Si encontraba una partícula, ocultaba la cara tras la servilleta y la extraía con su mondadientes de nácar. Naturalmente, los ovarios no podía verlos. Tampoco podía olerlos, porque también su mujer era una tía inmaculada. Pasaba el día duchándose en preparación de las nupcias nocturnas. Era trágica, la importancia que atribuía a sus ovarios.

Hasta el día en que se la llevaron al hospital, fue una auténtica máquina de joder. La idea de no poder volver a follar la aterraba hasta hacerla perder el juicio. Desde luego, Hymie le decía que, pasara lo que pasase, a él no le importaría. Pegado a ella como a una serpiente, con un cigarrillo en la boca y viendo pasar a las chicas abajo, en el bulevar, le resultaba difícil imaginar que una mujer no pudiera volver a joder. Estaba seguro de que la operación sería un éxito. *¡Un éxito!* Es decir, que jodería mejor que antes incluso. Solía decírselo, tumbado mirando al techo. «Tú sabes que siempre te querré», le decía. «Muévete un poquito, ¿quieres?... eso, así... muy bien. ¿Qué estaba diciendo? Ah, sí... claro, ¿por qué? ¿Por qué razón habrías de preocuparte de cosas así? Pues claro que te seré fiel. Oye, córrete un poquito... eso, así... así está bien.» Solía contárnoslo en el restaurante chino. Steve se moría de risa. Steve no podía hacer una cosa así. Era demasiado honrado... sobre todo con las mujeres. Por eso nunca tuvo suerte. El pequeño Curley, por ejemplo —Steve odiaba a Curley—, siempre conseguía lo que quería... Era un mentiroso nato, un impostor nato. A Hymie tampoco le gustaba mucho Curley. Decía que no era honrado, refiriéndose, por supuesto, a que no lo era en asuntos de dinero. Para cosas así Hymie era escrupuloso. Lo que le desagradaba sobre todo era cómo hablaba Curley de su tía. Ya era bastante grave, según Hymie, que se estuviera tirando a la hermana de su madre, pero presentarla como si fuese un trozo de queso rancio era demasiado para él. Hay que tener un poco de respeto hacia una mujer, siempre y cuando no sea una puta. Si es una puta, la cosa cambia. Las putas no son mujeres. Las putas son putas. Así lo veía Hymie.

Sin embargo, el motivo auténtico de su aversión era que, siempre que salían juntos, tocaba a Hymie bailar con la más fea. Y, además, es que por lo general el que pagaba era Hymie. Hasta cómo pedía Curley el dinero le irritaba: decía que era como una extorsión. Pensaba que en parte era culpa mía, que yo era demasiado indulgente con el chaval. «No tiene moral», decía Hymie. «¿*Y tú*? ¿Tienes moral?», le preguntaba yo. «¿*Yo*? ¡Qué leche! Yo soy demasiado viejo para tener moral, pero Curley todavía es un chaval.»

«Lo que te pasa es que tienes envidia», decía Steve.

«¿*Yo*? ¿Envidia a *ése*?» E intentaba desechar la idea con una risita desdeñosa. Una pulla de esa clase lo hacía sobresaltarse. «Oye», decía, dirigiéndose a mí, «¿Es que he tenido alguna vez envidia de ti? ¿Acaso no te he pasado una chavala, siempre que me lo has pedido? ¿Te acuerdas de aquella pelirroja de la oficina SU... la de las tetas grandes? ¿Es que no tenía un polvo fenomenal como para pasársela a un amigo? Pero lo hice, ¿no? Lo hice porque dijiste que te gustaban las tetas grandes. Pero no lo haría por Curley. Es un tramposo. Que se las busque solo».

En realidad, Curley se las buscaba con mucha habilidad. Debía de tener cinco o seis en el bote a un tiempo, por lo que pude deducir. Una era Valeska, por ejemplo: había llegado a tener una relación bastante estable con ella. Estaba tan encantada de tener a alguien que se la tirara sin sonrojarse, que, cuando llegó el momento de compartirlo con su prima y después con la enana, no tuvo el menor inconveniente. Lo que más le gustaba era meterse en la bañera y que él se la cepillase bajo el agua. Todo fue bien hasta que la enana descubrió el pastel. Entonces se armó una trifulca que acabó en reconciliación en el suelo de la sala. Tal como lo contaba Curley, hizo todo menos subirse a la araña. Y, además, siempre dinero en abundancia para sus gastos. Valeska era generosa, pero con la prima podías hacer lo que quisieras. Si llegaba a estar a menos de un metro de una picha tiesa, se derretía. Una bragueta desabrochada era suficiente para hacerla entrar en trance. Casi daba vergüenza lo que Curley la obligaba a hacer. Se complacía humillándola. Yo no podía censurárselo, pues era una tía increíblemente cursi y melindrosa, cuando iba vestida con ropa de salir. Por su forma de comportarse en la calle, era casi como para jurar que no tenía coño. Naturalmente, cuando estaba a solas con ella, la hacía pagar sus modales de presumida. Lo hacía a sangre fría. «¡Sácala!», le decía, abriéndose un poco la bragueta. «¡Sácala con la lengua!» (Se la tenía jurada a toda la pandilla, porque, según decía, se mamaban una a otra a sus espaldas.) El caso es que, una vez que sentía el sabor en la boca, podías hacer con ella lo que quisieras. A veces la hacía ponerse sobre las manos y la empujaba así por toda la habitación, como una carretilla. O bien lo hacía como los perros y, mientras ella gemía y culebreaba, él encendía un cigarrillo, como si tal cosa, y le echaba el humo entre las piernas. En cierta ocasión le jugó una mala pasada al hacerlo así. La había magreado hasta tal punto, que ella estaba fuera de sí. El caso es que, después de casi haberle sacado brillo al culo a fuerza de barrenarla por detrás, se retiró por un segundo, como para refrescarse la picha, y entonces, muy lenta y suavemente, le introdujo una zanahoria gorda y larga por el chocho. «Esto, señorita Abercrombie», dijo, «es como un doble de mi picha normal», y acto seguido se separó y se subió los pantalones. La prima Abercrombie se quedó tan pasmada, que se tiró un pedo tremendo y la zanahoria salió disparada. Al menos, así me lo contó Curley. Desde luego, era un mentiroso rematado y puede que no haya ni pizca de verdad en el relato, pero no se puede negar que tenía un don para esa clase de bromas. Por lo que se refiere a la señorita Abercrombie y sus elegantes modales de Narraganset, con una tía así siempre se puede imaginar lo peor. En comparación, Hymie era un purista. En cierto modo, Hymie y sus grueso pito circuncidado eran dos cosas distintas. Cuando tenía una erección personal, como él decía, se refería en realidad a que él no era el responsable. Quería decir que la Naturaleza estaba imponiéndose a través de él: gracias a su pito, el grueso pito circuncidado de Hymie Laubscher. Lo mismo ocurría con el coño de su mujer. Era algo que llevaba entre las piernas, como un adorno. Formaba parte de la señora Laubscher, pero no era la señora Laubscher en persona.

En fin, todo esto era sólo para dar idea de la confusión sexual general que imperaba en aquella época. Era como coger un piso en el País de la Jodienda. La chica del piso de arriba, por ejemplo... solía bajar a veces, cuando mi mujer estaba dando un recital, para cuidar de la niña. Era una bobalicona tan evidente, que al principio no le presté atención. Pero también tenía coño, como las demás, un como impersonal coño personal del que tenía conciencia inconscientemente. Cuanto más a menudo bajaba, más conciencia tomaba, a su modo insconsciente. Una noche, después de que hubiera permanecido en el baño un rato sospechosamente largo, me dio que pensar. Decidí espiar por el ojo de la cerradura y ver por mí mismo qué pasaba. Mira por dónde, estaba ante el espejo sobándose y acariciándose el chichi. Casi hablándole, estaba. Me excité tanto, que no supe qué hacer. Volví al salón, apagué la luz y me tumbé en el sofá a esperar a que saliera. Tendido así, seguía viendo su peludo coño y los dedos que parecían rasguear sobre él. Me abrí la bragueta para permitir al canario estremecerse al fresco y a obscuras. Intenté hipnotizarla desde el sofá o, al menos, dejar que mi canario la hipnotizara. «Ven aquí, zorra», decía una y otra vez para mis adentros, «ven aquí y pásame ese coño por encima». Debió de captar el mensaje al instante, pues en un santiamén había abierto la puerta y estaba buscando a tientas el sofá en la obscuridad. No dije palabra, ni hice el menor movimiento. Me limité a mantener la mente fija en su coño, que se movía silencioso en la obscuridad como un cangrejo. Por fin, se detuvo ante el sofá. Tampoco ella dijo ni palabra. Se limitó a permanecer ahí, en silencio, y, cuando le deslicé la mano piernas arriba, movió ligeramente un pie para abrirlas un poco más. No creo haber puesto en mi vida las manos sobre una pierna más jugosa. Era como engrudo corriéndole piernas abajo y, si hubiera tenido carteles a mano, habría podido pegar una docena o más. Unos momentos después, con la misma naturalidad que una vaca que baja la cabeza para pastar, se inclinó y se la metió en la boca. Yo le tenía metidos nada menos que cuatro dedos, con los que lo batía hasta hacer espuma. Tenía la boca taponada y el jugo le corría piernas abajo. Como digo, no pronunciamos palabra. Un par de maníacos mudos dándole al asunto sin parar en la obscuridad: como sepultureros, vamos. Era un paraíso del folleque y yo lo sabía y estaba dispuesto a joder hasta perder el juicio, si fuera necesario. Probablemente fuese la mujer con la que mejores polvos he echado en mi vida. No abrió el pico ni una sola vez: ni aquella noche, ni la siguiente, ni ninguna. Bajaba así, sigilosa, en la obscuridad, tan pronto como se olía que estaba solo, y me cubría completamente con el coño. Además, era un coño enorme, ahora que lo pienso de nuevo. Un laberinto obscuro y subterráneo, provisto de divanes, dientes de goma, celindas, rincones acogedores, edredones y hojas de morera. Me metía en él como el gusano solitario y me escondía en una pequeña hendidura en que reinaba un silencio sepulcral: tan apacible y tranquila, que me tendía en ella como un delfín en un banco de ostras. Un tironcito y era como estar en el coche-cama leyendo un periódico o en un atolladero en el que había guijarros redondos y musgosos y puertecitas de mimbre que se abrían y cerraban automáticamente. A veces era como bajar por el tobogán, una profunda zambullida y después una rociada de cangrejos de mar hormigueantes, mientras los juncos se balanceaban febriles y las agallas de los pececillos me lamían como agujeros de armónica. En la inmensa gruta negra había un órgano de seda y jabón tocando una música rapaz y tenebrosa. Cuando se lanzaba a fondo, cuando soltaba todo el jugo, producía una púrpura violácea, un tinte morado intenso como el crepúsculo, un crepúsculo ventrílocuo como el que disfrutan las enanas y las cretinas, cuando menstrúan. Me hacía pensar en caníbales mascando flores, en bantúes enloquecidos, en unicornios salvajes apareados en lechos de rododendros. Todo era anónimo e inarticulado: Fulano de Tal y su esposa, Mengana de Tal; por encima de nosotros, los gasómetros y, por debajo, la vida marina. De cintura para arriba estaba, como digo, chiflada. Sí, majareta perdida, aunque aún a flote. Quizá por eso fuera su coño tan maravillosamente impersonal. Era un coño de entre un millón, una auténtica perla de las Antillas, como la que Dick Osborn encontró leyendo a Joseph Conrad. Yacía en el vasto Pacífico del sexo, arrecife centelleante de anémonas, estrellamares y madréporas humanas. Sólo un Osborn podría haberla descubierto, con la lentitud y longitud de coño correctas. Encontrarla de día, verla chiflarse poco a poco, era como atrapar una comadreja a la caída de la noche. Lo único que tenía que hacer era tumbarme en la obscuridad con la bragueta abierta y esperar. Era como Ofelia resucitada de repente entre los cafres. No podía recordar ni palabra de lengua alguna, sobre todo de inglés. Era una sordomuda que había perdido la memoria y, con ella, el refrigerador, los rulos, las pinzas y el bolso. Estaba más desnuda incluso que un pez, exceptuando la mata de pelo entre las piernas. Y era más escurridiza incluso que un pez, pues, al fin y al cabo, un pez tiene escamas y ella no. A veces no estaba claro si estaba yo dentro de ella o ella dentro de mí. Era la guerra declarada, el nuevo pancracio, en que cada uno de nosotros se mordía el culo propio. El amor entre los tritones y la compuerta abierta de par en par. Amor sin género ni desinfectante. Amor en incubación, como el que practican los glotones de América más allá del lindero del bosque. A un lado, el océano Ártico; al otro, el golfo de México. Y, aunque nunca aludíamos a él explícitamente, siempre estaba con nosotros King Kong, King Kong dormido en el casco hundido del Titanic entre los fosforescentes huesos de los millonarios y las lampreas. No había lógica que pudiera alejar a King Kong. Era el armazón gigantesco que sostiene la efímera angustia del alma. Era la tarta de boda con piernas peludas y brazos de una legua de largos. Era la pantalla giratoria por la que van pasando las noticias, el orificio del revólver que nunca disparó, el leproso armado de gonococos con los cañones recortados.

Allí, en el vacío de la hernia, hice mis tranquilas meditaciones por la vía del pene. En primer lugar, el teorema binonio, expresión que siempre me había dejado perplejo: lo coloqué bajo la lupa y lo estudié de pe a pa. Y el logos, que en cierto modo había identificado siempre con el aliento: descubrí que era, al contrario, una especie de estasis obsesiva, una máquina que seguía moliendo maíz mucho después de que se hubieran llenado los graneros y hubiesen expulsado a los judíos de Egipto. Y después Bucéfalo, más fascinante para mí que ninguna otra palabra de todo mi vocabulario: lo sacaba a relucir siempre que estaba en un aprieto y con él, naturalmente, Alejandro y todo su séquito imperial. ¡Qué caballo! Engendrado en el océano Índico, el último de la estirpe y nunca apareado, excepto con la Reina de las Amazonas durante la aventura mesopotámica. ¡Y también el gambito escocés! Expresión asombrosa que nada tenía que ver con el ajedrez. Siempre lo imaginaba como un hombre con zancos, página 2.498 del *Unabridged Dictionary* de Funk y Wagnell. Un gambito era como un salto en la obscuridad con piernas mecánicas. Un salto sin objeto: *de ahí, ¡gambito!* Más claro que el agua y lo más sencillo del mundo, una vez que lo comprendías. Y, además, Andrómeda, la Gorgona Medusa y Cástor y Pólux, de origen divino, gemelos mitológicos eternamente fijos en el efímero embeleso. Más la lucubración, palabra claramente sexual y que, sin embargo, sugería connotaciones cerebrales inquietantes. Siempre «lucubraciones de media noche», en que la media noche adquiría una significado siniestro. Y, por último, la «tapicería de Arrás». En una u otra época, habían apuñalado a alguien «tras la tapicería de Arrás». Vi una palia de amianto con un desgarrón tremendo, como el que podría haber hecho el propio César.

Era, como digo, una meditación muy sosegada, como la que debieron de permitirse con ganas los hombres de la antigua Edad de Piedra. Las cosas no eran ni absurdas ni explicables. Era un rompecabezas que, cuando te cansabas, podías apartar con dos dedos. Todo podía apartarse con facilidad, hasta las montañas del Himalaya. Era justo el pensamiento opuesto al de Mahoma. Como no llevaba absolutamente a ningún sitio, era ameno. En un abrir y cerrar de ojos se podía derribar el grandioso edificio que podías construir durante un polvo largo. Lo que contaba era el polvo y no la construcción. Era como vivir en el Arca durante el Diluvio, donde no faltaba nada, ni siquiera un destornillador. ¿Qué necesidad había de asesinar, violar o cometer incesto, cuando lo único que te pedían era que matases el tiempo? Lluvia, lluvia, lluvia, pero dentro del Arca todo seco y calentito, una pareja de cada especie y, en la despensa, jamones de Westfalia, huevos frescos, aceitunas, cebollitas en vinagre, salsa de Worcertershire y otras golosinas. Dios me había escogido a mí, Noé, para fundar un nuevo Cielo y una nueva Tierra. Me había dado un barco sólido con todos los maderos calafateados y secados adecuadamente. También me había transmitido los conocimientos para navegar por los mares tempestuosos. Tal vez cuando dejara de llover habría otros conocimientos que adquirir, pero para el presente bastaban las técnicas náuticas. El resto era ajedrez en el Café Royal de la Segunda Avenida, sólo que tenía que imaginar a un contrincante, un sagaz talento judío que hiciese durar la partida hasta que cesaran las lluvias. Pero, como he dicho antes, no tenía tiempo para aburrirme; tenía a mis viejos amigos, Logos, Bucéfalo, la tapicería de Arrás, la lucubración, etcétera. ¿Para qué jugar al ajedrez?

Encerrado así durante días y noches sin interrupción, empecé a comprender que el pensamiento, cuando no es masturbación, es lenitivo, curativo, placentero. El pensamiento que no te lleva a ningún sitio te conduce a todas partes; todas las demás clases de pensamiento discurren por carriles y, por lejos que lleguen, al final siempre acaban en la estación o en el depósito de locomotoras. Al final siempre hay un farol rojo que dice: ¡ALTO! Pero, cuando el pene se pone a pensar, no hay alto ni obstáculo: es una fiesta perpetua, el cebo fresco y el pez que no cesa de picar. Cosa que me recuerda a otra ja, Verónica no sé qué más, quien siempre me hacía pensar en cosas inoportunas. Con Verónica siempre había un forcejeo en el vestíbulo. En la pista de baile creías que iba a hacerte obsequio permanente de sus ovarios, pero, tan pronto como salía afuera, se ponía a pensar, a pensar en el sombrero, en el bolso, en su tía que estaba esperándola arriba, en la carta que había olvidado echar, en el empleo que iba a perder: toda clase de pensamientos absurdos e inoportunos, que nada tenían que ver con el asunto del momento. Era como si de repente hubiese conectado el cerebro con el coño: el coño más despierto y sagaz que imaginarse pueda. Era casi un coño metafísico, por decirlo así, un coño que resolvía problemas y de modo especial, además, con metrónomo. Para aquella clase de lucubración rítmica dislocada era esencial una luz mortecina peculiar. Tenía que haber suficiente obscuridad para un murciélago y, aun así, bastante luz para encontrar un botón que por casualidad se desprendiera y rodase por el suelo del vestíbulo. Queda claro, me parece, lo que quiero decir. Una precisión vaga, pero meticulosa, una conciencia firme que simulaba distracción y vacilante e indecisa a un tiempo, por lo que nunca se podía determinar si se trataba de chicha o de limonada. *¿Qué es esto que tengo en la mano? ¿Bueno o superior?* La respuesta estaba siempre chupada. Si la agarrabas de las tetas, chillaba como una cotorra; si le metías mano bajo el vestido, culebreaba como una anguila; si la apretabas demasiado, te mordía como un hurón. Se resistía, se resistía y se resistía. ¿Por qué? ¿Qué se proponía? ¿Cedería al cabo de una hora o dos? Ni soñarlo. Era como una paloma que intentara volar con las patas apresadas en una trampa de acero. Fingía no tener patas. Pero, si hacías un movimiento para liberarla, amenazaba con desplumarse sobre ti.

Como tenía un culo tan maravilloso y era más inaccesible que la leche, me recordaba al Pons Asinorum. Cualquier escolar sabe que el Pons Asinorum sólo pueden cruzarlo dos asnos blancos conducidos por un ciego. No sé por qué es así, pero ésa es la regla, tal como la estableció el viejo Euclides. Era tan sabio, el viejo buitre, que un día —tan sólo para divertirse, supongo— construyó un puente que ningún mortal podía cruzar nunca. Lo llamó el Pons Asinorum porque poseía un par de hermosos asnos blancos y estaba tan encariñado con ellos, que no permitía que nadie se los arrebatara. Y, por eso, concibió un sueño en que él, el ciego, conduciría un día los asnos sobre el puente y hasta los afortunados terrenos de caza de los asnos. Bueno, pues, a Verónica le pasaba más o menos lo mismo. Tenía en tan alto concepto su hermoso culo blanco, que no quería desprenderse de él por nada del mundo. Quería llevárselo con ella al Paraíso, llegado el momento. En cuanto a su coño —al que, por cierto, nunca hacía referencia—, era un simple accesorio que la acompañaba. En la tenue luz del vestíbulo, sin mencionar en ningún momento a las claras sus dos problemas, no sé cómo, pero te hacía tomar conciencia incómoda de ellos. Es decir, te hacía tomar conciencia al modo de un prestidigitador. Te dejaba ver o tocar tan sólo para engañarte al final, tan sólo para demostrarte que no habías visto ni tocado. Era un álgebra sexual muy sutil, la lucubración de media noche que te valdría un 9 o un 10 el día siguiente, pero nada más. Te examinabas, obtenías tu diploma y después te soltaban. Entretanto usabas el culo para sentarte y el coño para hacer aguas. Entre el libro de texto y el retrete había una zona intermedia en la que no debías entrar nunca, porque se denominaba jodienda. Podías meterte el dedito y echar una meadita, pero follar no. Nunca se apagaba la luz del todo, el sol nunca entraba a raudales. Siempre la luz o la obscuridad suficientes para distinguir un murciélago. Y precisamente ese tenue y espectral parpadeo de luz era lo que mantenía la mente despierta, al acecho, por decirlo así, de bolsos, lápices, botones, llaves, etcétera. No podías pensar de verdad, porque ya estabas utilizando la mente. La mente se mantenía pronta, como una butaca de teatro vacía en la que el ocupante hubiera dejado la chistera.

Como digo, Verónica tenía un coño charlatán, lo que no era bueno, porque su única función parecía ser la de hablar para que no le echaras un polvo. En cambio, Evelyn tenía un coño risueño. Vivía también en el piso de arriba, pero en otra casa. Siempre venía corriendo a la hora de comer para contarnos un chiste. Era una cómica de primera, la única mujer graciosa de verdad que he conocido en mi vida. Todo era broma, incluida la jodienda. Podía hacer reír hasta a una picha tiesa, lo que ya es decir. Dicen que una picha tiesa no tiene conciencia, pero una picha tiesa que, además, se ría es fenomenal. La única forma como puedo describirlo es diciendo que, cuando se excitaba, Evelyn hacía ventriloquia con el coño. Estabas a punto de metérsela, cuando el muñeco que tenía entre las piernas soltaba una carcajada de repente. Al mismo tiempo, alargaba los brazos hacia ti y te daba un tironcito y pellizquito juguetón. También sabía cantar, aquel muñeco de coño. De hecho, se comportaba exactamente como una foca amaestrada.

Nada hay más difícil que hacer el amor en un circo. La continua representación del número de la foca amaestrada la volvía más inaccesible que si hubiera estado protegida por barrotes de hierro. Podía destrozar la erección más «personal» del mundo: a fuerza de risas. Al mismo tiempo no era tan humillante como se podría pensar. Había algo de compasión en aquella risa vaginal. El mundo entero parecía desenrollarse como una película pornográfica cuyo trágico tema fuese la impotencia. Podías verte como perro o comadreja o conejo blanco. Evelyn estaba siempre tumbada en el sembrado de coles con las piernas bien abiertas y ofreciendo una hoja verde brillante al primero que llegase. Pero, si hacías un movimiento para mordisquearla, el sembrado de coles rompía a reír, con una risa radiante, fresca, vaginal como Jesús H. Cristo e Immanuel Kant el Cauteloso nunca soñaron, porque, de lo contrario, el mundo no sería lo que es hoy y, además, no habría habido ni Kant ni Cristo Todopoderoso. La mujer raras veces ríe, pero cuando lo hace es como un volcán. Cuando la mujer ríe, lo mejor que puede hacer el hombre es largarse al refugio contra ciclones. Nada quedará en pie ante esa carcajada vaginal, ni siquiera el hormigón armado. Cuando se le despierta la capacidad de reír, la mujer puede superar en risa a la hiena, el chacal o el gato montés. De vez en cuando se la oye en una tertulia de linchadores. Significa que ha saltado la tapa, que todo vale. Significa que va a salir de caza... y ten cuidado, ¡no te vaya a cortar los cojones! Significa que, si se acerca la peste, ELLA llega primero y con enormes correas de púas que te arrancarán la piel a tiras. Significa que se acostará no sólo con Tom, Dick y Harry, sino también con el Cólera, la Meningitis y la Lepra; significa que se tumbará en el altar como una yegua en celo y aceptará a todos los que se presenten, incluido el Espíritu Santo. Significa que demolerá en una noche lo que el pobre hombre, con su habilidad logarítmica, tardó cinco mil, diez mil, veinte mil años en construir. Lo demolerá y meará y, una vez que se eche a reír en serio, no habrá quien la detenga. Y, cuando he dicho de Verónica que su risa podía acabar con la erección más «personal» imaginable, hablaba en serio: podía acabar con la erección *personal* y a cambio te daba una impersonal, que era como una baqueta al rojo vivo. Puede que no llegaras muy lejos con la propia Verónica, pero con lo que tenía para ofrecerte podías hacer un largo viaje, con toda seguridad. Una vez que entrabas dentro del radio de alcance de su oído, era como si te hubieses tomado una sobredosis de cantárida. Nada del mundo podía bajártela de nuevo, a no ser que la pusieras bajo una almádena.

Así era a todas horas, aunque cada palabra que digo sea mentira. Era una gira personal por el mundo impersonal, un hombre con un desplantador diminuto en la mano cavando un túnel a través de la tierra para llegar al otro lado. El propósito era llegar por el túnel al otro lado y encontrar por fin la ría de la Culebra, el *non plus ultra* de la luna de miel de la carne. Y, naturalmente, no se acababa nunca de cavar. Lo máximo a que podía aspirar era a quedarme atascado en el centro inerte de la Tierra, donde la presión era mayor y más uniforme en todos los sentidos, y permanecer ahí atascado para siempre. Eso me haría sentir como Ixión en la rueda, clase de salvación que no hay que despreciar totalmente. Por otro lado, yo era un metafísico de la especie instintivista: me era imposible quedarme atascado en parte alguna, ni siquiera en el centro inerte de la Tierra.

Tenía que encontrar a toda costa el polvo metafísico y gozarlo y para eso me vería obligado a salir a una altiplanicie enteramente nueva, una meseta de dulce alfalfa y monolitos pulidos, donde las águilas y los buitres volaran al azar.

A veces, sentado en un parque al anochecer, sobre todo en un parque cubierto de papeles y restos de comida, veía pasar a una, una que parecía ir al Tíbet, y la seguía con los ojos desorbitados y la esperanza de que alzara el vuelo de repente, pues sabía que, si lo hacía, si alzaba el vuelo, yo también sería capaz de volar y eso pondría fin a la tarea de cavar y revolcarse. A veces, probablemente a causa del crepúsculo u otras alteraciones, parecía como si en verdad volara al doblar una esquina. Es decir, que de repente se elevaba del suelo por espacio de unos metros, como un avión con exceso de carga, pero esa simple elevación repentina e involuntaria, ya fuese real o imaginaria, me daba esperanza, me infundía valor para mantener los ojos, aún desencajados, inmóviles en el sitio.

Había megáfonos por dentro que gritaban: «Sigue, no te pares, persevera», y tonterías así. Pero, ¿por qué? ¿Con qué fin? ¿Adónde? ¿De dónde? Ponía el despertador para estar levantado y activo a determinada ahora, pero, *¿por qué levantado y activo?* ¿Por qué levantarse siquiera? Con aquel diminuto desplantador en la mano, trabajaba como un galeote sin la menor esperanza de recompensa. Si seguía en línea recta, iba a cavar el agujero más profundo que jamás haya cavado un hombre. Por otro lado, si de verdad hubiera deseado llegar al otro lado de la Tierra, ¿no habría sido mucho más sencillo tirar el desplantador y tomar un aeroplano para China? Pero el cuerpo *sigue* a la mente. La cosa más sencilla para el cuerpo no siempre es fácil para la mente. Y, cuando resulta más difícil y embarazoso, es en el momento en que los dos empiezan a seguir direcciones opuestas.

Trabajar con el desplantador era maravilloso: dejaba la mente en completa libertad y, aun así, nunca había el menor peligro de que se separaran uno de la otra. Si el animal hembra empezaba de repente a gemir de placer, si le daba de pronto un ataque de placer, con las mandíbulas moviéndose como cordones de zapatos antiguos, el pecho jadeando y las costillas crujiendo, si la chorba empezaba de improviso a caerse en pedazos por el suelo, desplomarse de goce y exasperación, en ese preciso momento, ni un segundo antes ni después, la prometida meseta aparecía en el horizonte como un barco que saliera de la niebla y no quedaba más remedio que plantarle las rayas y las estrellas y tomar posesión de ella en nombre del Tío Sam y de todo lo sagrado. Esos reveses ocurrían con tanta frecuencia, que era imposible no creer en la realidad de un reino llamado jodienda, porque ése era el único nombre que se le podía dar, y, sin embargo, era algo más que jodienda y jodiendo tan sólo empezabas a aproximarte a él. Todo el mundo había plantado en un momento u otro la bandera en aquel territorio, pero nadie podía reclamar su propiedad permanente. Desaparecía de la noche a la mañana... a veces en un abrir y cerrar de ojos. Era la Tierra de Nadie y apestaba a muertes invisibles que la cubrían. Si se declaraba una tregua, te encontrabas en ese terreno y te dabas la mano o trocabas tabaco. Pero las treguas nunca duraban mucho. Lo único que parecía tener permanencia era la idea de la «zona intermedia». En ella volaban las balas y los cadáveres se apilaban; luego llovía y, al final, no quedaba sino hedor.

Todo esto es hablar en sentido figurado sobre lo inmencionable. Lo inmencionable es la jodienda y el folleque puros: sólo deben mencionarse en las ediciones de lujo; de lo contrario, el mundo se deshará en pedazos. La amarga experiencia me ha enseñado que lo que sostiene el mundo es la relación sexual. Pero la *jodienda* de verdad, el *folleque* de verdad, parece contener un elemento no identificado que es mucho más peligroso que la nitroglicerina. Para hacerse una idea de lo fetén, hay que consultar el catálogo de los almacenes Rears-Roebuck, aprobado por la Iglesia Anglicana. En la página 23 encontrarás un grabado de Príapo haciendo malabarismos con un sacacorchos en la punta de la pilila; está de pie a la sombra del Partenón por error: sólo lleva un taparrabos que le prestaron para esa ocasión los *Holly Rogers* de Oregón y Saskatchewan. Por conferencia interurbana preguntan si deben vender al descubierto o no. Dice *idos a tomar por culo* y cuelga el aparato. En segundo plano Rembrandt está estudiando la anatomía de nuestro Señor Jesucristo, a quien, como recordaréis, crucificaron los judíos y después llevaron a Abisinia para que lo golpearan con tejos y otros objetos. El tiempo parece bueno y más cálido, como de costumbre, a no ser por una ligera niebla que se levanta del mar Jónico; es el sudor de los huevos de Neptuno castrados por los primeros monjes o quizá por los maniqueos de la época de la plaga de Pentecostés. Largas tiras de carne de caballo cuelgan a secar y las moscas andan por todas partes, tal como describe Homero en la antigüedad. Muy cerca hay una máquina trilladora McCormick, segadora y agavilladora con motor de treinta y seis caballos y sin interruptor. Ha acabado la siega y los trabajadores están contando su salario en los campos distantes. Es la aurora arrebolada el primer día de relación sexual en el antiguo mundo helenístico, ahora fielmente reproducido para nosotros en color gracias a los Hermanos Zeiss y otros pacientes y entusiastas defensores de la industria. Pero éste no es el aspecto que ofrecía a los hombres de la época de Homero que estaban en aquel lugar. Nadie sabe qué aspecto tenía el dios Príapo, cuando se vio reducido a la ignominia de balancear un sacacorchos en la punta de la pilila. De pie, así, a la sombra del Partenón, se puso a soñar sin duda con jais lejanas; debió de perder conciencia del sacacorchos y de la máquina trilladora y segadora; debió de volverse muy silencioso en su interior y perder, por último, hasta el deseo de soñar. Mi idea —y, desde luego, estoy dispuesto a que me corrijan, si me equivoco— es que estando así, en medio de la niebla que se alzaba, oyó de repente el repique del Ángelus y, ¡oh, maravilla!, ante sus propios ojos apareció un hermoso terreno verde de pantanos en que los chocktaws estaban divirtiéndose con los navajos; encima, por el aire, había cóndores blancos, con los collarines festoneados de caléndulas. También vio una enorme pizarra en que aparecía escrito el cuerpo de Cristo, el cuerpo de Absalón y el mal, que es la lujuria. Vio la esponja empapada en sangre de ranas, los ojos que Agustín se cosió en la piel, el manto que no era lo bastante grande como para tapar nuestras iniquidades. Vio esas cosas en el antiquísimo momento en que los navajos estaban divirtiéndose con los chocktaws y se llevó tal sorpresa, que de repente salió una voz de entre sus piernas, de la larga caña pensante que había perdido en el sueño, y se trataba de la voz más aguda y chillona, la más jubilosa y feroz que jamás haya salido a carcajadas de las profundidades. Se puso a cantar con su larga picha y con gracia y elegancia tan divinas, que los blancos cóndores bajaron del cielo y cagaron enormes huevos purpúreos por toda la verde zona de los pantanos. Cristo Nuestro Señor se levantó de su lecho de piedra y, pese a estar marcado por el tejo, bailó como una cabra montesa. Los *fellaheen* salieron de Egipto encadenados, seguidos por los belicosos igorrotes y los comedores de caracoles de Zanzíbar.

Así estaban las cosas el primer día de relación sexual en el antiguo mundo helenístico. Desde entonces las cosas han cambiando mucho. Ya no es de buena educación cantar con la pilila, ni se permite siquiera a los cóndores cagar huevos purpúreos por todo el lugar. Todo eso es escatológico —en los dos sentidos de la palabra— y ecuménico. Prohibido. *Verboten.* Y, por eso, el País de la Jodienda cada vez se aleja más: se vuelve mitológico. Así, pues, me veo obligado a hablar mitológicamente. Hablo con extrema unción y también con ungüentos preciosos. Dejo de lado los estruendosos címbalos, las tubas, las caléndulas blancas, las adelfas y los rododendros. ¡Vivan las correas y las esposas! Cristo está muerto y destrozado con tejos. Los *fellaheen* palidecen en las arenas de Egipto, con las muñecas esposadas sin apretar. Los buitres han devorado hasta la última pizca de carne en descomposición. Todo está en calma, un millón de ratones de oro que mordisquean el queso invisible. Ha salido la Luna y el Nilo rumia sus estragos ribereños. La Tierra eructa en silencio, las estrellas se estremecen y gimen, los ríos se desbordan. Es así... Hay coños que ríen y coños que hablan; hay coños locos, histéricos, con forma de ocarina, y coños lujuriantes, sismográficos, que registran la subida y bajada de la savia; hay coños caníbales, que se abren de par en par como las mandíbulas de la ballena y te tragan vivo; hay también coños masoquistas, que se cierran como las ostras y tienen conchas duras y quizás una perla o dos dentro; hay coños ditirámbicos, que se ponen a bailar en cuanto se acerca el pene y se empapan de éxtasis; hay coños puercoespines, que sueltan sus púas y agitan banderitas en Navidad; hay coños telegráficos, que practican el código Morse y dejan la mente llena de puntos y rayas; hay coños políticos, que están saturados de ideología y niegan hasta la menopausia; hay coños vegetativos, que no dan respuesta, a no ser que los extirpes de raíz; hay coños religiosos, que huelen como los adventistas del Séptimo Día y están llenos de abalorios, gusanos, conchas de almeja, excrementos de oveja y, de vez en cuando, migas de pan; hay coños mamíferos, que están forrados con piel de nutria e hibernan durante el largo invierno; hay coños navegantes, equipados como yates, idóneos para solitarios y epilépticos; hay coños glaciales, en los que puedes dejar caer estrellas fugaces sin causar el menor temblor; hay coños diversos, que se resisten a cualquier clasificación o descripción, con los que te tropiezas una vez en la vida y que te dejan mustio y marcado; hay coños hechos de pura alegría, que no tienen nombre ni antecedente y son los mejores de todos, pero, ¿adónde han ido a derramarse?

Y, por último, existe el cono que lo es todo y vamos a llamarlo supercoño, pues no es de esta tierra, sino de ese país radiante adonde hace mucho nos invitaron a huir. En él el rocío siempre centellea y las altas cañas se inclinan con el viento. En él vive el gran padre de la fornicación, el Padre Apis, el toro profético que se abrió paso a cornadas hasta el cielo y destronó a las deidades castradas del bien y del mal. De Apis surgió la raza de los unicornios, ese ridículo animal de que hablan los escritos antiguos cuya culta frente se estiró hasta convertirse en un falo fulgurante, y del unicornio derivó en fases graduales el hombre de la ciudad reciente del que habla Oswald Spengler. Y de la picha muerta de este triste espécimen surgió el gigantesco rascacielos con sus rápidos ascensores y sus torres de observación. Somos el último punto decimal del cálculo sexual; el mundo gira como un huevo podrido en su canasta de paja. Ahora hablemos de las alas de aluminio con que volar a ese lugar lejano, el radiante país donde vive Apis, padre de la fornicación. Todo avanza como relojes lubricados; por cada minuto de la esfera hay un millón de relojes silenciosos que van pelando las cáscaras del tiempo. Viajamos más rápido que la calculadora relámpago, más que la luz de las estrellas, más que el pensamiento del mago. Cada segundo es un universo de tiempo. Y cada universo de tiempo no es sino un pestañeo de sueño en la cosmogonía de la velocidad. Cuando la velocidad llegue a su fin, allí estaremos, puntuales como siempre y dichosamente anónimos. Nos desprenderemos de nuestras alas, relojes y repisas de chimenea en que apoyarnos. Nos levantaremos ligeros y alborozados, como una columna de sangre, y no habrá recuerdo que nos vuelva a derribar. Llamo a ese tiempo reino del supercoño, pues desafía a la velocidad, el cálculo y la imaginación. Tampoco el propio pene tiene tamaño ni peso conocidos. Sólo hay la sensación continua de la jodienda, el fugitivo en pleno vuelo, la pesadilla que fuma su tranquilo puro. El pequeño Nemo se pasea con una erección de siete días y un maravilloso par de cojones azules legados por la Señora Abundancia. Es domingo por la mañana a la vuelta de la esquina del Cementerio de Hoja Perenne.

Es domingo por la mañana y estoy tumbado, felizmente muerto para el mundo, en mi cama de hormigón armado. A la vuelta de la esquina está el cementerio: el *mundo de la relación sexual.* Me duelen los cojones de tanta jodienda como hay, pero todo está ocurriendo bajo mi ventana, en el bulevar donde Hymie tiene su nido de copular. Estoy pensando en una mujer y el resto es confuso. Digo que estoy pensando en ella, pero la verdad es que muero de muerte estelar. Estoy tumbado ahí como una estrella enferma esperando a que se extinga la luz. Hace años estuve tumbado en esta misma cama y esperé y esperé para nacer. Nada ocurrió. Excepto que mi madre, con su furia luterana, me tiró encima un cubo de agua. Mi madre, pobre imbécil, pensaba que yo era un vago. No sabía que me había atrapado la corriente estelar, que me estaba pulverizando hasta la atroz extinción ahí fuera, en el confín más remoto del universo. Creía que era pura pereza lo que me mantenía clavado a la cama. Me tiró encima el cubo de agua: me retorcí y estremecí un poco, pero seguí tumbado ahí, en mi cama de hormigón armado. Era inamovible. Era un meteoro apagado y a la deriva por las inmediaciones de Vega.

Y ahora estoy en la misma cama y la luz que hay en mí se niega a extinguirse. El mundo de hombres y mujeres está divirtiéndose en los jardines del cementerio. Están teniendo relaciones sexuales, Dios los bendiga y yo estoy solo en el País de la Jodienda. Me parece oír el traqueteo de una gran máquina, los brazaletes de la linotipia pasando por el rodillo del sexo. Hymie y la ninfómana de su esposa están tumbados al mismo nivel que yo, pero al otro lado del río. El río se llama Muerte y tiene sabor amargo. Lo he vadeado muchas veces, con agua hasta las caderas, pero, no sé por qué, no me ha petrificado ni inmortalizado. Sigo ardiendo vivamente por dentro, pese a estar muerto por fuera como un planeta. De esta cama me he levantado para bailar, no una, sino centenares, miles de veces. Cada vez que me retiraba, tenía el convencimiento de que había bailado la danza del esqueleto en un *terrain vague*. Tal vez hubiera desperdiciado gran parte de mi substancia sufriendo; tal vez tuviese la loca idea de que sería la primera floración metalúrgica de la especie humana; tal vez estuviese imbuido con la idea de que era a la vez subgorila y superdiós. En esta cama de hormigón armado recuerdo todo y todo es de cristal de roca. No hay nunca animal alguno, sólo miles y miles de seres humanos hablando todos a la vez, y para cada palabra que pronuncian tengo respuesta inmediata, a veces antes de que la palabra salga de su boca. Se mata con ganas, pero sin sangre. Se perpetran los asesinatos con limpieza y siempre en silencio. Pero, aun cuando asesinaran a todo el mundo, seguiría habiendo conversación, que sería complicada y a la vez fácil de seguir. Porque, ¡soy yo quien la crea! Lo sé y por eso es por lo que nunca me vuelve loco. Tengo conversaciones que no pueden producirse hasta dentro de veinte años, cuando encuentre a la persona indicada, la que voy a crear, digamos, cuando llegue el momento adecuado. Todas esas charlas se producen en un solar vacío que está unido a mi cama como un colchón. En un tiempo le di un nombre, a este *terrain vague:* lo llamé Ubiguchi, pero, no sé por qué, Ubiguchi nunca me satisfizo; era demasiado inteligible, estaba demasiado cargado de significado. Sería mejor dejarlo en *terrain vague*, que es lo que voy a hacer. La gente cree que el vacío es la nada, pero no es así. El vacío es una plenitud discordante, un mundo atestado de fantasmas en que el alma sale a hacer reconocimiento. Recuerdo haber estado de niño en el solar vacío como si fuera un alma muy viva y desnuda sobre un par de zapatos. Me habían robado el cuerpo, porque no lo necesitaba en particular. Entonces podía existir con cuerpo o sin él. Si mataba un pajarillo, lo asaba al fuego y me lo comía, no era porque tuviese hambre, sino porque quería saber de Timbuctú o Tierra del Fuego. Tenía que estar en el solar vacío y comer pájaros muertos para crear el deseo de esa tierra resplandeciente en la que más adelante viviría solo y poblaría de nostalgia. Esperaba cosas definitivas de ese lugar, pero quedé deplorablemente decepcionado. Llegué lo más lejos que se puede en estado de entumecimiento y después, en virtud de una ley que debe de ser la de la creación, me dio un arrebato y empecé a vivir inagotablemente, como una estrella de luz inextinguible. Entonces empezaron las auténticas excursiones caníbales que tanto han significado para mí: no más pajaritos muertos recogidos de la hoguera, sino carne humana viva, tierna, carne humana suculenta, secretos como hígados frescos y sanguinolentos, confidencias como tumores hinchados y conservados en hielo. Aprendí a no esperar a que muriera mi víctima, sino a devorarla mientras me hablaba. Muchas veces, cuando dejaba una comida sin acabar, descubrí que no era sino un viejo amigo menos un brazo o una pierna. A veces lo dejaba allí: un tronco lleno de hediondos intestinos.

Por ser de la ciudad, de la única ciudad del mundo, y no hay lugar en el mundo como Broadway, solía pasearme para arriba y para abajo contemplando los jamones iluminados con reflectores y otras golosinas. Era un esquizerino desde las suelas de las botas hasta las puntas del cabello. Vivía exclusivamente en el gerundio, que sólo entendía en latín. Mucho antes de que leyera sobre ella en *The Black Book*, cohabitaba con Hilda, la gigantesca coliflor de mis sueños. Pasamos juntos por todas las enfermedades morganáticas y algunas *ex cathedra*. Vivíamos en el armazón de los intestinos y nos alimentábamos de recuerdos ganglionares. Nunca había *un* universo, sino millones y billones de universos, todos los cuales no ocupaban juntos más espacio que una cabeza de alfiler. Era un sueño vegetal en la selva del espíritu. Era el pasado, el único que abarca la eternidad. Entre la fauna y la flora de mis sueños, oía llamadas interurbanas. Los deformes y los epilépticos dejaban mensajes en mi mesa. A veces venía a verme Hans Castorp y juntos cometíamos delitos inocentes. O, si era un día claro y glacial, daba una vuelta por el velódromo con mi bicicleta Presto de Chemniz, Bohemia.

Lo mejor de todo era la danza del esqueleto. Primero me lavaba todos los miembros en el fregadero, me cambiaba de muda, me afeitaba, me peinaba, me ponía los escarpines de bailar. Sintiéndome anormalmente ligero por dentro y por fuera, entraba y salía serpenteando de la multitud un rato para captar el ritmo humano característico, el peso y la substancia de la carne. Después iba derecho a la pista de baile, cogía un cacho de carne casquivana e iniciaba la pirueta otoñal. Así fue como entré una noche en el local del griego peludo y me tropecé con ella. Parecía amoratada, blanca como la tiza, sin edad. No había sólo la corriente de acá para allá, sino también la caída infinita, la voluptuosidad del desasosiego intrínseco. Era ágil y apetitosamente llenita a un tiempo. Tenía la mirada marmórea de un fauno sumido en lava. Ha llegado el momento, pensé, de volver a la periferia. Di un paso hacia el centro, simplemente para notar que el suelo se movía bajo mis pies. La Tierra se deslizaba rápida bajo mis perplejos pies. Volví a salir de la cintura terrestre y, ¡oh, maravilla!, tenía las manos llenas de flores meteóricas. Extendí mis manos ardientes hacia ella, pero era más escurridiza que la arena. Recordé mis pesadillas favoritas, pero no se parecía a nada que me hubiera hecho sudar y farfullar. En mi delirio me puse a hacer cabriolas y a relinchar. Compré ranas y las apareé con sapos. Pensé en la cosa más fácil de hacer, que es morir, pero nada hice. Me quedé quieto y empecé a petrificarme en las extremidades. Fue tan maravilloso, tan curativo, tan eminentemente sensible, que me eché a reír hasta lo más profundo de las vísceras, como una hiena enloquecida por el celo. ¡Quizá me convirtiera en una piedra de Rosetta! Me quedé quieto y esperé. Llegó la primavera y el otoño y luego el invierno. Renové mi póliza de seguros automáticamente. Comí hierba y las raíces de árboles caducos. Me quedé sentado días enteros mirando la misma película. De vez en cuando me cepillaba los dientes. Si me disparabas con una automática, las balas se desviaban y hacían un extraño tat-tat-tat al rebotar contra la pared. En cierta ocasión, en una calle obscura, derribado por un maleante, sentí que un cuchillo me penetraba de parte a parte. Sentí como un baño de agujas. Por extraño que parezca, el cuchillo no me dejó agujeros en la piel. La experiencia fue tan original, que me fui a casa y me clavé cuchillos en todas las partes del cuerpo. Más baños de agujas. Me senté, saqué todos los cuchillos y volví a maravillarme de que no hubiera ni rastro de sangre, ni agujeros, ni dolor. Estaba a punto de morderme el brazo, cuando sonó el teléfono. Era una conferencia interurbana. Nunca supe quién hacía las llamadas, porque nadie se ponía al aparato. Sin embargo, la danza del esqueleto...

La vida pasa a la deriva por el escaparate. Estoy tendido en él como un jamón iluminado esperando a que caiga el hacha. En realidad, no hay nada que temer, porque todo está pulcramente cortado en lonchitas y envuelto en celofán. De repente, todas las luces de la ciudad se apagan y las sirenas dan la alarma. La ciudad está envuelta en gas venenoso, explotan bombas, cuerpos despedazados vuelan por los aires. Hay electricidad por todos lados y sangre, esquirlas y altavoces. Los hombres que van por los aires están locos de alegría; los de abajo gritan y braman. Cuando el gas y las llamas han devorado toda la carne, comienza la danza del esqueleto. Miro desde el escaparate, que ahora está a obscuras.

Es mejor que el Saco de Roma, porque hay más cosas que destruir.

¿Por qué bailan los esqueletos tan extáticamente?, me pregunto. ¿Es la caída del mundo? ¿Es la danza de la muerte tantas veces anunciada? El espectáculo de millones de esqueletos bailando en la nieve, mientras la ciudad se desploma, es pavoroso. ¿Volverá a crecer algo jamás? ¿Saldrán niños de la matriz? ¿Habrá comida y vino? Desde luego, hay hombres por el aire. Bajarán a saquear. Habrá cólera y disentería y los que estaban arriba y triunfantes perecerán como los demás. Tengo la viva sensación de que voy a ser el último hombre sobre la tierra. Saldré del escaparate, cuando todo haya acabado, y me pasearé tranquilo por entre las ruinas. Dispondré de la Tierra entera para mí.

¡Conferencia interurbana! Para comunicarme que no estoy del todo solo. Entonces, ¿no ha sido completa la destrucción? Es desalentador. El hombre no es capaz siquiera de destruirse a sí mismo; sólo puede destruir a los demás. Estoy asqueado. ¡Qué malicioso tullido! ¡Qué crueles ilusiones falsas! Así, que hay otros de la especie por ahí y van a poner orden en este desbarajuste y a empezar de nuevo. Dios bajará otra vez en carne y hueso y cargará con la culpa. Harán música, construirán cosas de piedra y lo consignarán todo en libros. ¡Pufff! ¡Qué ciega tenacidad! ¡Qué torpes ambiciones!

Vuelvo a estar en la cama. El antiguo mundo griego, el alba de la relación sexual... ¡y Hymie! Hymie Laubscher siempre en el mismo nivel, mirando hacia abajo, hacia el bulevar al otro lado del río. Hay un momento de calma en la fiesta nupcial y nos han servido los buñuelos de almejas. *Córrete un poquito*, dice. *Eso, así, ¡muy bien!* Oigo croar ranas en la ciénaga frente a mi ventana. Grandes ranas de cementerio alimentadas por los muertos.

Están todas amontonadas en la relación sexual; croan de alegría sexual.

Ahora comprendo cómo fue concebido y traído al mundo Hymie, ¡Hymie el sapo! Su madre estaba en el fondo de la compresa y Hymie, que entonces era un embrión, estaba oculto en su bolsa. Eran los primeros días de relación sexual y no había reglas del Marqués de Queensbury que pusieran trabas. Era joder y ser jodido... y el último, que pagase el pato. Ha sido siempre así desde la época de los griegos: un polvo a ciegas en el lodo y después un desove rápido y luego la muerte. La gente folla en diferentes niveles, pero siempre es una ciénaga y la cama siempre está destinada al mismo fin. Cuando se derriba la casa, queda siempre la cama en pie: el altar cosmosexual.

Estaba ensuciando la cama con mis sueños. Tendido en el hormigón armado, mi alma abandonaba el cuerpo y vagabundeaba de un lado para otro en un carrito como el que usan en los almacenes para facilitar el cambio. Yo hacía cambios y excursiones ideológicas; era un vagabundo en el país del cerebro. Todo estaba absolutamente claro para mí por estar hecho en cristal de roca; en cada salida estaba escrito en grandes caracteres: ANIQUILACIÓN. El miedo a la extinción me solidificó; el cuerpo se convirtió en un trozo de hormigón armado. Quedó adornado con una erección permanente del mejor gusto. Había alcanzado ese estado de vacío tan ardientemente deseado por ciertos miembros devotos de los cultos esotéricos. Había dejado de ser. *Ni siquiera era una erección personal.*

Por aquella época fue cuando adopté el seudónimo de Samson Lackawanna y empecé mis saqueos. El instinto criminal que había en mí se impuso. Mientras que hasta entonces había sido sólo un alma errante, una especie de *dybbuck* gentil, en adelante me convertí en un fantasma con carne. Había adoptado el nombre que me gustaba y bastaba con que actuara por instinto. En Hong Kong, por ejemplo, entré como vendedor de libros. Llevaba una cartera de cuero llena de dólares mexicanos y visité religiosamente a todos los chinos que necesitaban completar sus estudios. En el hotel llamaba para pedir mujeres como si se tratara de whisky con soda. Por las mañanas estudiaba tibetano para preparar el viaje a Lhasa. Ya hablaba *yiddish* con fluidez y hebreo también. Podía contar dos columnas de números a la vez. Era tan fácil estafar a los chinos, que volví a Manila hastiado. Allí me hice cargo de un señor Rico y le enseñé el arte de vender libros sin gastos de envío. Todo el beneficio provenía de las tarifas de transporte marítimo, pero fue suficiente para permitirme una vida lujosa, mientras duró.

El aliento se había convertido en un truco tanto como la respiración. Las cosas no eran sólo dobles, sino múltiples. Me había convertido en una jaula de espejos que reflejaba el vacío. Pero, una vez postulado al vacío firmemente, estaba en mi elemento y lo que se llama creación consistía en llenar agujeros. El carrito me llevó cómodamente de un lugar a otro y en cada pequeño receptáculo del gran vacío dejé caer una tonelada de poemas para borrar la idea de aniquilación. Tenía siempre ante mí perspectivas infinitas. Empecé a vivir en la perspectiva, como una motita microscópica en la lente de un telescopio gigantesco. No había noche en la que descansar. Era perpetua luz estelar en la árida superficie de planetas muertos. De vez en cuando, un lago negro como el mármol en que me veía caminando entre brillantes orbes de luz. Tan bajas colgaban las estrellas y tan deslumbrante era la luz que emitían, que parecía como si el universo estuviese a punto de nacer. Lo que intensificaba la impresión era que estaba solo; no sólo no había animales, ni árboles, ni otros seres, sino que, además, ni siquiera había una brizna de hierba, ni siquiera una raíz muerta. En aquella luz violenta e incandescente sin el menor rastro de sombra siquiera, el propio movimiento parecía ausente. Era como una llamarada de pura conciencia, el pensamiento hecho Dios. Y Dios, por primera vez, que yo supiese, estaba perfectamente afeitado. Yo también estaba perfectamente afeitado, impecable, lo que se dice exacto. Vi mi imagen en los lagos de mármol negro y estaba adornada con estrellas. Estrellas, estrellas... como un golpe entre los ojos y todos los recuerdos esfumados al instante. Era Samson y también Lackawanna y estaba muriendo como un ser en el éxtasis de la conciencia plena.

Y ahora estoy aquí, navegando río abajo en mi pequeña canoa. Todo lo que deseéis que haga lo haré... gratis. Éste es el País de la Jodienda, en el que no hay animales ni árboles ni estrellas ni problemas. Aquí el espermatozoide es dueño y señor. Nada va determinado de antemano; el futuro es absolutamente incierto; el pasado, inexistente. Por cada millón que nacen, 999.999 están condenados a morir y a no volver a nacer. Pero el que mete un gol tiene asegurada la vida eterna. La vida se comprime en una semilla, que es un alma. Todo tiene alma, incluidos minerales, plantas, lagos, montañas, rocas. Todo es sensible, incluso en la fase más baja de la conciencia.

Una vez entendido ese hecho, no puede haber más desesperación. En la base misma de la escala, *chez* los espermatozoides, existe el mismo estado de bienaventuranza que en la cima, *chez* Dios. Dios es la suma de todos los espermatozoides, que han alcanzado la conciencia plena. Entre la base y la cima no hay parada, no hay estación intermedia. El río nace en algún lugar de la montaña y fluye hasta el mar. En ese río que conduce hasta Dios, la canoa es tan útil como el acorazado. Desde el comienzo mismo la travesía es de regreso a casa.

Navegando río abajo... Lento como la lombriz intestinal, pero lo bastante diminuto como para tomar todas las curvas. Y, además, escurridizo como una anguila. ¿Cómo te llamas?, grita alguien. *¿Que cómo me llamo? Hombre, pues, llámame Dios simplemente... Dios, el embrión.* Sigo navegando. A alguien le gustaría comprarme un sombrero. ¿Cuál es tu talla, imbécil?, grita. *¿Qué talla? Hombre, pues, ¡la talla X!* (¿Y por qué me gritan siempre? ¿Acaso creen que estoy sordo?) El sombrero se pierde en la próxima catarata. *Tant pis*... para el sombrero. ¿Acaso necesita sombrero Dios? Lo único que Dios necesita es llegar a ser Dios, cada vez más. Todo este navegar, todos estos escollos, el tiempo que pasa, el paisaje y sobre el paisaje el *hombre*, billones y billones de cosas llamadas hombre, como semillas de mostaza. Ni siquiera en el embrión tiene memoria Dios. El telón de fondo de la conciencia se compone de ganglios infinitesimales, una capa de pelo suave como la lana. La cabra montesa está sola en el Himalaya; no se pregunta cómo ha llegado a la cima. Pasta tranquila en medio del *décor;* cuando llegue el momento, volverá a bajar. No aparta el hocico del suelo, mientras va buscando el poco alimento que ofrecen los picos de las montañas. En ese extraño estado capricorniano de embriosis, Dios, el macho cabrío, rumia con estólido deleite entre los picos de las montañas. Las altas elevaciones alimentan el germen de la separación que un día lo apartará por completo del alma del hombre, lo convertirá en un padre desolado, semejante a una roca, condenada a vivir eternamente en un vacío inconcebible. Pero primero vienen las enfermedades morganáticas, de las que hemos de hablar ahora...

Existe un estado de miseria que es irremediable... porque su origen se pierde en la obscuridad. Los almacenes Bloomingdale´s, por ejemplo, pueden producir ese estado. Todos los grandes almacenes son símbolos de enfermedad y vacío, pero el de Bloomingdale´s es mi enfermedad especial, mi enfermedad obscura e incurable. En el caos de Bloomingdale´s hay un orden, pero es absolutamente demencial para mí: es el orden que encontraría en la cabeza de un alfiler, si la colocara bajo el microscopio. El orden de una serie accidental de accidentes accidentalmente concebidos. Ese orden tiene, sobre todo, un olor... y es el olor de Bloomingdale´s el que infunde terror en mi corazón. En Bloomingdale's me desintegro por completo: me derramo gota a gota en el suelo, una masa indefensa de tripas, huesos y cartílago. Hay un olor, no a descomposición, sino a asociación desacertada. El hombre, el miserable alquimista, ha reunido en un millón de formas y figuras, substancias y esencias que nada tienen en común, porque en su mente hay un tumor insaciable que lo está devorando; ha abandonado la pequeña canoa que lo llevaba gozosa río abajo para construir un barco mayor y más seguro con sitio para todos. Sus trabajos lo llevan tan lejos, que ha olvidado por completo la razón por la que abandonó la pequeña canoa. El arca está tan llena de cachivaches, que se ha convertido en un edificio inmóvil por encima de un pasaje subterráneo en el que prevalece y predomina el olor a linóleo. Reúne todo el significado oculto en la miscelánea intersticial de los almacenes Bloomingdale´s y colócalo en una cabeza de alfiler y lo que te quede será un universo en que las grandes constelaciones se mueven sin el menor peligro de colisión. Ese caos microscópico es el que causa mis dolencias morganáticas. En la calle me pongo a apuñalar caballos al azar o alzo unas faldas aquí y allá en busca de un buzón o pego un sello de correos a una boca, un ojo, una vagina. O decido de pronto subir, como una mosca, un edificio alto y, llegado al techo, me echo a volar con alas auténticas y vuelo, vuelo y vuelo, recorriendo ciudades como Weehawken, Hoboken, Hackensack, Canarsie, Bergen Beach en un abrir y cerrar de ojos. Una vez que te conviertes en un auténtico esquizerino, volar es la cosa más fácil del mundo; el truco consiste en volar con el cuerpo etéreo, dejar tras ti en Bloomingdale´s el saco de huesos, tripas, sangre y cartílago; volar sólo con tu yo inmutable, que, si te detienes a reflexionar un momento, siempre está equipado con alas. Volar así, en pleno día, presenta ventajas frente al vuelo nocturno ordinario a que se entrega todo el mundo. Puedes detenerte en cualquier momento, con la misma rapidez y decisión que si pisaras el freno; no te cuesta encontrar tu otro yo, porque en el momento en que lo dejas, eres tu otro yo, es decir, el llamado yo entero. Sólo, que, como demuestra la experiencia de Bloomingdale's, ese yo entero del que tanto se ha alardeado, se cae en pedazos con mucha facilidad. El olor a linóleo, por alguna razón extraña, siempre me hará desplomarme en el suelo. Es el olor de todas las cosas innaturales que estaban pegadas a mí, que se habían juntado, por decirlo así, por consentimiento negativo.

Hasta después de la tercera comida no empiezan a desaparecer los dones matinales, legados por las uniones falsas de los antepasados, y la auténtica roca del yo, la roca feliz, emerge de la basura del alma. A la caída de la noche, el universo de cabeza de alfiler empieza a expandirse. Se expande orgánicamente, desde una motita nuclear infinitesimal, al modo como se forman los minerales o las constelaciones. Corroe el caos circundante como una rata que horada el queso. Todo el caos podría juntarse en la cabeza de un alfiler, pero el yo, microscópico al comienzo, crece hasta convertirse en un universo desde cualquier punto del espacio. No es el yo sobre el que se escriben libros, sino el yo eterno que se ha arrendado durante milenios a hombres con nombres y fechas, el yo que empieza y acaba como un gusano, que *es* el gusano en el queso llamado mundo. Así como la brisa más ligera puede poner en movimiento un vasto bosque, así también, gracias a un insondable impulso desde dentro, el yo semejante a una roca puede empezar a crecer y en ese crecimiento nada puede prevalecer contra él. Es como el frío en acción y el mundo entero en un cristal de ventana. Ni asomo de trabajo ni sonido ni lucha ni descanso; el crecimiento del yo prosigue, implacable, despiadado, incesante. Sólo dos platos en el menú: el yo y el no yo. Y una eternidad para elaborarlo. En esa eternidad, que nada tiene que ver con el tiempo ni con el espacio, hay interludios en que se produce algo así como un deshielo. La forma del yo se descompone, pero el yo, como el clima, permanece. Por la noche la materia amorfa del yo adopta las formas más fugaces; el error penetra por las troneras y el vagabundo se suelta de su puerta. Esa puerta, que el cuerpo lleva encima, si se la abre al mundo, conduce a la aniquilación. Es la puerta por la que sale el mago en todas las fábulas; nadie ha leído nunca que haya regresado por esa mismísima puerta. Si se abre hacia dentro, hay infinitas puertas, todas parecidas a escotillones: no hay horizontes visibles ni líneas aéreas ni ríos ni mapas ni boletos. Cada *couche* es tan sólo un alto por la noche, ya sea de cinco minutos o de diez mil años. Las puertas no tienen picaportes y nunca se desgastan. Lo más importante que se debe observar: no hay fin a la vista. Todos esos altos de noche, por decirlo así, son como exploraciones abortivas de un mito. Puedes ir a tientas, orientarte, observar fenómenos pasajeros; hasta puedes sentirte en casa. Pero no hay modo de echar raíces. En el preciso momento en que empiezas a sentirte «establecido», se hunde todo el terreno, el suelo bajo los pies va a la deriva, las constelaciones se sueltan de sus amarras, todo el universo conocido, incluido el yo imperecedero, empieza a moverse silenciosa, ominosa, estremecedoramente sereno y despreocupado, hacia un destino desconocido e invisible. Todas las puertas parecen abrirse a la vez; la presión es tal, que se produce una implosión y, en la rápida zambullida, el esqueleto estalla en pedazos. Semejante debió de ser el hundimiento gigantesco que Dante experimentó, cuando se situó en el Infierno; no era un fondo lo que tocó, sino un núcleo, un centro inerte desde el que se computa el propio tiempo. Ahí comienza la comedia, pues ahí es donde se ve que es divina.

Todo esto es para decir que, al pasar una noche por la puerta giratoria del *Amarillo Dance Hall* hace unos doce o catorce años, se produjo el gran acontecimiento. El interludio que imagino como el País de la Jodienda, ámbito temporal más que espacial, es para mí el equivalente de ese Purgatorio que Dante ha descrito con todo detalle. Al poner la mano en la barandilla metálica de la puerta giratoria del *Amarillo Dance Hall*, todo lo que yo había sido antes, era y había de ser se desplomó. No había nada de irreal en ello; el propio momento en que nací se esfumó, arrastrado por una corriente más fuerte. Así como antes me habían expulsado de la matriz como un bulto, así también me desviaban ahora de nuevo hacia un vector intemporal donde el proceso de crecimiento se mantiene en suspenso. Pasé al mundo de los efectos. No había miedo, sólo una sensación de fatalidad. Mi espina dorsal estaba enchufada al tumor; me hallaba contra el cóccix de un nuevo mundo implacable. En la zambullida el esqueleto voló en pedazos y dejó al yo inmutable tan desvalido como un piojo aplastado.

Si desde este punto no empiezo, es porque no hay comienzo. Si no vuelo al instante a la tierra radiante, es porque de nada sirven las alas. Es la hora cero y la Luna está en el nadir...

No sé por qué recuerdo a Maxie Schnadig, a no ser por Dostoyevski. La noche en que me senté a leer a Dostoyevski por primera vez fue un acontecimiento de la mayor importancia en mi vida, más importante incluso que mi primer amor. Fue el primer acto deliberado, consciente, que tuvo sentido para mí; cambió la faz del mundo por completo. Ya no sé si es verdad que el reloj se paró en el momento en que alcé la vista después del primer trago intenso. Pero el mundo se detuvo en seco, eso lo sé. Fue mi primera vislumbre del alma de un hombre, ¿o debería decir simplemente que Dostoyevski fue el primer hombre que me reveló su alma? Quizás hubiera sido yo ya un poco raro antes, sin darme cuenta, pero desde el momento en que me sumergí en Dostoyevski fui clara e irrevocablemente raro y satisfecho de serlo. El mundo ordinario, despierto, cotidiano, había acabado para mí. También murió cualquier ambición o deseo de escribir que tuviese... y por mucho tiempo. Era como los hombres que han estado mucho tiempo en las trincheras, demasiado tiempo bajo el fuego. La aflicción, la envidia y las ambiciones humanas ordinarias... eran pura y simple mierda para mí.

Concibo mejor mi estado, cuando pienso en mis relaciones con Maxie y su hermana Rita. En aquella época a Maxie y a mí nos interesaba el deporte. Solíamos ir a nadar juntos con mucha frecuencia, eso lo recuerdo bien. Muchas veces pasábamos todo el día y toda la noche en la playa. Sólo había visto a la hermana de Maxie una o dos veces; siempre que mencionaba su nombre, Maxie se ponía a hablar precipitadamente de otra cosa. Eso me fastidiaba, porque la compañía de Maxie me aburría mortalmente y sólo lo soportaba porque me prestaba dinero de buen grado y me compraba cosas que necesitaba. Siempre que salíamos para la playa, yo abrigaba la esperanza de que apareciese su hermana inesperadamente. Pero no; siempre se las arreglaba para mantenerla fuera de mi alcance. Pues bien, un día, mientras nos desnudábamos en la caseta y me enseñaba el escroto duro y apretado que tenía, le dije de improviso: «Mira, Maxie, están muy bien tus pelotas, son cosa fina y no tienes por qué preocuparte de ellas, pero, ¿dónde cojones anda Rita todo el tiempo? ¿Por qué no te la traes alguna vez y me dejas echar un vistazo a su beo?... sí, el *beo*, ya sabes a qué me refiero». Como Maxie era judío de Odesa, nunca había oído la palabra «beo». Mis palabras lo escandalizaron profundamente y, aun así, se sintió intrigado también por aquella palabra nueva. Me respondió, como aturdido: «Huy, por Dios, Henry, ¡no deberías decirme una cosa así!». «¿Por qué no?», contesté. «Tiene coño, tu hermana, ¿no?» Estaba yo a punto de añadir algo más, cuando le dio un tremendo ataque de risa. Eso salvó la situación, de momento. Pero, en el fondo, a Maxie no le hizo gracia la idea. Durante todo el día estuvo preocupado, aunque en ningún momento volvió a referirse a nuestra conversación. No, estuvo muy calladito aquel día. La única forma de venganza que se le ocurrió fue incitarme a que fuera nadando más allá de la zona de seguridad con la esperanza de que quedara agotado y me ahogase. Yo veía con tal claridad lo que le pasaba por la cabeza, que me sentía poseído por la fuerza de diez hombres. Enseguidita me iba a ahogar yo sólo porque diera la casualidad de que su hermana, como todas las mujeres, tuviese un coño.

Aquello sucedió en Far Rockaway. Después de habernos vestido y haber comido, experimenté de repente la necesidad de estar solo, conque, muy bruscamente, en una esquina le di la mano y le dije adiós. ¡Y ahí me quedé! Casi al instante me sentí solo en el mundo, solo como sólo te sientes en momentos de extrema angustia. Creo que estaba mondándome los dientes distraído, cuando esa ola de soledad me acertó de lleno, como un tornado. Me quedé ahí, en la esquina de la calle, y me palpé todo el cuerpo para ver si había recibido algún golpe. Era inexplicable y al tiempo maravilloso, muy estimulante, como un tónico doble, podríamos decir. Cuando digo que estaba en Far Rockaway, quiero decir que estaba en el fin de la tierra, en un lugar llamado Xanthos, si es que existe un lugar así, y, desde luego, tendría que existir una palabra así para referirse a ningún lugar. Si hubiera aparecido Rita en aquel momento, no creo que la hubiese reconocido. Me habría convertido en un absoluto extranjero en medio de mis compatriotas. Me parecían locos, mis compatriotas, con sus caras recién bronceadas, sus pantalones de franela y medias perfectas. Habían estado bañándose como yo, porque era un esparcimiento agradable y saludable, y ahora, como yo, estaban rebosantes de sol y comida y un poco agobiados por el cansancio. Hasta que se apoderó de mí aquella soledad, yo también estaba un poco cansado, pero de pronto, parado ahí y completamente aislado del mundo, me desperté sobresaltado. Quedé tan electrizado, que no me atrevía a moverme por miedo a que fuera a cargar como un toro o a que me pusiese a subir por la pared de un edificio o a bailar y gritar. De pronto comprendí que todo aquello se debía a que yo era en realidad un hermano de Dostoyevski, a que quizá fuese yo el único hombre en América que sabía lo que quiso decir al escribir esos libros. No sólo eso: sentí, además, germinar en mi interior todos los libros que un día escribiría, a mi vez; me reventaban dentro como capullos de seda maduros. Y, como hasta entonces no había escrito sino cartas larguísimas sobre todo y sobre nada, me resultaba difícil darme cuenta de que llegaría un momento en que empezaría, cuando escribiese la primera palabra, *la primera palabra real*. ¡Y ese momento había llegado! Eso fue lo que empecé a comprender.

Hace un momento he usado la palabra Xanthos. No sé si existe un Xanthos o no y la verdad es que lo mismo me da una cosa que otra, pero tiene que haber un lugar en el mundo, quizás en las islas griegas, donde llegues al fin del mundo conocido y estés completamente solo y, sin embargo, no te asustes sino que te alegres, porque en ese retiro puedes sentir el antiguo mundo ancestral que es eternamente joven, nuevo y fecundante. Estás ahí, cualquiera que sea el lugar, como un pollito junto al cascarón del que acaba de salir. Ese lugar es Xanthos o, como en mi caso, Far Rockaway.

¡Allí estaba yo! Obscureció, se levantó viento, las calles quedaron desiertas y, por último, empezó a llover a cántaros. ¡La hostia! ¡Aquello sí que me mató! Cuando cayó la lluvia y la recibí de lleno en la cara mirando al cielo, de repente me puse a gritar de júbilo. Reí, reí y reí, igualito que un demente. Y no sabía de qué me reía. No pensaba en nada. Tan sólo sentía una alegría irresistible, estaba simplemente loco de placer al descubrir mi absoluta soledad. Si en aquel momento y lugar precisos me hubieran ofrecido un agradable y sabroso beo en una bandeja, si me hubiesen ofrecido todos los beos del mundo para que escogiera, no habría pestañeado. Tenía lo que ningún beo podía darme. Y justo en ese momento, empapado como una sopa, pero todavía exultante, pensé en la cosa que menos venía a cuento... *¡el billete de vuelta!* ¡Hostias! El cabrón de Maxie se había marchado sin dejarme un céntimo. Ahí me teníais con mi estupendo mundo antiguo en ciernes y sin un céntimo en el bolsillo. Herr Dostoyevski el Joven tuvo que ponerse entonces a andar por aquí y por allá escrutando los rostros amigables y los hostiles para ver si conseguía sacar a alguien diez centavos. Recorrió Far Rockaway de cabo a rabo, pero a todo el mundo parecía importarle tres cojones que estuviera bajo la lluvia y sin billete de vuelta. Andando por ahí con ese estupor y abatimiento animal que produce mendigar, me puse a pensar en Maxie, el escaparatista, y en que la primera vez que lo vi estaba en el escaparate vistiendo un maniquí. Y de aquello, en unos minutos, a Dostoyevski y después el mundo se detuvo en seco y luego, como un gran rosal que se abre de noche, la cálida, aterciopelada carne de su hermana Rita.

Y ahora viene lo más extraño... Unos minutos después de pensar en Rita, en su íntimo y extraordinario beo, estaba en el tren con destino a Nueva York y dormitando con una maravillosa y lánguida erección. Y —lo que es más extraño— cuando bajé del tren, cuando me había alejado una o dos manzanas de la estación, mira por dónde, voy y me tropiezo, al girar una esquina, con Rita precisamente. Y, como si hubiese recibido información telepática de lo que me pasaba por la cabeza, también ella estaba caliente de cintura para abajo. Poco después estábamos en un restaurante chino, sentados uno junto al otro en un pequeño reservado, comportándonos exactamente como un par de conejos en celo. En la pista de baile apenas nos movíamos. Estábamos apretados y así nos quedamos, dejando que nos empujaran y nos diesen codazos, como quisieran. Podría haberla llevado a mi casa, pues en aquella época estaba solo, pero no, tenía ganas de llevarla a su casa y allí de pie, en el vestíbulo, echarle un polvo en las narices de Maxie... cosa que hice. En pleno tracatrá, volví a pensar en el maniquí del escaparate y en el modo como se había reído aquella tarde, cuando dejé caer la palabra «beo». Estaba a punto de soltar una carcajada, cuando de repente sentí que se corría, uno de esos orgasmos largos, prolongados, como los que de vez en cuando le dan a una ja judía. Tenía las manos bajo su culo, con las puntas de los dedos dentro del coño, en el forro, por decirlo así; cuando empezó a estremecerse, la levanté del suelo y la subí y bajé despacito en la punta de la picha. Por su reacción, creí que iba a perder el juicio completamente. Debió de tener cuatro o cinco orgasmos así, en el aire, antes de que la pusiera de pie en el suelo. Me la saqué sin derramar una gota y la hice tumbarse en el vestíbulo. Su sombrero había rodado a un rincón y el bolso se había abierto y habían salido algunas monedas. Cito este detalle porque, antes de cepillármela como Dios manda, tomé nota mentalmente de no olvidar guardarme unas monedas para el billete de vuelta a casa. El caso es que hacía sólo unas horas que había dicho a Maxie en la caseta que me gustaría echar un vistazo al beo de su hermana y ahí lo tenía ahora, a huevo ante mí, empapado y echando un chorrito tras otro. Si se la habían follado antes, no lo habían hecho como Dios manda, eso desde luego. Y, por mi parte, nunca me había sentido en un estado de ánimo tan excelente, tranquilo, sereno, científico, como entonces, tumbado en el suelo del vestíbulo en las narices de Maxie, mojando el churro en el íntimo, sagrado y extraordinario beo de su hermana Rita. Habría podido contenerme una eternidad: era increíble lo indiferente que me sentía y, aun así, del todo consciente de cada sacudida y vibración de ella. Pero alguien tenía que pagar por haberme hecho andar bajo la lluvia en busca de una moneda. Alguien tenía que pagar el éxtasis producido por la germinación de todos esos libros no escritos que llevaba dentro de mí. Alguien tenía que comprobar la autenticidad de aquel coño íntimo, escondido, que había estado atormentándome durante semanas y meses. ¿Quién más apto que yo? Pensé tan intensa y rápidamente entre los orgasmos, que la picha debió de crecerme unos centímetros. Por fin, decidí acabar volviéndola y dándole por culo. Se resistió un poco al principio, pero cuando sintió que la sacaba, casi se volvió loca. «¡Oh, sí! ¡Sí, sí! ¡Hazlo, hazlo!», balbució y eso me excitó de verdad; apenas se la había metido, cuando sentí que venía: uno de esos largos y angustiosos chorros procedentes de la punta de la columna vertebral. Se la metí tan adentro, que sentí como si algo hubiese cedido. Caímos uno sobre el otro, exhaustos y jadeando como perros. Sin embargo, al mismo tiempo tuve presencia de ánimo para buscar a tientas unas monedas. No es que fuese necesario, pues ya me había prestado unos dólares: era para compensar la falta del billete de vuelta en Far Rockaway. Joder, ni siquiera entonces acabó ahí la cosa. No tardé en sentirla tantear primero con las manos y luego con la boca. Aún tenía como una semierección. Se la metió en la boca y empezó a acariciarla con la lengua. Vi el cielo. Cuando me quise dar cuenta, tenía el cuello entre sus piernas y la lengua recorriéndole el chocho. Y después tuve que subirme encima de ella otra vez y metérsela hasta las cachas. Culebreaba como una anguila, ¡palabra! Y después empezó a correrse otra vez, orgasmos prolongados, angustiosos, con unos gimoteos y balbuceos alucinantes. Al final, tuve que sacarla y decirle que parara. ¡Vaya un beo! ¡Y yo que sólo quería echarle un vistazo!

Maxie, con sus historias de Odesa, revivía algo que yo había perdido de niño. Aunque nunca tuve una imagen muy clara de Odesa, su aura era como el pequeño barrio de Brooklyn, que tanto significó para mí y del que me habían arrancado demasiado pronto. Lo siento con toda claridad, siempre que veo una pintura italiana sin perspectiva; si representa una procesión funeraria, por ejemplo, es exactamente la clase de experiencia que conocí de niño: de intensa inmediatez. Si representa una calle, las mujeres a las ventanas están sentadas *en* la calle y no encima ni fuera de ella. Todo el mundo se entera al instante de todo lo que sucede, exactamente como entre los pueblos primitivos. El asesinato está en el aire y reina el azar.

Así como en los primitivos italianos falta esa perspectiva, así también en el pequeño y antiguo barrio del que me desarraigaron de niño había esos planos verticales paralelos en los que todo sucedía y a través de los cuales se comunicaba todo, de una capa a otra, como por ósmosis. Las fronteras eran nítidas, estaban claramente marcadas, pero no eran infranqueables. Entonces, de niño, vivía cerca del límite entre la zona septentrional y la meridional. Nuestro barrio estaba un poco más al norte, a pocos pasos de una ancha avenida llamada North Second Street, que era para mí la auténtica línea divisoria entre el Norte y el Sur. El límite real era Grand Street, por la que se llegaba a Broadway Ferry, pero esta calle no significaba nada para mí, excepto que ya estaba empezando a llenarse de judíos. No, North Second Street era la calle del misterio, la frontera entre dos mundos.

Así, pues, vivía entre dos límites, uno real, imaginario el otro: como he vivido toda mi vida. Había una callecita que sólo tenía una manzana de larga y quedaba entre Grand Street y North Second Street, llamada Fillmore Place. Esa callecita salía en diagonal frente a la casa en que vivíamos, propiedad de mi abuelo. Era la calle más fascinante que he visto en mi vida. La calle ideal: para un niño, un amante, un maníaco, un borracho, un estafador, un libertino, un rufián, un astrónomo, un músico, un poeta, un sastre, un zapatero, un político. De hecho, era la calle que era, habitada por determinados representantes de la especie humana, cada uno de ellos un mundo en sí mismo y todos viviendo juntos armoniosa e inarmoniosamente, *pero juntos*, una corporación sólida, una espora humana compactamente trabada que no podía desintegrarse sin que se desintegrara la propia calle.

Así parecía, al menos. Hasta que abrieron el puente de Williamsburg, a lo que siguió la invasión de los judíos procedentes de Delancey Street (Nueva York). Eso produjo la desintegración de nuestro pequeño mundo, de la callecita llamada Fillmore Place, que, como su nombre indicaba, era una calle de valor, dignidad, luz, sorpresas. Llegaron los judíos, como digo, y como polillas empezaron a devorar la trama de nuestras vidas hasta que no quedó sino esa presencia parecida a la de las polillas que llevaban consigo a todas partes. Pronto la calle empezó a oler mal, pronto la población auténtica se mudó de barrio, pronto las casas empezaron a deteriorarse y hasta las escaleras de los porches fueron cayéndose poco a poco, como la pintura. Pronto la calle pareció una boca sucia en que faltaran todos los dientes delanteros y con feos raigones ennegrecidos asomando aquí y allá, con labios podridos y sin paladar. Pronto la basura te llegaba a las rodillas en el arroyo y las escaleras de emergencia estaban llenas de ropa de cama hinchada, cucarachas, sangre seca. Pronto apareció el rótulo *kosher* en los escaparates y por todas partes había aves de corral, salmón ahumado, pepinillos agrios y enormes hogazas de pan. Pronto hubo coches de niño en todas las puertas, en los porches y delante de las tiendas. Y con el cambio desapareció también la lengua inglesa; no se oía sino *yiddish*, sólo esa lengua farfullante, asfixiante, chirriante en que Dios y las verduras podridas suenan igual y significan lo mismo.

Fuimos una de las primeras familias que se cambiaron de barrio, tras la invasión. Dos o tres veces al año volvía al antiguo barrio, por un cumpleaños, por Navidad o por el Día de Acción de Gracias. En cada visita notaba la pérdida de algo que había amado y adorado. Era como una pesadilla. Iba de mal en peor. La casa en que aún vivían mis parientes era como una antigua fortaleza que amenazaba ruina; estaban aislados en una de las alas de la fortaleza, llevando una vida solitaria, propia de una isla, y empezaban a parecer, a su vez, pusilánimes, acosados, degradados. Incluso empezaron a hacer distinciones entre sus vecinos judíos, pues algunos de ellos les parecían muy humanos, muy decentes, limpios, amables, comprensivos, caritativos, etcétera. Para mí eso era desconsolador. Habría podido coger una ametralladora y abatir al barrio entero, judíos y gentiles por igual.

Por la época de la invasión fue cuando las autoridades decidieron cambiar el nombre de North Second Street por el de Metropolitan Avenue. Aquella avenida, que para los gentiles había sido el camino a los cementerios, se convirtió en lo que se llama una arteria de tráfico, un enlace entre dos guettos. Por la zona de Nueva York el barrio ribereño estaba transformándose rápido con la erección de rascacielos. Por nuestra zona, la de

Brookly, se iban acumulando almacenes y por las cercanías de los puentes aparecían plazas, urinarios, salas de billar, papelerías, heladerías, restaurantes, tiendas de ropa, casas de empeño, etcétera. En una palabra, todo estaba volviéndose *metropolitano*, en el sentido odioso de la palabra.

Mientras vivimos en el antiguo barrio, nunca hablamos de Metropolitan Avenue: siempre era North Second Street, pese al cambio oficial de nombre. Quizá fuera ocho o diez años después, cuando me quedé parado un día de invierno en la esquina de la calle que da al río y advertí por primera vez la gran torre del edificio de la Metropolitan Life Insurance cuando comprendí que la North Second Street había dejado de existir. El límite imaginario de mi mundo había cambiado. Mi mirada llegaba ahora mucho más allá de los cementerios, mucho más allá de los ríos, mucho más allá de la ciudad de Nueva York o del Estado de Nueva York, más allá de los Estados Unidos, de hecho. En Point Loma, California, había contemplado el extenso Pacífico y había sentido algo que me hizo mantener el rostro permanentemente vuelto hacia otra dirección. Recuerdo que una noche regresé al antiguo barrio con mi viejo amigo Stanley, que acababa de volver del ejército, y caminamos por las calles con tristeza y nostalgia. Un europeo apenas puede saber lo que es esa sensación. En Europa, hasta cuando una ciudad se moderniza, siguen existiendo vestigios del pasado. En América, aunque hay vestigios, se borran, desaparecen de la conciencia, pisoteados, arrasados, anulados por lo nuevo. Lo nuevo es, de un día para otro, una polilla que devora la trama de la vida y al final sólo deja un gran agujero. Stanley y yo íbamos caminando por ese agujero terrorífico. Ni siquiera una guerra produce semejante desolación y destrucción. Con la guerra una ciudad puede quedar reducida a cenizas y toda la población aniquilada, pero lo que vuelve a surgir se parece a lo viejo. La muerte es fecundante, tanto para el suelo como para el espíritu. En América la destrucción es completa, aniquiladora. No hay renacimiento, sólo un tumor canceroso, capa tras capa de tejido nuevo y ponzoñoso, cada una de ellas más fea que la anterior.

Íbamos caminando por aquel agujero enorme, como digo, y era una noche de invierno, clara, helada, rutilante, y, al pasar por la zona meridional hacia la línea divisoria, saludamos todas las antiguas reliquias o lugares donde habían estado las cosas en otro tiempo y donde en otro tiempo había habido algo de nosotros. Y, cuando nos acercábamos a North Second Street, entre Fillmore Place y North Second Street —una distancia de sólo unos metros y, aun así, una zona del globo tan rica, tan plena—, me detuve ante la casucha de la señora O'Melio y miré la casa donde había sabido lo que era de verdad tener ser. Todo había encogido hasta proporciones diminutas, incluido el mundo que quedaba más allá de la línea divisoria, el mundo que había sido tan misterioso para mí y tan espantosamente imponente, tan delimitado. Estando así, en trance, recordé de pronto un sueño que había tenido de vez en cuando y espero soñar mientras viva. Era el de cruzar la línea divisoria. Como en todos los sueños, lo extraordinario es la viveza de la realidad, el hecho de que *estás en la realidad* y no soñando. Al otro lado de la línea soy un desconocido y estoy absolutamente solo. Hasta la lengua ha cambiado. De hecho, siempre me consideran un extraño, un extranjero. Dispongo de tiempo ilimitado y me siento encantado de deambular por las calles. La verdad es que sólo hay *una* calle: la prolongación de la calle en que vivía. Por fin, llego a un puente de hierro sobre las vías del ferrocarril. Siempre es el anochecer, cuando llego al puente, pese a que está a poca distancia de la línea divisoria. Allí miro hacia abajo, hacia los raíles enmarañados, los trenes de mercancías, las vagonetas, los cobertizos, y, al contemplar ese enjambre de extrañas substancias en movimiento, se produce un proceso de metamorfosis, *exactamente como en un sueño.* Con la transformación y la deformación, me doy cuenta de que ése es el antiguo sueño que he tenido muchas veces. Siento un miedo cerval a despertar y en realidad sé que voy a despertar en seguida, en el momento preciso en que, en el centro de un gran espacio abierto, esté a punto de entrar en la casa que contiene algo de la mayor importancia para mí. Justo cuando me dirijo hacia esa casa, el solar en que me encuentro empieza a desdibujarse por los extremos, deshacerse, desaparecer. El espacio se enrolla sobre mí como una alfombra y me traga a mí y también la casa, naturalmente, en que nunca consigo entrar.

No hay absolutamente ninguna transición desde este sueño, el más agradable que conozco, hasta el meollo de un libro llamado *La evolución creadora.* En este libro de Henri Bergson, al que llegué con la misma naturalidad que al sueño de la tierra allende el límite, vuelvo a estar completamente solo, vuelvo a ser un extranjero, un hombre de edad indeterminada que ante un portón de hierro observa una metamorfosis singular por dentro y por fuera. Si este libro no hubiese caído en mis manos en el momento en que lo hizo, quizá me habría vuelto loco. Llegó en un momento en que otro mundo enorme se estaba desmoronando en mis manos. Aunque no hubiese entendido una sola cosa de este libro, aunque sólo hubiera preservado el recuerdo de una palabra, *creadora,* habría sido suficiente. Esta palabra era mi talismán. Con ella podía desafiar al mundo entero y sobre todo a mis amigos.

Hay ocasiones en que tienes que romper con tus amigos para entender el significado de la amistad. Puede parecer extraño, pero el descubrimiento de este libro equivalió al descubrimiento de un arma, un instrumento con el que podía cercenar a todos los amigos que me rodeaban y que ya no significaban nada para mí. Este libro se convirtió en mi amigo, porque me enseñó que no tenía necesidad de amigos. Me infundió valor para permanecer solo y me permitió apreciar la soledad. Nunca he entendido ese libro; a veces pensaba que estaba a punto de entender, pero nunca lo logré de verdad. Para mí era más importante no entender. Con ese libro en las manos, leyendo en voz alta a mis amigos, llegué a entender claramente que no tenía amigos, que estaba solo en el mundo. Porque, al no entender el significado de las palabras —ni yo ni mis amigos—, una cosa quedó muy clara y fue que había formas diferentes de no entender y que la diferencia entre la incomprensión de un individuo y la de otro creaba un mundo de *terra firma* más sólido incluso que las diferencias de comprensión. Todo lo que antes creía haber entendido se desmoronó e hice borrón y cuenta nueva. En cambio, mis amigos se atrincheraron más sólidamente en el pequeño pozo de comprensión que se habían cavado para sí mismos. Murieron cómodamente en su camita de comprensión para convertirse en ciudadanos útiles del mundo. Los compadecí y muy pronto los abandoné uno a uno, sin el menor pesar.

Entonces, ¿qué es lo que había en ese libro que podía significar tanto para mí y, aun así, permanecer obscuro? Vuelvo a la palabra *creadora.* Estoy seguro de que todo el misterio radica en la comprensión del significado de esta palabra. Cuando pienso ahora en el libro, y en la forma como lo abordé, pienso en un hombre que pasa por los ritos de iniciación. La desorientación y reorientación que acompaña a la iniciación en cualquier misterio es la experiencia más maravillosa que vivirse pueda. Todo lo que el cerebro ha trabajado toda una vida para asimilar, clasificar y sintetizar tiene que descomponerse y volverse a ordenar. ¡Día conmovedor para el alma! Y, naturalmente, eso se produce, no en un día, sino en semanas y meses. Te encuentras por casualidad a un amigo en la calle, a un amigo que no has visto en varias semanas, y se ha vuelto un absoluto extraño para ti. Le haces señas desde tu nueva alcándara y, si no las capta, pasas de largo... *para siempre.* Es exactamente como limpiar de enemigos el campo de batalla: a todos los que están fuera de combate los rematas con un rápido mazazo. Sigues adelante, hacia nuevos campos de batalla, hacia nuevos triunfos o derrotas. Pero, ¡sigues! Y, a medida que avanzas, el mundo avanza contigo, con espantosa exactitud. Buscas nuevos campos de operaciones, nuevos especímenes de la raza humana a quienes instruyes, paciente, y pertrechas con los nuevos símbolos. A veces escoges a aquellos a quienes antes no habías mirado. Pruebas a todos y todo lo que queda a tu alcance, con tal de que ignoren la revelación.

Así fue como me encontré sentado en el cuarto de remiendos del taller de mi padre, leyendo en voz alta a los judíos que en él trabajaban. Leyéndoles esa nueva Biblia al modo como Pablo debió de hablar a los discípulos. Con la ventaja, desde luego, de que aquellos pobres diablos judíos no sabían leer en inglés. En primer lugar, me dirigía a Bunchek, el cortador, que tenía inteligencia de rabino. Abría el libro, escogía un pasaje al azar y se lo leía traduciéndolo a un inglés casi tan primitivo como el *pidgin*. Después intentaba explicárselo, escogiendo como ejemplo y analogía las cosas con las que estaban familiarizados. Me asombraba lo bien que entendían, cuánto mejor entendían que un profesor universitario, pongamos por caso, o un literato o un hombre instruido. Naturalmente, lo que entendían nada tenía que ver, a fin de cuentas, con el libro de Bergson como tal, pero, ¿acaso no era ésa la intención de semejante libro? A mi entender, el significado de un libro radica en que el propio libro desaparezca de la vista, en que lo mastiques vivo, lo digieras e incorpores al organismo como carne y sangre que, a su vez, crean nuevo espíritu y dan nueva forma al mundo. La lectura de ese libro era una gran fiesta de comunión que compartíamos y el rasgo más destacado era el capítulo sobre el desorden, que, por haberme penetrado hasta los tuétanos, me ha dotado con un sentido del orden tan maravilloso, que, si de repente un cometa se estrellara contra la Tierra y sacase todo de su sitio, dejara todo patas arriba, volviese todo del revés, podría orientarme en el nuevo orden en un abrir y cerrar de ojos. Tengo tan poco miedo al desorden como a la muerte y no me hago ilusiones con respecto a ninguno de los dos. El laberinto es mi terreno de caza idóneo y cuanto más profundamente excavo en la confusión, mejor me oriento.

Con *La evolución creadora* bajo el brazo, tomo el metro elevado en el puente de Brooklyn después del trabajo e inicio el viaje de regreso al cementerio. A veces entro en la estación de Delancey Street, en pleno corazón del ghetto, tras larga caminata por las calles atestadas de gente. Entro al metro elevado por la vía subterránea, como un gusano que se ve empujado a lo largo de los intestinos. Cada vez que ocupo mi lugar entre la multitud que se arremolina por el andén, sé que soy el individuo más excepcional ahí abajo. Contemplo todo lo que está ocurriendo a mi alrededor como un espectador de otro planeta. Mi lenguaje, mi mundo, los llevo bajo el brazo.

Soy el guardián de un gran secreto; si abriera la boca y hablase, paralizaría el tráfico. Lo que puedo decir, y lo que me callo, todas las noches de mi vida en ese viaje de ida y vuelta entre mi casa y la oficina es dinamita pura. Todavía no estoy preparado para lanzar mi cartucho de dinamita. Lo mordisqueo meditativo, reflexivo, convincente. Cinco años más, diez años más quizás, y aniquilaré del todo a esta gente. Si el tren, al tomar una curva, da un violento bandazo, me digo para mis adentros: «*¡Muy bien! ¡Descarrila! ¡Aniquílalos!*» Nunca pienso que yo corra peligro, si el tren descarrila. Vamos apretujados como sardinas y toda la carne caliente apretada contra mí distrae mis pensamientos. Me doy cuenta de que tengo las piernas envueltas en las de otra persona. Miro a la chica sentada frente a mí, la miro a los ojos y aprieto las rodillas con más fuerza en su entrepierna. Se siente incómoda, se agita en su asiento y, por fin, se dirige a la chica que va a su lado y se queja de que la estoy molestando. La gente de alrededor me mira con hostilidad. Miro por la ventana como si tal cosa y hago como si no hubiese oído nada. Aunque quisiera retirar las piernas, no puedo. Sin embargo, la chica, poco a poco, empujando y retorciéndose violentamente, consigue desenredar sus piernas de las mías. Me encuentro casi en la misma situación con la chica que va a su lado, aquella a la que dirigía sus quejas. Casi al instante siento un contacto comprensivo y después, para mi sorpresa, oigo a la otra chica decirle que son cosas que no se pueden evitar, que la culpa no es de este hombre, sino de la compañía, por llevarnos apiñados como corderos. Y vuelvo a sentir el temblor de sus piernas contra las mías, una presión cálida, humana, como cuando te estrechan la mano. Con la mano libre me las arreglo para abrir el libro. Mi propósito es doble: primero, que vea qué clase de libro leo;

segundo, poder continuar con nuestra comunicación de piernas sin llamar la atención. Da un resultado excelente. Cuando el vagón se vacía un poco, consigo sentarme a su lado y conversar con ella... sobre el libro, naturalmente. Es una judía voluptuosa con enormes ojos claros y la franqueza que da la sensualidad. Cuando llega el momento de salir, caminamos del brazo por las calles, hacia su casa. Estoy casi en los límites del antiguo barrio. Todo me resulta familiar y, sin embargo, repulsivamente extraño. Hace años que no he paseado por estas calles y ahora voy caminando con una muchacha judía del guetto, una hermosa muchacha con marcado acento judío. Parezco fuera de lugar caminando a su lado. Noto que la gente se vuelve a mirarnos. Soy el intruso, el *goi* que ha venido al barrio a ligarse a una ja que está muy rica y que traga. En cambio, ella parece orgullosa de su conquista; va fardando conmigo ante sus amigas. ¡Mirad el ligue que me he echado en el metro! ¡Un *goi* instruido, refinado! Casi oigo sus pensamientos. Mientras caminamos despacio, voy estudiando el cariz de la situación, todos los detalles prácticos que decidirán si quedaré con ella para después de cenar o no. Ni pensar en invitarla a cenar. La cuestión es a qué hora y dónde encontrarnos y cómo haremos, porque, según me informa antes de llegar al portal, está casada con un viajante de comercio y tiene que andarse con ojo. Quedo en volver y encontrarme con ella en la esquina frente a la pastelería a cierta hora. Si quiero traer a un amigo, ella traerá a una amiga. No, decido verla sola. Quedamos en eso. Me estrecha la mano y sale corriendo por un corredor sucio. Salgo pitando hacia la estación y me apresuro a volver a casa para engullir la comida.

Es una noche de verano y todo está abierto de par en par. Al volver en el metro a buscarla, todo el pasado desfila como un caleidoscopio. Esta vez he dejado el libro en casa. Ahora voy en pos del asunto y no pienso en el libro. Vuelvo a estar a este lado de la línea divisoria y, a cada estación que pasa volando, mi mundo se va volviendo cada vez más diminuto. Cuando llego a mi destino, soy casi un niño, un niño horrorizado por la metamorfosis que se ha producido. ¿Qué me ha pasado a mí, hombre del distrito 14, para bajar en esta estación en busca de un ja judía? Supongamos que consiga echarle un polvo: bueno, ¿y qué? ¿Qué tengo que decir a una chica así? ¿Qué es un polvo, cuando lo que busco es amor? Sí, de repente cae sobre mí como un tornado... Una, la muchacha a la que amé, la muchacha que vivía aquí, en este barrio. Una, de ojos azules y pelo rubio. Una, que me hacía temblar sólo de mirarla. Una, a quien temía besar o tocarle la mano siquiera. *¿Dónde está Una?* Sí, de pronto ésa es la pregunta candente: *¿Dónde está Una?* Al cabo de dos segundos, me siento completamente desalentado, completamente perdido, desolado, presa de la angustia y desesperación más horrible. ¿Cómo pude dejarla marchar? ¿Por qué? ¿Qué ocurrió? *¿Cuándo* ocurrió? Pensé en ella como un maníaco noche y día, año tras año, y después, sin advertirlo siquiera, va y desaparece de mi mente, así como así: como una moneda que se te cae por un agujero del bolsillo. Increíble, monstruoso, demencial. Pero, bueno, si lo único que tenía que hacer era pedirle que se casara conmigo, pedir su mano... y nada más. Si lo hubiese hecho, ella habría dicho que sí al instante. Me amaba, me amaba desesperadamente. Pues, claro; ahora lo recuerdo, recuerdo cómo me miraba la última vez que nos encontramos. Había ido a despedirme, porque salía aquella noche para California, dejando a todos para iniciar una nueva vida. Y en ningún momento tuve intención de hacer una nueva vida. Tenía intención de pedirle que se casara conmigo, pero la historia que había concebido como un bobo salió de mis labios con tanta naturalidad, que hasta yo me la creí, conque dije adiós y me marché y ella se quedó allí mirándome y sentí que su mirada me atravesaba de parte a parte. La oí lamentarse por dentro, pero seguí caminando como un autómata y al final doblé la esquina y se acabó todo. ¡Adiós! Así como así. Como en estado de coma. Y lo que quería decir era: *¡Ven a mí! ¡Ven a mí porque no puedo seguir viviendo sin ti!*

Me siento tan débil, tan inseguro, que apenas puedo subir las escaleras del metro elevado. Ahora sé lo que ha ocurrido: ¡he cruzado la línea divisoria! Esta Biblia que he llevado conmigo es para instruirme, para iniciarme a una nueva forma de vida. El mundo que conocí ya no existe, está muerto, acabado, eliminado. Y todo lo que yo era ha quedado eliminado con él. Soy un cadáver que recibe una inyección de nueva vida. Estoy radiante y resplandeciente, entusiasmado con nuevos descubrimientos, pero el centro todavía es de plomo, todavía es escoria. Me echo a llorar... ahí mismo, en las escaleras del metro. Sollozo en alto, como un niño. Ahora caigo en la cuenta con toda claridad: *¡estás solo en el mundo!* Estás solo... solo... solo. Es penoso estar solo... penoso, penoso, penoso, penoso. No tiene fin, es insondable y es el destino de todos los hombres en la Tierra, pero sobre todo el mío... sobre todo el mío. Otra vez la metamorfosis. Todo vuelve a tambalearse y a amenazar ruina. Vuelvo a estar en el sueño, el doloroso, delirante, placentero, enloquecedor sueño de más allá del límite. Me encuentro en el centro del solar vacío, pero no veo mi casa. No tengo casa. El sueño era un espejismo. Nunca hubo una casa en medio del solar vacío. Por eso nunca pude entrar en ella. Mi casa no está en este mundo, ni en el siguiente. Soy un hombre sin casa, sin amigo, sin esposa. Soy un monstruo que pertenece a una realidad que todavía no existe. Ah, pero sí que existe, existirá, estoy seguro de ello. Ahora camino rápido, con la cabeza gacha, musitando para mis adentros. Me he olvidado de la cita tan completamente, que ni siquiera he advertido si he pasado delante de ella o no. Probablemente así haya sido. Probablemente la haya mirado a la cara y no la haya reconocido. Probablemente tampoco ella me haya reconocido. Estoy loco, loco de dolor, loco de angustia. Estoy desesperado. Pero no estoy perdido. No, *existe* una realidad a la que pertenezco. Está lejos, muy lejos. Podría caminar desde ahora hasta el día del juicio con la cabeza gacha y sin encontrarla nunca. Pero existe, de eso estoy seguro. Miro a la gente con expresión asesina. Si pudiera tirar una bomba y hacer saltar todo el barrio en pedazos, lo haría. Me sentiría feliz viéndolos volar por el aire, mutilados, dando alaridos, despedazados, aniquilados. Quiero aniquilar la Tierra entera. No formo parte de ella. Es una locura del principio al fin: todo el tinglado. Un enorme trozo de queso rancio con gusanos que lo pudren por dentro. ¡A tomar por culo! ¡Vuélalos en pedazos! Mata, mata, mata: mátalos a todos, judíos y gentiles, jóvenes y viejos, buenos y malos...

Me vuelvo ligero, ligero como una pluma y mi paso se torna firme, más tranquilo, más regular. ¡Qué noche más bella! Las estrellas brillan tan claras, serenas, remotas. No se burlan de mí precisamente, sino que me recuerdan la fatalidad de todo. ¿Quién eres tú, muchacho, para hablar de la Tierra, de hacer volar las cosas en pedazos? Muchacho, nosotras hemos estado suspendidas aquí millones y billones de años. Lo hemos visto todo, todo, y, aun así, brillamos apacibles todas las noches, iluminamos el camino, apaciguamos el corazón. Mira a tu alrededor, muchacho, mira lo apacible y hermoso que es todo. Mira: hasta la basura que yace en el arroyo parece bella a esta luz. Coge la hojita de col, sosténla con cuidado en la mano. Me inclino y recojo la hoja de col que yace en el arroyo. Me parece absolutamente nueva, todo un universo en sí misma. Rompo un trocito y lo examino. Sigue siendo un universo. Sigue siendo inefablemente bella y misteriosa. Casi siento vergüenza de volver a arrojarla de nuevo al arroyo. Me inclino y la deposito con cuidado junto a los demás desperdicios. Me quedo muy pensativo, muy, pero que muy tranquilo. Amo a todo el mundo. Sé que en este preciso momento hay en algún lugar una mujer esperándome y, con sólo que avance muy tranquilo, muy despacio, llegaré hasta ella. Estará parada en una esquina quizás y, cuando yo aparezca, me reconocerá... al instante. Así lo creo, ¡palabra! Creo que todo es justo y está prescrito. ¿Mi casa? Pues, hombre, el mundo... ¡el mundo entero! En todas partes estoy en casa, sólo que antes no lo sabía. Pero ahora lo sé. Ya no hay línea divisoria: fui yo quien la creó. Camino con calma y feliz por las calles, las amadas callcs, por las que todo el mundo camina y sufre sin mostrarlo. Cuando me detengo y me apoyo en un farol para encender un cigarrillo, hasta el farol me parece un amigo. No es una cosa de hierro: es una creación de la mente humana, moldeada de determinada forma, retorcida y formada por manos humanas, soplada por aliento humano, colocada por manos y pies humanos. Me vuelvo y paso la mano por la superficie de hierro. Casi parece hablarme. Es un farol humano. *Está donde corresponde*, como la hoja de col, los calcetines rotos, el colchón, la pila de la cocina. Todo ocupa determinado lugar de determinado modo, como nuestra mente está en relación con Dios. El mundo, en su substancia visible, tangible, es un mapa de nuestro amor. No Dios, sino la *vida*, es amor. Amor, amor, amor. Y en pleno centro de él camina este muchacho, yo mismo, que no es otro que Gottlieb Leberecht Müller.

¡Gottlieb Leberecht Müller! Así se llamaba un hombre que perdió su identidad. Nadie sabía decirle quién era, de dónde procedía ni qué le había ocurrido. En el cine, donde lo conocí, suponían que nunca había estado en la guerra. Pero, cuando me reconocí en la pantalla, sabiendo como sabía que nunca había estado en la guerra, comprendí que el autor se había inventado esa ficción para no descubrirme. A menudo olvido cuál es mi yo real. Con frecuencia en mis sueños tomo el filtro del olvido, como se suele llamar, y deambulo deshecho y desesperado, buscando el cuerpo y el nombre que me pertenecen. Y, a veces, la línea divisoria entre el sueño y la realidad es de lo más tenue. A veces, mientras alguien me habla, me salgo de los zapatos y, como una planta arrastrada por la corriente, inicio el viaje de mi yo desarraigado. Así soy perfectamente capaz de cumplir con las exigencias ordinarias de la vida: encontrar a una esposa, ser padre, mantener a la familia, recibir a amigos, leer libros, pagar impuestos, hacer el servicio militar y demás. En ese estado soy capaz, si fuera necesario, de matar a sangre fría, por mi familia o para proteger a mi patria o por lo que sea. Soy el ciudadano corriente, rutinario, que responde a un nombre y recibe un número en el pasaporte. No soy responsable en absoluto de mi destino.

Y después, un día, sin el menor aviso, me despierto, miro a mi alrededor y no entiendo absolutamente nada de lo que ocurre a mi alrededor, ni mi conducta ni la de mis vecinos, como tampoco entiendo por qué están los gobiernos en guerra o en paz, según los casos. En esos momentos, vuelvo a nacer y me bautizan con mi nombre auténtico: ¡Gottlieb Leberecht Müller! Todo lo que hago con mi nombre auténtico se considera demencial. La gente hace señas subrepticias a mi espalda, a veces en mis narices. Me veo obligado a romper con amigos, parientes y seres queridos. Me veo obligado a levantar el campo. Y así, con la misma naturalidad que en un sueño, vuelve a arrastrarme la corriente, por lo general caminando por una carretera, de cara al ocaso. Ahora todas mis facultades están alerta. Soy el animal más suave, sedoso y astuto... y al tiempo un santo, se podría decir. Sé mirar por mí mismo. Sé eludir el trabajo, las relaciones problemáticas, la piedad, la comprensión, la valentía y todos los demás escollos. Me quedo en un lugar o con una persona el tiempo suficiente para obtener lo que necesito y después me voy. No tengo meta: el vagabundo sin rumbo se basta a sí mismo. Soy libre como un pájaro, seguro como un equilibrista. El maná cae del cielo; basta con que extienda las manos y lo reciba. Y en todas partes dejo tras mí la sensación más agradable, como si, al aceptar los regalos que llueven sobre mí, estuviera haciendo un auténtico favor a los demás. Hasta para cuidar de mi ropa sucia hay manos amorosas. ¡Porque todo el mundo ama a un hombre recto! ¡Gottlieb! ¡Qué nombre más bonito! ¡Gottlieb! Lo repito para mis adentros una y otra vez. ¡Gottlieb Leberecht Müller!

En ese estado siempre me he tropezado con ladrones, granujas y asesinos, ¡y qué afectuosos han sido conmigo! Como si fueran mis hermanos. ¿Y acaso no lo son, en verdad? ¿Es que no he sido culpable de toda clase de delitos? ¿Es que no he sufrido por ello? ¿Y acaso no es precisamente por mis delitos por lo que me siento tan unido a mi prójimo? Siempre, cuando veo un brillo de reconocimiento en los ojos de la otra persona, advierto ese vínculo secreto. A los únicos que no les brillan nunca los ojos es a los justos. Son los justos quienes nunca han conocido el secreto de la confraternidad humana. Son los justos quienes están cometiendo los crímenes contra el hombre, los justos son los auténticos monstruos. Los justos son quienes exigen nuestras huellas dactilares, quienes nos demuestran que hemos muerto hasta cuando estamos ante ellos en carne y hueso. Son los justos quienes nos imponen nombres arbitrarios, nombres falsos, quienes inscriben fechas falsas en el registro y nos entierran vivos. Prefiero a los ladrones, los granujas, los asesinos, a no ser que pueda encontrar a un hombre de mi estatura, de mi calidad.

¡Nunca he conocido a un hombre así! Nunca he conocido a un hombre tan generoso, como yo, tan indulgente, tan tolerante, tan despreocupado, tan temerario, tan limpio de corazón. Me perdono todos los delitos que he cometido. Lo hago en nombre de la Humanidad. Sé lo que significa ser humano, su debilidad y su fuerza. Sufro de saberlo y al tiempo me deleito. Si tuviera la oportunidad de ser Dios, la rechazaría. Si tuviera la oportunidad de ser una estrella, la rechazaría. La oportunidad más maravillosa que ofrece la vida es la de ser humano. Abarca todo el universo. Incluye el conocimiento de la muerte, del que ni siquiera Dios goza.

En el momento en que escribo este libro, soy el hombre que volvió a bautizarse a sí mismo. Hace muchos años que eso ocurrió y han sucedido tanta cosas desde entonces, que es difícil volver a aquel momento y desandar el viaje de Gottlieb Leberecht Müller. Sin embargo, quizá pueda dar una pista, si digo que el hombre que ahora soy nació de una herida. Esa herida afectó al corazón. De acuerdo con cualquier lógica humana, debería haber muerto. De hecho, todos los que me conocían en otro tiempo me dieron por muerto; caminaba como un fantasma entre ellos. Usaban el pretérito para referirse a mí, me compadecían, me enterraban cada vez más profundamente. Y, sin embargo, recuerdo que solía reír entonces, como siempre que hacía el amor con otras mujeres, que disfrutaba de mi comida y bebida y de la blanda cama a la que me apegaba como un loco. Algo me había matado y, sin embargo, estaba vivo. Pero estaba vivo sin memoria, sin nombre; estaba separado de la esperanza y también del remordimiento o del pesar. No tenía pasado ni probablemente futuro; estaba enterrado vivo en un vacío que era la herida que me habían causado. *Yo era la herida misma.*

Tengo un amigo que de vez en cuando me habla del Milagro del Gólgota, del que no entiendo nada. Pero sí que sé algo de la milagrosa herida que recibí, la herida que me mató para el mundo y de la que renací y fui rebautizado. Sé algo del milagro de esa herida que viví y que curó con mi muerte. Hablo de ella como de algo pasado, pero la llevo siempre conmigo. Hace mucho que pasó todo y en apariencia es invisible, como una constelación que se ha hundido para siempre bajo el horizonte.

Lo que me fascina es que algo tan muerto y enterrado como yo lo estaba pudiera resucitar y no sólo una, sino innumerables veces. Y no sólo eso, sino que, además, cada vez que me desvanecía, me sumergía más hondo en el vacío, de modo que a cada renacimiento el milagro se vuelve mayor. ¡Y nunca estigma alguno! El hombre que renace es siempre el mismo, cada vez más él mismo con cada renacimiento. Lo único que hace cada vez es cambiar de piel y, con ella, de pecados. El hombre al que Dios ama es en verdad un hombre que vive con rectitud. El hombre al que Dios ama es la cebolla con un millón de capas de piel. Cambiar la primera es doloroso hasta grado indecible; la siguiente capa es menos dolorosa, la siguiente menos todavía, hasta que al final se vuelve agradable, cada vez más agradable, una delicia, un éxtasis. Y después no hay ni placer ni dolor, sino sólo obscuridad, que cede ante la luz. Y, al desaparecer la obscuridad, la herida sale de su escondite: la herida que es el hombre, el amor del hombre, queda bañada en la luz. Se recupera la identidad perdida. El hombre da un paso y sale de su herida abierta, de la tumba que había llevado consigo tanto tiempo.

En la tumba que es mi memoria la veo ahora enterrada a ella, a la que amé más que a nadie, más que al mundo, más que a Dios, más que mi propia carne y sangre. La veo pudrirse en ella, en esa sanguinolenta herida de amor, tan próxima a mí, que no la podría distinguir de la propia herida. La veo luchar por liberarse, para limpiarse el dolor del amor y con cada forcejeo sumergirse más en la herida, empantanada, asfixiada, retorciéndose en la sangre. Veo la horrible expresión de sus ojos, la lastimosa agonía muda, la mirada del animal atrapado. La veo abrir las piernas para liberarse y cada orgasmo es un gemido de angustia. Oigo las paredes caer, derrumbarse sobre nosotros y la casa deshacerse en llamas. Oigo que nos llaman desde la calle, a trabajar, a las armas, pero estamos clavados al suelo y las ratas nos están devorando. La tumba y la matriz del amor nos sepultan, la noche nos llena las entrañas y las estrellas brillan sobre el negro lago sin fondo. Pierdo el recuerdo de las palabras, incluso de su nombre, que pronuncié como un monomaniaco. Olvidé qué aspecto tenía, qué sensación producía, cómo olía, cómo jodía, mientras penetraba cada vez más profundamente en la noche de la caverna insondable. La seguí hasta el agujero más profundo de su ser, hasta el osario de su alma, hasta el aliento que aún no había expirado en sus labios. Busqué incansable aquella cuyo nombre no estaba escrito en ninguna parte, penetré hasta el altar mismo y no encontré... nada. Me enrosqué en torno a esa concha de nada como una serpiente de anillos flameantes; me quedé seis siglos inmóvil y sin respirar, mientras los acontecimientos del mundo se colaban y formaban en el fondo un viscoso lecho de moco. Vi el Dragón agitarse y liberarse del dharma y del karma, vi a la nueva raza del hombre cocerse en la yema del porvenir. Vi hasta el último signo y símbolo, *pero no pude interpretar su rostro.* Sólo vi sus ojos brillando, enormes, luminosos, como senos carnosos, como si yo estuviera nadando por detrás de ellos en los efluvios eléctricos de su visión incandescente.

¿Cómo había llegado a dilatarse así, más allá del alcance de la conciencia? ¿En virtud de qué monstruosa ley se había esparcido por la faz del mundo, revelando todo y, sin embargo, ocultándose a sí misma? Estaba escondida en la faz del sol, como la luna en eclipse; era un espejo que había perdido el mercurio, el espejo que refleja tanto la imagen como el horror. Al mirar la parte posterior de sus ojos, la carne pulposa y translúcida, vi la estructura cerebral de todas las formaciones, todas las relaciones, toda la evanescencia. Vi el cerebro dentro del cerebro, la máquina eterna girando eterna, la palabra «esperanza» dando vueltas en un asador, asándose, chorreando grasa, girando sin cesar en la cavidad del tercer ojo. Oí sus sueños musitados en lenguas desaparecidas, los gritos ahogados que reverberaban en grietas diminutas, los jadeos, los gemidos, los suspiros de placer, el silbido de látigos al flagelar. La oí gritar mi nombre, que yo aún no había pronunciado, la oí maldecir y chillar de rabia. Oí todo amplificado mil veces, como un homúnculo aprisionado en el vientre de un órgano. Percibí la respiración apagada del mundo, como si estuviera fija en la propia encrucijada del sonido.

Así caminamos, dormimos y comimos juntos, los gemelos siameses a quienes Dios había juntado y sólo la muerte podía separar.

Caminábamos, con los pies para arriba y las manos cogidas, en el cuello de la botella. Ella se vestía casi exclusivamente de negro, salvo algunos toques de púrpura de vez en cuando. No llevaba ropa interior, sólo un vestido de terciopelo negro saturado de perfume diabólico. Nos acostábamos al amanecer y nos levantábamos justo cuando estaba obscureciendo. Vivíamos en agujeros negros con las cortinas echadas, comíamos en platos negros, leíamos libros negros. Por el agujero negro de nuestra vida nos asomábamos al agujero negro del mundo. El sol estaba permanentemente obscurecido, como para ayudarnos en nuestra continua lucha intestina. Nuestro sol era Marte, nuestra luna Saturno; vivíamos permanentemente en el cenit del averno. La Tierra había dejado de girar y por el agujero del cielo colgaba sobre nosotros la negra estrella que nunca destellaba. De vez en cuando nos daban ataques de risa, una risa loca, de batracio, que hacía temblar a los vecinos. De vez en cuando cantábamos, delirantes, desafinando, en puro trémolo. Estábamos encerrados durante la larga y obscura noche del alma, período de tiempo inconmensurable que empezaba y acababa al modo de un eclipse. Girábamos en torno a nuestros yoes, como satélites fantasmas. Estábamos embriagados con nuestra propia imagen, que veíamos cuando nos mirábamos a los ojos. Entonces, ¿cómo mirábamos a los demás? Como el animal mira a la planta, como las estrellas al animal. O como Dios miraría al hombre, si el demonio le hubiera dado alas. Y, pese a todo, en la fija y estrecha intimidad de una noche sin fin, ella estaba radiante, alborozada; brotaba de ella un júbilo ultranegro como un flujo continuo de esperma del Toro de Mitra. Tenía dos cañones, como una escopeta; era un toro hembra con una antorcha de acetileno en la matriz. Cuando estaba en celo, se concentraba en el gran cosmocrátor, los ojos se le quedaban en blanco; los labios, llenos de saliva. En el ciego agujero del sexo valsaba como un ratón amaestrado, con las mandíbulas desencajadas como las de una serpiente, con la piel erizada de plumas armadas de púas. Tenía la insaciable lascivia de un unicornio, el prurito que provocó la decadencia de los egipcios. En su furia, tragaba hasta el agujero del cielo por el que resplandecía la estrella sin brillo.

Vivíamos pegados al techo y los tufos ardientes, rancios, de la vida diaria, ascendían y nos sofocaban. Vivíamos con el calor del mármol y el ardor ascendente de la carne humana caldeaba los anillos como de serpiente en que estábamos encerrados. Vivíamos cautivados por las profundidades más hondas, con la piel ahumada hasta alcanzar el color de un habano gris por las emanaciones de la pasión mundana. Como dos cabezas llevadas en las picas de nuestros verdugos, girábamos lentos y fijos sobre las cabezas y los hombros del mundo de abajo. ¿Qué era la vida en la tierra sólida para nosotros, decapitados y unidos para siempre por los genitales? Éramos las serpientes gemelas del Paraíso, lúcidas en celo y frías como el propio caos. La vida era un polvo perpetuo y perverso en torno a un poste fijo de insomnio. La vida era Escorpión en conjunción con Marte, Mercurio, Venus, Saturno, Plutón, Urano, en conjunción con el azogue, el láudano, el radio, el bismuto. La gran conjunción se producía todos los sábados por la noche, el León fornicando con el Dragón en la casa de los hermanos. El gran *malheur* era un rayo de sol que se filtraba por las cortinas. La gran maldición era Júpiter, rey de los peces, que podía fulgurar con mirada benévola.

La razón por la que es difícil contarlo es porque recuerdo demasiado. Recuerdo todo, pero como un muñeco sentado en las rodillas de un ventrílocuo. Me parece que durante el largo e ininterrumpido solsticio conyugal estuve sentado en su regazo (incluso cuando ella estaba de pie) y recité el parlamento que ella me había enseñado. Me parece que debió de ordenar al fontanero jefe de Dios que mantuviera brillando la negra estrella por el agujero del techo, debió de mandarle que derramase una noche perpetua y, con ella, todos los tormentos reptantes que van y vienen silenciosos en la obscuridad, de modo que la mente se convierte en una lezna que gira y horada frenética la negra nada. ¿Imaginé que ella hablaba sin cesar o es que me había convertido en un muñeco tan maravillosamente amaestrado, que interceptaba el pensamiento antes de que llegara a los labios? Los labios estaban entreabiertos, suavizados con una espesa pasta de sangre obscura; los veía abrirse y cerrarse con suma fascinación, tanto si silbaban con odio viperino como si arrullaban como una tórtola. Siempre estaban en primer plano, como en los anuncios de las películas, por lo que yo conocía todas las grietas, todos los poros, y, cuando empezaba la salivación histérica, veía saltar y espumear la saliva, como si estuviera sentado en una mecedora bajo las cataratas del Niágara. Aprendí lo que debía hacer exactamente como si fuese parte de su organismo; era mejor que un muñeco de ventrílocuo, porque podía actuar sin que me dieran tirones violentos desde los hilos. De vez en cuando improvisaba, lo que a veces le agradaba enormemente; desde luego, hacía como que no notaba las interrupciones, pero yo siempre sabía cuándo le gustaba por su forma de pavonearse. Tenía el don de la transformación; era casi tan rápida y sutil como el propio diablo. Después del de pantera y el de jaguar, el papel que mejor se le daba era el de ave: garza salvaje, ibis, flamenco, cisne en celo. Tenía una forma de bajar en picado de repente, como si hubiera avistado un cadáver maduro, lanzándose derecha a las entreñas, arrojándose en seguida sobre los bocados preferidos —el corazón, el hígado o los ovarios— y remontando el vuelo de nuevo en un abrir y cerrar de ojos. Si alguien la descubría, se quedaba quieta como una piedra en la base de un árbol, con los ojos entornados, pero inmóviles con la fija mirada del basilisco. Si la aguijoneabas un poco, se convertía en una rosa, una rosa negra como la pez con los pétalos más sedosos y fragancia irresistible. Era asombroso lo maravillosamente que aprendí a recitar mi parlamento; por rápida que fuese la metamorfosis, yo siempre estaba allí, en su regazo, regazo de ave, de bestia, serpiente, rosa, qué más daba: regazo de regazos, labio de labios, punta a punta, pluma a pluma, la yema en el huevo, la perla en la ostra, garra de cáncer, tintura de esperma y cantáridas. La vida era Escorpión en conjunción con Marte, Venus, Saturno, Urano, etcétera; el amor era conjuntivitis de las mandíbulas, agarra esto, agarra aquello, agarra, agarra, las garras mandibulares de la rueda mandala del deseo. A la hora de comer, la oía descascarar los huevos y dentro del huevo *pío-pío*, feliz presagio de la próxima comida. Yo comía como un monomaníaco: la prolongada voracidad alumbrada por el sueño del hombre que rompe tres veces el ayuno. Y, mientras yo comía, ella ronroneaba, el jadeo rítmico y depredador del súcubo al devorar a sus hijuelos. ¡Qué dichosa noche de amor! Saliva, esperma, sucubación, esfinteritis a la vez: la orgía conyugal en el Agujero Negro de Calcuta.

Fuera, donde pendía la estrella negra, un silencio panislámico, como el mundo de la caverna, donde hasta el viento se serena. Fuera, en caso de que me atreviese a cavilarlo, la quietud espectral de la demencia, el mundo de los hombres, adormecido, exhausto por siglos de matanza incesante. Fuera, una membrana sangrienta y circundante dentro de la cual se producía toda la actividad, mundo heroico de los lunáticos y maníacos que habían apagado la luz del cielo con sangre. ¡Qué apacible nuestra vida de paloma y buitre en la obscuridad! Carne en la que enterrar los dientes o el pene, carne abundante y olorosa, sin señal de cuchillo ni tijeras, sin cicatrices de metralla explotada, sin quemaduras de mostaza, sin pulmones quemados. Exceptuando el alucinante agujero en el techo, una vida en el útero casi perfecta. Pero ahí estaba el agujero —como una fisura en la vejiga— y no había guata que pudiera taparlo permanentemente, orina que pudiese pasar con una sonrisa. Mear larga y libremente, sí, pero, ¿cómo olvidar la grieta en el campanario, el silencio innatural, la inminencia, el terror, la fatalidad del «otro» mundo? Comer hasta hartarse, sí, y mañana otro hartazgo, y mañana y mañana y mañana... Pero *al final*, ¿qué? *¡Al final!* ¿Qué era *al final?* Un cambio de ventrílocuo, de regazo, un desplazamiento del eje, otra grieta en la bóveda... *¿qué? ¿Qué?* Os lo voy a decir: sentado en su regazo, petrificado por los rayos fijos y dentados de la estrella negra, corneado, refrenado, amarrado y trepanado por la telepática agudeza de nuestra agitación recíproca, no pensaba en nada en absoluto, nada que estuviese fuera de la celda que habitábamos, ni siquiera en una miga de pan sobre un mantel blanco. Pensaba sólo dentro de las paredes de nuestra vida de amebas, pensamiento puro como el que Immanuel Kant el Cauteloso nos dio y que sólo el muñeco de un ventrílocuo podría reproducir. Estudiaba todas las teorías de la ciencia, todas las teorías del arte, todas las briznas de verdad que puede haber en cualquier sistema disparatado de salvación. Calculaba todo exactamente con decimales gnósticos y todo como *primes* que distribuye un borracho al final de una carrera de seis días. Pero todo estaba calculado para otra vida que alguien viviría alguna vez... *quizás*. Estábamos en pleno cuello de la botella, *ella y yo*, como se suele decir, pero el cuello se había roto y la batalla no era sino una ficción.

Recuerdo que, la segunda vez que la vi, me dijo que no esperaba volver a verme y la próxima vez, que pensaba que yo era un drogota y la siguiente me llamó dios y después intentó suicidarse y luego lo intenté yo y después volvió a intentarlo ella y nada dio resultado, salvo el de unirnos más, tanto, de hecho, que nos compenetramos, intercambiamos personalidades, nombre, identidad, religión, padre, madre, hermano. Hasta su cuerpo experimentó un cambio radical, no una, sino varias veces. Al principio era alta, fuerte y aterciopelada, como el jaguar, con esa fuerza suave y engañosa de la especie felina, la forma de agazaparse, saltar, abalanzarse; después adelgazó, se volvió frágil, delicada, casi como una lucérnula, y después de cada cambio pasaba por las modulaciones más sutiles: de piel, músculo, color, postura, olor, andares, ademanes, etcétera. Cambiaba como un camaleón. Nadie podía decir qué aspecto tenía en realidad, porque con cada cual era una persona enteramente distinta. Al cabo de un tiempo, ni siquiera ella sabía qué aspecto tenía. Había comenzado ese proceso de metamorfosis antes de que yo la conociera, como descubrí más adelante. Como tantas mujeres que se creen feas, se había propuesto volverse bella, deslumbrante. Para conseguirlo, lo primero que hizo fue renunciar a su nombre, después a su familia, a sus amigos, a todo lo que pudiera atarla al pasado. Con todo su ingenio y todas sus facultades, se dedicó al cultivo de su belleza, su encanto, que ya poseía en alto grado, aunque le hubieran hecho creer que no. Vivía constantemente ante el espejo, estudiando todos los movimientos, todos los gestos, hasta la menor mueca. Cambió por completo su forma de hablar, su dicción, entonación, acento, fraseología. Se conducía con tanta habilidad, que era imposible sacar a relucir siquiera el tema de sus orígenes. Estaba en guardia constante, aun durmiendo. Y, como un buen general, descubrió bastante rápido que la mejor defensa es el ataque. Nunca dejaba una posición sin ocupar; sus avanzadas, sus exploradores, sus centinelas estaban situados por todas partes. Su mente era un reflector giratorio que nunca se apagaba.

Ciega para su propia belleza, encanto, personalidad, por no hablar de su identidad, acometió con todas sus fuerzas la invención de una criatura mítica, una Helena, una Juno, cuyos encantos no podrían resistir mujer ni hombre algunos. Automáticamente, sin conocer la leyenda lo más mínimo, empezó a crear poco a poco los antecedentes ontológicos, la mítica sucesión de acontecimientos anteriores al nacimiento consciente. No necesitaba recordar sus mentiras, sus invenciones: bastaba con que tuviera presente su papel. No había mentira demasiado monstruosa como para que no la pronunciase, pues en el papel que había adoptado era absolutamente fiel a sí misma. No tenía que *inventar* un pasado: *recordaba* el pasado que le correspondía. Nunca se dejaba coger en falta por una pregunta directa, ya que nunca se presentaba a un adversario sino al sesgo. Sólo presentaba los ángulos de las caras siempre cambiantes, los cegadores prismas de luz que mantenía girando constantemente. Nunca fue un ser al que se pudiera sorprender por fin en reposo, sino el propio mecanismo que accionaba incesante la miríada de espejos que reflejaría el mito por ella creado. No tenía el menor equilibrio; se mantenía eternamente suspendida sobre sus múltiples identidades en el vacío del yo. No había pretendido convertirse en una figura legendaria, sólo había querido ver reconocida su belleza. Pero, en la búsqueda de la belleza, pronto olvidó del todo lo que buscaba, se convirtió en la víctima de su propia creación. Cobró tal belleza, que a veces era aterradora, a veces más fea en verdad que la mujer más fea del mundo. Podía inspirar horror y espanto, sobre todo cuando su hechizo estaba en su apogeo. Era como si la voluntad, ciega e incontrolable, resplandeciese a través de la creación y revelara su monstruosidad.

En la obscuridad, encerrados en el negro agujero sin que ningún mundo nos contemplara, sin adversario, sin rivales, el cegador dinamismo de la voluntad aminoraba un poco, le daba un brillo de cobre fundido, y las palabras salían de su boca como lava, su carne buscaba ansiosa un asidero, algo sólido y substancial en que posarse, algo en que recobrarse y reposar por unos instantes. Era como un mensaje de larga distancia y desesperado, un SOS desde un barco que se hundía. Al principio, lo confundí con la pasión, con el éxtasis producido por la carne al rozar con la carne. Pensaba que había encontrado un volcán vivo, un Vesuvio hembra. Nunca pensé que fuera un barco humano que se hundía en un océano de desesperación, en unos Sargazos de impotencia. Ahora pienso en aquella estrella negra que brillaba a través del agujero del techo, aquella estrella inmóvil que pendía sobre nuestra celda conyugal, más fija, más remota que lo Absoluto, y sé que era ella, despojada de todo lo que era: un sol negro muerto y sin aspecto. Sé que estábamos conjugando el verbo amar como dos maníacos intentando follar a través de una verja de hierro. He dicho que en el frenético forcejeo en la obscuridad a veces olvidaba su nombre, su aspecto, quién era. Es cierto. Me excedía en la obscuridad. Me salía de los raíles de la carne para entrar en el infinito espacio del sexo, en las órbitas establecidas por ésta o aquélla: Georgiana, por ejemplo, de una corta tarde; Telma, la puta egipcia; Carlotta, Alannah, Una, Mona, Magda, de seis o siete años; niñas expósitas, fuegos fatuos, rostros, cuerpos, muslos, un roce en el metro, un sueño, un recuerdo, un deseo, un anhelo. Podía comenzar con Georgiana, de una tarde de domingo cerca de las vías del tren, su vestido de muselina, su cadera ondulante, su acento sureño, su boca lasciva, sus senos macizos; podía empezar con Georgiana, el candelabro de diez mil brazos del sexo, y avanzar hacia afuera y hacia arriba por la ramificación del coño hacia la enésima dimensión del sexo, mundo sin fin. Georgiana era como la membrana del minúsculo oído de un monstruo inacabado llamado sexo. Estaba viva hasta la transparencia y palpitante a la luz del recuerdo de una breve tarde en la avenida, primer olor y substancia tangible del mundo de la jodienda, que es en sí un ser ilimitado e indefinible, como nuestro mundo el mundo. El entero mundo de la jodienda como la membrana que nunca deja de crecer, del animal llamado sexo, que es como otro ser que crece en nuestro propio ser y lo va suplantando poco a poco, de modo que con el tiempo el mundo humano sólo será un lejano recuerdo de ese ser nuevo, omnipresente, que se da luz a sí mismo.

Precisamente esa copulación como de culebras en la obscuridad, ese acoplamiento de articulaciones de goma y de dos cañones, era lo que me encerraba en la camisa de fuerza de la duda, los celos, el miedo, la soledad. Si empezaba mi vainica con Georgiana y el candelabro de diez mil brazos del sexo, estaba seguro de que también ella estaba construyendo membranas, fabricando oídos, ojos, dedos de los pies, cuero cabelludo, y qué sé yo qué más, del sexo. Comenzaba con el monstruo que la había violado, suponiendo que hubiera algo de verdad en esa historia; en cualquier caso, también ella empezaba en algún punto de un raíl paralelo, avanzando hacia afuera y hacia arriba por aquel ser multiforme e increado a través de cuyo cuerpo hacíamos esfuerzos desesperados para encontrarnos. Como yo sólo conocía una fracción de su vida, sólo poseía una sarta de mentiras, invenciones, imaginaciones, obsesiones e ilusiones falsas, uniendo jirones, sueños de cocaína, quimeras, frases inacabadas, galimatías pronunciados en sueños, delirios histéricos, fantasías mal disimuladas, deseos morbosos, al conocer de vez en cuando un nombre hecho carne, al oír por casualidad retazos dispersos de conversación, al observar miradas furtivas, gestos medio interrumpidos, podía reconocerle un panteón de dioses folladores propios, de personas de carne y hueso y más que vivas, hombres de aquella misma tarde quizás, de tan sólo una hora antes tal vez, cuando aún tenía el coño empapado con la esperma del último polvo. Cuanto más sumisa era, cuanto más apasionada se mostraba, cuanto más parecía abandonarse, más inseguro me volvía yo. No había un comienzo, un punto de partida personal, individual; nos encontrábamos como espadachines expertos en el campo de honor, atestado ahora con los fantasmas de la victoria y la derrota. Estábamos alerta y atentos a la más leve acometida, como sólo pueden estarlo los expertos.

Nos reuníamos al abrigo de la obscuridad con nuestros ejércitos y desde extremos opuestos forzábamos las puertas de la ciudadela. Nada resistía nuestro asalto sangriento; no pedíamos ni dábamos cuartel. Nos reuníamos nadando en sangre, reunión sangrienta y glauca en la noche con todas las estrellas extinguidas, salvo la estrella fija que pendía como un cuero cabelludo sobre el agujero del techo. Si estaba ciega de coca, lo vomitaba como un oráculo, todo lo que le había ocurrido durante el día, ayer, anteayer, el año antepasado, *todo*, hasta el día en que nació. Y ni una palabra era cierta, ni un solo detalle. No se detenía ni un momento, pues, si lo hubiera hecho, el vacío que creaba su arranque habría provocado una explosión capaz de partir el mundo en dos. Era la máquina de mentir del mundo en microcosmos, engranada al mismo miedo inacabable y devastador que permite a los hombres emplear todas sus energías en la creación del aparato de la muerte. Al mirarla, pensabas que era intrépida, que era la personificación del valor y lo *era*, con tal de que no se viese obligada a volver sobre sus pasos. Tras ella quedaba la realidad apacible, un coloso que seguía todos sus pasos. Todos los días aquella realidad colosal adquiría nuevas proporciones, cada día resultaba más aterradora, más paralizante. Todos los días tenían que crecerle alas más rápidas, garras más afiladas, ojos hipnóticos. Era una carrera hasta los últimos confines del mundo, una carrera perdida desde la salida y sin nadie que pudiera detenerla. En el borde del vacío se hallaba la verdad, lista para recobrar el terreno perdido de un barrido rápido como un relámpago. Era tan simple y evidente, que la ponía frenética. Aunque pusiera en formación mil personalidades, tomara los cañones más grandes, engañase a las mentes más dotadas, diera el rodeo más largo... aun así, el final sería la derrota. En el encuentro final todo estaba destinado a desbaratarse: la astucia, la habilidad, el poder, todo. Iba a ser un grano de arena en la playa del mayor océano y —lo peor de todo— iba a parecerse a todos y cada uno de los demás granos de arena de esa playa del océano. Iba a verse condenada a reconocer en todas partes su yo excepcional hasta el fin de los tiempos. ¡Qué destino había escogido! ¡Que su singularidad quedara sumergida en lo universal! ¡Que su poder quedase reducido al grado máximo de pasividad! Era enloquecedor, alucinante. ¡No podía ser! ¡No *debía* ser! ¡Adelante! Como las legiones negras. ¡Adelante! Por todos los grados del círculo cada vez mayor. Adelante y lejos del yo, hasta que la última partícula substancial del alma se alargara hasta el infinito. En su huida despavorida parecía llevar el mundo entero en su matriz. Nos veíamos expulsados de los confines del universo hacia una nebulosa que ningún instrumento podía concebir. Nos veíamos precipitados a un reposo tan tranquilo, tan prolongado, que, en comparación, la muerte parecía una juerga de brujas locas.

Por la mañana, al contemplar el exangüe cráter de su cara, ¡ni una línea en él, ni una arruga, ni una sola tacha! La expresión de un ángel en los brazos del Creador. *¿Quién mató a Cock Robin? ¿Quién hizo una carnicería con los iroqueses?* Yo no, podía decir mi encantador ángel, y, por Dios, ¿quién podía contradecirla, al contemplar aquella cara pura e inocente? ¿Quién podía ver en aquel sueño de inocencia que la mitad de la cara pertenecía a Dios y la otra mitad a Satán? La máscara era lisa como la muerte, fresca, deliciosa al tacto, cérea, como un pétalo abierto con la más ligera brisa. Era tan seductoramente serena y cándida, que podías ahogarte en ella, bajar a ella, con el cuerpo y todo, como un buzo, y no regresar nunca más. Hasta que se abrían los ojos de mundo, yacía así, completamente extinguida y brillando con luz reflejada, como la propia Luna. En su trance de inocencia, semejante a la muerte, fascinaba todavía más; sus crímenes se disolvían, rezumaban por los poros, permanecía enroscada como una serpiente dormida y clavada a la tierra. El cuerpo, fuerte, ágil, musculoso, parecía poseído por un peso innatural; tenía una gravedad más que humana, la gravedad —casi podríamos decir— de un cadáver caliente. Era como podríamos imaginar que debió de ser la bella Nefertiti después de los primeros mil años de momificación, una maravilla de perfección mortuoria, un sueño de la carne preservado de la descomposición mortal. Yacía enroscada en la base de una pirámide hueca, conservada en el vacío de su propia creación como una reliquia sagrada del pasado. Su sopor era tan profundo, que hasta su respiración parecía haberse detenido. Había descendido por debajo de la esfera humana, de la esfera animal, de la esfera vegetativa incluso: se había hundido hasta el nivel del mundo animal, donde la animación está apenas a un paso de la muerte. Había llegado a dominar hasta tal punto el arte de la superchería, que ni siquiera el sueño podía traicionarla. Había aprendido a no dormir: cuando se enroscaba en el sueño, desconectaba la corriente automáticamente. Si hubieras podido sorprenderla así y abrirle el cráneo, lo habrías encontrado absolutamente vacío. No guardaba secretos inquietantes; todo lo que pudiera humanamente matarse estaba muerto. Podía seguir viviendo infinitamente, como la Luna, como cualquier planeta muerto, irradiando un resplandor hipnótico, creando olas de pasión, sumiendo el mundo en la locura, decolorando todas las substancias terrestres con sus rayos magnéticos, metálicos. Al sembrar su propia muerte, volvía febriles a todos los que la rodeaban. En la horrible quietud de su sueño, renovaba su propia muerte magnética mediante la unión con el frío magma de los mundos planetarios sin vida.

Estaba mágicamente intacta. Su mirada caía sobre ti con fijeza penetrante: la mirada de la Luna a través de la cual el dragón muerto de la vida despedía un fuego frío. Uno de los ojos era castaño cálido, el color de una hoja en otoño; el otro era color de avellana, el ojo magnético que oscilaba como la aguja de una brújula. Incluso en el sueño seguía oscilando ese ojo bajo la persiana del párpado; era el único signo aparente de vida en ella.

En cuanto abría los ojos, estaba del todo despierta. Se despertaba con un violento sobresalto, como si el espectáculo del mundo y sus accesorios humanos fuera una conmoción. Al instante, estaba en plena actividad, moviéndose de un lado para otro como una gran pitón. ¡Lo que la molestaba era la luz! Se despertaba maldiciendo el sol, maldiciendo el resplandor de la realidad. Había que dejar a obscuras la habitación, encender las velas, cerrar las ventanas herméticamente para impedir que llegara a penetrar en la habitación el ruido de la calle. Se movía de un lado para otro desnuda y con un cigarrillo colgando de la comisura de los labios. Su aseo era motivo de gran preocupación; tenía que ocuparse de mil detalles insignificantes antes de ponerse siquiera una bata de baño. Era como un atleta preparándose para el gran acontecimiento del día. Antes de sentarse a desayunar, inspeccionaba minuciosamente todas las partes de su anatomía, desde las raíces del pelo, que estudiaba con profunda atención, hasta la forma y el tamaño de las uñas de los pies. He dicho que era como un atleta, pero en realidad era más como un mecánico examinando detenidamente un avión veloz para un vuelo de prueba. Una vez que se ponía el vestido, estaba lanzada para la jornada, para el vuelo que podía acabar tal vez en Irkutsk o en Teherán. En el desayuno tomaba suficiente combustible para que le durara todo el viaje. El desayuno era una sesión prolongada: era la única ceremonia del día en la que se demoraba y perdía el tiempo. Hasta la exasperación, de hecho. Te preguntabas si llegaría a despegar jamás, si no habría olvidado la gran misión que había jurado cumplir todos los días. Quizás estuviera soñando con su itinerario o tal vez no estuviese soñando en absoluto, sino simplemente dejando un tiempo para los procesos funcionales de su maravillosa máquina, de modo que, una vez lanzada, no hubiese de dar la vuelta. A esa hora del día estaba muy serena y dueña de sí misma; era como una gran ave del aire posada en un risco, reconociendo soñadora el terreno que quedaba abajo. No era de la mesa del desayuno de donde iba a lanzarse de repente y caer en picado sobre su presa. No, desde la alcándara de por la mañana temprano despegaba lenta y majestuosa, sincronizando todos y cada uno de sus movimientos con el ritmo del motor. Todo el espacio quedaba debajo de ella y sólo el capricho le imponía la dirección. Era casi la imagen de la libertad, de no haber sido por el peso saturnino de su cuerpo y la anormal envergadura de sus alas. Por equilibrada que pareciese, sobre todo en el despegue, sentías el terror que motivaba el vuelo diario. Obedecía a su destino y a la vez anhelaba como loca superarlo. Todas las mañanas se elevaba a las alturas desde su percha, como desde un pico del Himalaya; siempre parecía dirigir su vuelo hacia una región inexplorada, en la que, de salir todo bien, desaparecería para siempre. Todas las mañanas parecía llevarse a las alturas esa desesperada esperanza del último instante; se marchaba con dignidad tranquila y grave, como si estuviera a punto de bajar a la tumba. Ni una sola vez daba vueltas en torno a la pista de salida; ni una sola vez volvía la vista hacia aquellos a los que estaba abandonando. Como tampoco dejaba el más leve rastro de personalidad tras sí; se lanzaba al aire con todas sus pertenencias, con el menor vestigio que pudiera atestiguar su existencia. Ni siquiera dejaba tras sí el aliento de un suspiro, ni la uña de un pie siquiera. Una salida impecable, como la que podría hacer el propio Diablo por razones personales. Te quedabas con un gran vacío en las manos. Te quedabas abandonado, y no sólo abandonado, sino también traicionado, traicionado de forma inhumana. No sentías deseo de detenerla ni de gritarle que volviera; te quedabas con una maldición en los labios, con un odio sombrío que obscurecía el día entero. Más tarde, yendo de un lado para otro por la ciudad, moviéndote con la lentitud de los peatones, arrastrándote como el gusano, recogías rumores de su espectacular vuelo; la habían visto girando en determinado promontorio, había descendido aquí o allá por razones que nadie conocía, en otro punto había virado en redondo, había pasado como un cometa, había escrito cartas de humo en el cielo, etcétera, etcétera. Todo lo que había hecho era enigmático y exasperante, sin objeto aparente. Era como un comentario simbólico e irónico sobre la vida humana, sobre el comportamiento de la criatura semejante a una hormiga, el hombre, vista desde otra dimensión.

Entre el momento en que despegaba y aquel en que regresaba, yo hacía la vida de un esquizerino de pura raza. No era una eternidad la que transcurría, porque la eternidad tiene en cierto modo que ver con la paz y la victoria, algo hecho por el hombre, algo ganado: no, pasaba por un entreacto en que cada cabello encanece hasta la raíz, en que cada milímetro de piel pica y abrasa hasta que el cuerpo entero se convierte en una herida supurante. Me veo sentado ante una mesa en la obscuridad, con las manos y los pies volviéndose enormes, como si estuviera apoderándose de mí una elefantiasis galopante. Oigo la sangre precipitarse al cerebro y golpear los tímpanos como diablos himalayos con almádenas: la oigo batir sus enormes alas, incluso en Irkutsk, y sé que sigue avanzando y avanzando, cada vez más lejos, hasta quedar fuera de alcance. La habitación está tan silenciosa y espantosamente vacía, que doy gritos y alaridos para hacer un poco de ruido, un poco de sonido humano. Intento levantarme de la mesa, pero tengo los pies demasiado pesados y las manos se han vuelto como los informes pies del rinoceronte. Cuanto más pesado se vuelve mi cuerpo, más ligera resulta la atmósfera de la habitación; voy a estirarme y estirarme hasta llenarla con una masa sólida de jalea compacta. Voy a llenar hasta las grietas de la pared; voy a crecer y atravesar la pared como una planta parásita, estirándome y estirándome hasta que la casa entera sea una masa indescriptible de carne, cabello y uñas. Sé que eso es la muerte, pero me veo impotente para acabar con ese conocimiento... o con el conocedor. Alguna partícula diminuta de mí está viva, alguna pizca de conciencia persiste y, a medida que se dilata el armazón interior, ese parpadeo de vida se vuelve cada vez más intenso y fulgura dentro de mí como el frío fuego de una gema. Ilumina toda la viscosa masa de pulpa, por lo que soy como un buzo con una linterna en el cuerpo de un monstruo marino muerto. Gracias a un ligero filamento oculto sigo conectado con la vida por encima de la superficie de la sima, pero está tan lejos, el mundo de arriba, y el peso del cadáver es tal, que, aunque fuera posible, se tardarían años en llegar a la superficie. Me muevo de acá para allá dentro de mi propio cuerpo muerto, explorando todos los escondrijos y hendiduras de su enorme masa informe. Es una exploración interminable, pues con el crecimiento incesante toda la topografía cambia, deslizándose y derivando como el caliente magma de la Tierra. Ni por un minuto hay tierra firme, ni por un minuto permanece nada quieto y reconocible: es un crecimiento sin hitos, un viaje en que la meta cambia con el menor movimiento o temblor. Ese interminable rellenado del espacio es lo que elimina cualquier sensación de espacio o tiempo; cuanto más se dilata el cuerpo, más diminuto se vuelve el mundo, hasta que al final siento que todo está concentrado en la cabeza de un alfiler. Pese al forcejeo de esa enorme masa muerta en que me he convertido, siento que lo que la sostiene, el mundo del que crece, no es mayor que una cabeza de alfiler. En plena corrupción, en el corazón y las entrañas de la muerte, por decirlo así, siento la semilla, la palanca milagrosa, infinitesimal, que equilibra el mundo. He esparcido el mundo como un jarabe y su vacuidad es aterradora, pero no se puede desalojar la semilla; la semilla se ha convertido en un pequeño nudo de fuego frío que ruge como un sol en el enorme hueco del armazón inerte.

Cuando la gran ave de rapiña regrese exhausta de su vuelo, me encontrará aquí en medio de mi nada, a mí, el esquizerino imperecedero, semilla llameante oculta en el corazón de la muerte. Todos los días, cree encontrar otro medio de subsistencia, pero no existe, sólo esta eterna semilla de luz que, al morir todos los días vuelvo a descubrir para ella. ¡Vuela, oh, ave devoradora! ¡Vuela hasta los límites del universo! ¡Aquí está tu alimento brillando en el nauseabundo vacío que has creado! Regresarás para perecer una vez más en el negro agujero; regresarás una y otra vez, pues no tienes alas que puedan llevarte fuera del mundo. Éste es el único mundo en que puedes vivir, esta tumba de culebra en que reina la obscuridad.

Y, de repente, sin razón alguna, cuando pienso en ella regresando al nido, recuerdo los domingos por la mañana en la antigua casita cercana al cementerio. Recuerdo estar sentado al piano en camisa de dormir, pisando como loco los pedales con los pies descalzos y mis viejos acostados y al calorcito en la habitación contigua. Las alcobas daban una en la otra, en forma de telescopio, como en los antiguos pisos americanos en forma de ferrocarril. Los domingos por la mañana te quedabas en la cama hasta sentir ganas de gritar de gusto. Hacia las once más o menos, mis viejos solían llamar a la pared de mi alcoba para que fuera a tocarles algo. Entraba en la habitación bailando como los hermanos Fratellini, tan apasionado y ligero, que habría podido alzarme como una grúa hasta la rama más alta del árbol del cielo. Podía hacer todo y cualquier cosa sin ayuda, pues al mismo tiempo tenía articulaciones de goma. Mi viejo me llamaba «el alegre Jim», porque estaba lleno de «fuerza», lleno de energía y vigor. Primero les ofrecía unas volteretas sobre las manos en la alfombra de delante de la cama; después cantaba en falsete, intentando imitar al muñeco de un ventrílocuo; luego daba unos pases de baile fantásticos y ligeros para mostrar de qué lado soplaba el viento y, ¡zas!, en un periquete me sentaba al piano y hacía un ejercicio de velocidad. Siempre empezaba con Czerny como ejercicio preliminar para la actuación. Mi viejo detestaba a Czerny y yo también, pero Czerny era el *plat du jour* en el menú de entonces y, por eso, dale que te pego con Czerny hasta que parecía que tenía los dedos de goma. En cierto modo, Czerny me recuerda el gran vacío que cayó sobre mí más adelante. ¡A qué velocidad tocaba, clavado al piano! Era como beber una botella de tónico de un trago y que después alguien te atara a la cama. Después de haber tocado unos noventa y ocho ejercicios, estaba listo para improvisar un poco. Solía coger un puñado de acordes y estrellarlos contra el piano de un extremo a otro, y después pasaba a modular «El incendio de Roma» o «La carrera de carros de Ben Hur», que gustaban a todo el mundo, porque era ruido inteligible. Mucho antes de que leyera el *Tractatus Logico-Philosophicus* de Wittgenstein, ya estaba componiendo música para él, en tono de sasafrás. En aquella época estaba versado en ciencia y filosofía, historia de las religiones, lógica inductiva y deductiva, hepatomancia, forma y peso de los cráneos, farmacopea y metalurgia, en todas las ramas inútiles del saber, que te dan indigestión y melancolía antes de tiempo. Ese vómito de saber de pacotilla iba cociéndose en mis tripas durante toda la semana, esperando al domingo para ponerlo en música. Entre «La alarma de fuego a medianoche» y «Marche militaire», me venía la inspiración, que consistía en destruir todas las formas existentes de armonía y crear mi propia cacofonía. Imaginaos a Urano bien aspectado con Marte, Mercurio, Luna, Júpiter, Venus. Es difícil de imaginar porque Urano funciona de la mejor forma cuando está mal aspectado, «afligido», por decirlo así. Y, sin embargo, aquella música que emitía yo los domingos por la mañana, música de bienestar y desesperación bien alimentada, nacía de un Urano ilógicamente bien aspectado, firmemente anclado en la Casa VII. Entonces no lo sabía, no sabía que Urano existiera y suerte tenía de ignorarlo. Pero hoy lo comprendo, porque era una alegría por chiripa, un bienestar falso, una creación fogosa de tipo destructivo. Cuanto mayor era mi euforia, más se tranquilizaban mis viejos. Hasta mi hermana, que estaba chalada, se tranquilizaba y serenaba. Los vecinos solían asomarse a las ventanas y escuchar y de vez en cuando oía un estallido de aplausos y después, ¡zas!, volvía a empezar como un cohete: ejercicio de velocidad n.° 947 y 1/2. Si por casualidad divisaba una cucaracha que subía por la pared, me sentía dichoso: eso me conducía sin la menor modulación a Opus Izzi de mi tristemente arrugado clavicordio. Un domingo, así como así, compuse uno de los scherzos más encantadores que imaginarse pueda... a un piojo. Era primavera y todos estábamos siguiendo un tratamiento de azufre; había estado toda la semana empollando el *Inferno* de Dante en inglés. El domingo llegó como un deshielo; los pájaros estaban tan enloquecidos por el repentino calor, que entraban y salían por la ventana, inmunes a la música. Uno de los parientes alemanes, una tía soltera que parecía un marimacho, acababa de llegar de Hamburgo, o Bremen. Ya sólo estar cerca de ella era suficiente para darme un ataque de rabia. Solía darme palmaditas en la cabeza y decirme que iba a ser otro Mozart. Yo detestaba a Mozart, y sigo detestándolo, conque para vengarme de ello tocaba mal, tocaba todas las notas equivocadas que conocía. Y luego vino el piojito, como decía, un piojo de verdad que se había metido en mi ropa interior de invierno. Lo saqué y lo posé con delicadeza en la punta de una tecla negra. Después empecé a hacer una pequeña giga a su alrededor con mi mano derecha; probablemente lo hubiera ensordecido el ruido. Quedó hipnotizado, al parecer, por mi ingeniosa pirotecnia. Aquella inmovilidad como de trance acabó crispándome los nervios. Decidí introducir una escala cromática cayendo sobre él con toda la fuerza del dedo medio. La acerté de lleno, pero con tal fuerza que se me quedó pegado en la punta del dedo. Eso me dio el baile de San Vito. A partir de entonces comenzó el scherzo. Era un popurrí de melodías olvidadas, sazonadas con áloes y el juego de puercoespines, interpretadas a veces en tres tonalidades a la vez y gritando siempre como un ratón valseando en torno a la Inmaculada Concepción. Más adelante, cuando fui a oír a Prokofiev, entendí lo que le ocurría; entendí a Whitehead, Russell, Jeans, Eddington, Rudolf Eucken, Frobenius y Link Gillespie; entendí por qué, si no hubiera existido nunca un teorema binomio, lo habría inventado el hombre; entendí el porqué de la electricidad y del aire comprimido, por no hablar de los baños termales ni de las mascarillas de barro. Entendí con claridad, debo decirlo, que el hombre tiene un piojo muerto en la sangre y que, cuando te entregan una sinfonía, un fresco o un explosivo instantáneo, recibes en realidad una reacción de ipecacuana que no iba incluida en el menú predestinado. Entendí también por qué no había llegado a ser el músico que era. Todas las composiciones que había creado en mi cabeza, todas aquellas audiciones privadas y artísticas que se me permitieron, gracias a Santa Hildegarde, Santa Brígida, Juan de la Cruz o Dios sabe quién, estaban escritas para una edad venidera, una edad con menos instrumentos y con antenas más potentes, tímpanos más potentes también. Antes de apreciar esa música, hay que experimentar un tipo de sufrimiento diferente. Beethoven delimitó el nuevo territorio: se nota su presencia cuando hace erupción, cuando se derrumba en plena quietud. Es un ámbito de nuevas vibraciones: para nosotros, sólo una nebulosa confusa, pues aún tenemos que superar nuestra propia concepción del sufrimiento. Aún tenemos que absorber ese mundo nebuloso, su tormento, su orientación. A mí me fue dado oír una música increíble estando postrado e indiferente a la pena que me rodeaba. Oí la gestación del nuevo mundo, el sonido de ríos torrenciales al tomar su curso, estrellas rozándose y rechinando, fuentes coaguladas con gemas centelleantes. Toda la música está regida aún por la antigua astronomía; es un producto de invernadero, una panacea para el *Weltschmerz*. La música sigue siendo el antídoto para lo indecible, pero eso todavía no es *música*. La música es fuego planetario, un irreductible del todo suficiente, es la escritura de los dioses en la pizarra, el abracadabra que se les escapa tanto a los cultos como a los ignorantes, porque el eje se ha desenganchado. ¡Mirad las entrañas, inconsolables e ineluctables! Nada está determinado, nada zanjado ni resuelto. Todo esto que está ocurriendo, toda la música, toda la arquitectura, todo el derecho, todo el gobierno, todas las invenciones, todos los descubrimientos... todo eso son ejercicios de velocidad en la sombra, Czerny con zeta mayúscula montando un caballo loco en una botella de mucílago.

Una de las razones por las que nunca llegué a ninguna parte con la maldita música fue la de que siempre se mezclaba con el sexo. En cuanto sabía tocar una canción, las jais me rodeaban como moscas. Para empezar, la culpa fue en gran parte de Lola. Lola fue mi primera profesora de piano. Lola Niessen. Era un nombre ridículo y típico del barrio en que vivíamos entonces. Sonaba a arenque ahumado hediondo o a coño agusanado. A decir verdad, Lola no era una belleza exactamente. Tenía un aire de calmuca o de chinook, con tez cetrina y ojos biliosos. Tenía algunas verrugas y lobanillos, por no hablar del bigote. Sin embargo, lo que me excitaba era su pilosidad; tenía una hermosa cabellera negra, fina y larga que se arreglaba en moños ascendentes y descendentes sobre su cráneo mongol. En la nuca se la enroscaba en un nudo en forma de serpentina. Siempre llegaba tarde, como concienzuda idiota que era, y, cuando llegaba, yo siempre estaba un poco debilitado de tanto masturbarme. Sin embargo, en cuanto se sentaba en el taburete a mi lado, volvía a excitarme, entre otras cosas por el pestilente perfume con que se empapaba los sobacos. En verano llevaba mangas muy abiertas y le veía los mechones de pelo bajo los brazos. Me volvía loco de verlos. La imaginaba cubierta de pelo por todo el cuerpo, hasta en el ombligo. Y lo que deseaba era envolverme en él, hincarle el diente. Podría haberme comido el pelo de Lola como una golosina, si hubiera llevado un pedacito de carne pegado a él. El caso es que era peluda, eso es lo que quiero decir, y, por ser peluda como un gorila, no me dejaba concentrar en la música, sólo en su coño. Estaba tan deseoso de verle el coño, que por fin un día soborné a su hermanito para que me dejara mirarla a escondidas mientras estaba en el baño. Era aún más maravilloso de lo que había imaginado: tenía una mata que iba desde el ombligo hasta la entrepierna, una enorme mata espesa, un morral escocés, rico como una alfombra tejida a mano. Cuando le pasó la borla de los polvos, creí que me iba a desmayar. La próxima vez que vino a darme clase, me dejé dos botones de la bragueta abiertos. No pareció notar nada anormal. La vez siguiente me dejé toda la bragueta abierta. Aquella vez se dio cuenta. Dijo: «Creo que has olvidado una cosa, Henry». La miré, rojo como un tomate, y le pregunté como si tal cosa: «¿El qué?». Hizo como que miraba a otro lado, mientras la señalaba con la mano izquierda. Acercó tanto la mano, que no pude resistir la tentación de agarrarla y metérmela en la bragueta. Se levantó rápido, pálida y asustada. Para entonces la picha se me había salido de la bragueta y se estremecía de placer. Me acerqué a ella y le metí la mano bajo el vestido para llegar a aquella alfombra tejida a mano que había visto por el ojo de la cerradura. De repente, recibí un sonoro bofetón en el oído y después otro y me cogió de la oreja y llevándome hasta un rincón del cuarto me volvió de cara a la pared y dijo: «¡Ahora abróchate la bragueta, tontaina!». Al cabo de unos minutos volvimos al piano: a Czerny y los ejercicios de velocidad. Ya no podía distinguir un sostenido de un bemol, pero seguía tocando, porque temía que contara el incidente a mi madre. Por fortuna, no era cosa fácil de contar a una madre.

El incidente, por embarazoso que fuese, señaló un cambio clarísimo en nuestras relaciones. Pensaba que la próxima vez que viniese se mostraría severa conmigo, pero al contrario: parecía haberse acicalado, haberse rociado con más perfume y estaba un poco alegre incluso, cosa extraordinaria en Lola, porque era persona adusta y reservada. No me atreví a abrirme la bragueta otra vez, pero me vino una erección y la mantuve por toda la clase, lo que le debió de gustar, pues no dejó de lanzar miradas furtivas en esa dirección. En aquella época yo sólo tenía quince años y ella debía de tener por lo menos veinticinco o veintiocho. Yo no sabía qué hacer, a no ser derribarla deliberadamente, un día que mi madre hubiera salido. Por un tiempo llegué a seguirla a escondidas por la noche, cuando salía sola. Tenía la costumbre de salir a dar largos paseos sola por la noche. Yo solía seguirle los pasos, con la esperanza de que llegara a algún desierto cerca del cementerio, donde podría probar una táctica violenta. A veces tenía la impresión de que sabía que la estaba siguiendo y le gustaba. Creo que esperaba que la abordase... creo que eso era lo que quería. El caso es que una noche estaba tumbado en la hierba, cerca de las vías del ferrocarril; era una noche de verano sofocante y había gente tumbada por todas partes y en cualquier lado, como perros jadeantes. Yo no estaba pensando en Lola en absoluto... soñaba despierto simplemente, demasiado sofocado para pensar en nada. De repente, veo a una mujer que viene por el estrecho sendero. Estoy tumbado en el terraplén y no veo a nadie por allí. La mujer viene despacio, con la cabeza gacha, como si estuviera soñando.

Al acercarse un poco más, la reconozco. «¡Lola!», llamo, «¡Lola!» Parece realmente asombrada de verme allí. «Pero, bueno, ¿qué haces tú aquí?», dice, al tiempo que se sienta junto a mí en el terraplén. No me molesté en contestarle, no dije ni palabra: me limité a subirme encima de ella y tumbarla. «Aquí no, por favor», suplicó, pero no le hice caso. Le metí la mano entre las piernas y quedó enredada en aquel espeso zurrón: estaba empapado y chorreando como un caballo al babear. Era mi primer polvo y precisamente en aquel momento tenía que pasar un tren, ¡joder!, y echarnos una lluvia de chispas ardientes. Lola quedó aterrada. Supongo que sería también su primer polvo y probablemente lo necesitara más que yo, pero, cuando sintió las chispas, quiso soltarse. Fue como intentar sujetar a una yegua salvaje. No pude mantenerla tumbada, por mucho que forcejeé con ella. Se levantó, se bajó las faldas y se ajustó el moño en la nuca. «Debes irte a casa», va y me dice. «No me voy a casa», dije, al tiempo que la cogía del brazo y empezaba a caminar. Caminamos un buen trecho en absoluto silencio. Ninguno de los dos parecía advertir hacia dónde íbamos. Por último, desembocamos en la carretera y por encima de nosotros quedaban los depósitos y cerca de éstos había un estanque. Instintivamente, me dirigí hacia el estanque. Teníamos que pasar bajo unos árboles de ramas bajas, al acercarnos al estanque. Estaba ayudando a Lola a agacharse, cuando de repente resbaló y me arrastró en su caída. No hizo ningún esfuerzo para levantarse; al contrario, me agarró y me apretó contra sí y, para gran asombro mío, sentí también que me deslizaba la mano en la bragueta. Me acarició tan maravillosamente, que en un santiamén me corrí en su mano. Después me cogió la mano y se la colocó entre las piernas. Se tumbó completamente relajada y abrió las piernas al máximo. Me incliné y le besé cada uno de los pelos del coño; le puse la lengua en el ombligo y se lo limpié a lametazos. Después me tumbé con la cabeza entre sus piernas y sorbí la baba que salía a borbotones. Ya estaba gimiendo y se me agarraba frenética; el pelo se le había soltado por completo y le cubría el abdomen desnudo. En una palabra, se la volví a meter y me contuve largo rato, lo que debió de agradecerme más que la hostia, porque se corrió no sé cuántas veces: era como un paquete de cohetes explotando, y al mismo tiempo me hincó los dientes, me magulló los labios, me arañó, me desgarró la camisa y qué sé yo qué más. Cuando llegué a casa y me miré en el espejo, estaba marcado como una res.

Mientras duró, fue maravilloso, pero no duró mucho. Un mes después, los Niessen se fueron a vivir a otra ciudad y no volví a ver a Lola nunca más. Pero colgué su zurrón sobre la cama y le rezaba todas las noches. Y, siempre que iniciaba los ejercicios de Czerny, me venía una erección, al recordar a Lola tumbada en la hierba, al recordar su larga cabellera negra, el moño en la nuca, los gemidos que soltaba y el jugo que salía a borbotones. Para mí, tocar el piano era un simple substitutivo de un largo polvo. Tuve que esperar otros dos años antes de mojar el churro otra vez, como se suele decir, y entonces no salió tan bien, porque pillé unas hermosas purgaciones y, además, no fue en la hierba ni en verano ni hubo pasión, sino que fue un polvo frío y maquinal por un dólar en un sucio cuartucho de hotel, con aquella cabrona fingiendo que se corría y se corría menos que una piedra. Y quizá no fuera ella la que me pegase las purgaciones, sino su amiga de la habitación contigua, que estaba acostándose con mi amigo Simmons. Esto fue lo que pasó: había acabado tan deprisa mi polvo maquinal, que se me ocurrió ir a ver cómo le iba a mi amigo Simmons. Mira por dónde, todavía estaban en pleno tracatrá y menudo cómo le daban al asunto. Era checa, aquella chica, y un poco boba; al parecer, no llevaba mucho en el oficio y solía abandonarse y disfrutar con el acto. Al ver lo bien que se portaba, decidí esperar y probarla yo también. Y así lo hice. Y antes de que pasara una semana empezó a supurarme y me figuré que serían purgaciones o que tenía los cojones pochos.

Al cabo de un año más o menos, yo estaba ya dando clases y quiso la suerte que la madre de la muchacha a la que daba clases fuese una golfa, furcia y fulana como pocas. Vivía con un negro, como más adelante descubrí. Al parecer, no podía conseguir una picha lo bastante grande para satisfacerla. El caso es que, siempre que estaba a punto de marcharme a casa, me retenía en la puerta y se restregaba contra mí. Me daba miedo liarme con ella, porque corría el rumor de que tenía sífilis, pero, ¿qué demonios vas a hacer, cuando una tía puta y cachonda como ésa te restriega el coño y te mete la lengua casi hasta la garganta? Solía follármela de pie en el vestíbulo, cosa fácil, pues pesaba poco y podía sostenerla con las manos como una muñeca. Y estoy una noche sosteniéndola así, cuando de pronto oigo que meten una llave en la cerradura y ella lo oye también y se queda muerta de miedo. No sabía adónde ir. Por fortuna, había una cortina que colgaba de la puerta y me escondí tras ella. Después oigo que su maromo negro la besaba y decía: «¿Cómo estás, cariño?», y ella le está diciendo que ha estado esperándole y que mejor será que suba, porque no puede esperar más y cosas así. Y cuando las escaleras dejan de crujir, abro la puerta despacito y salgo pitando, y entonces, ¡huy, la leche!, me entra miedo de verdad, porque, si ese negro llega a enterarse alguna vez, me corta el cuello, de eso puedo estar seguro. Y, por eso, dejo de dar clases en esa casa, pero pronto la hija —que acaba de cumplir dieciséis años— se pone a perseguirme y a pedirme que vaya a darle clases a casa de una amiga. Volvemos a empezar de nuevo los ejercicios de Czerny, con chispas y todo. Es la primera vez que huelo un coño tierno y es maravilloso, como heno recién segado. Jodíamos clase tras clase y entre clases echábamos un polvo extra. Y después, un día, la triste historia de siempre: está preñada, ¿y qué se puede hacer? Tengo que ir a buscar a un chaval judío para que me ayude; quiere veinticinco dólares por el trabajo y yo en mi vida he visto veinticinco dólares juntos. Además, ella es menor de edad. Y, además, podría darle una infección a la sangre. Le doy cinco dólares a cuenta y me largo a los Adirondacks por dos semanas. En los Adirondacks conozco a una maestra de escuela que se muere por recibir clases. Más ejercicios de velocidad, más condones y contratiempos. Siempre que tocaba el piano parecía que abría un coño.

Si había una fiesta, tenía que llevar el rollo de la música de los cojones; para mí era exactamente como envolverme el pene en un pañuelo y ponérmelo bajo el brazo. En vacaciones, en una granja o una posada, donde siempre sobraban las jais, la música surtía un efecto extraordinario. Las vacaciones eran un período que esperaba todo el año con ansiedad, no tanto por las chatis como porque no había que trabajar. Fuera del tajo, me volvía un payaso. Estaba tan rebosante de alegría, que quería salir de mi pellejo. Recuerdo que en verano conocí en los Catskills a una chica llamada Francie. Era guapa y lasciva, con fuertes tetas escocesas y una fila de dientes blancos y regulares, deslumbrantes. La cosa empezó en el río, donde estábamos nadando. Estábamos agarrados al bote y una de las tetas se le había salido de su sitio. Le saqué la otra para que no tuviera que molestarse y después le desaté las trabillas. Se sumergió, tímida, bajo el bote y yo la seguí y, cuando subió a coger aire, le quité el maldito traje de baño y ahí quedó flotando como una sirena, con sus grandes y fuertes tetas subiendo y bajando como corchos hinchados. Me quité el calzón de baño y empezamos a jugar como delfines bajo el costado del bote. Al poco rato, vino su amiga en una canoa. Era una chica bastante corpulenta, una pelirroja con ojos color de ágata y llena de pecas. Quedó bastante escandalizada de encontrarnos en pelotas, pero no tardamos en hacerla caer de la canoa y desnudarla. Y después los tres empezamos a jugar bajo el agua, pero era difícil llegar a nada con ellas, porque estaban escurridizas como anguilas. Cuando nos cansamos, corrimos a una caseta que se alzaba en el campo como una garita de centinela abandonada. Habíamos traído la ropa e íbamos a vestirnos, los tres, en aquella caseta. Hacía un calor y un bochorno espantosos y estaban juntándose nubes que amenazaban tormenta. Agnes —la amiga de Francie— tenía prisa por vestirse. Estaba empezando a avergonzarse de estar allí desnuda ante nosotros. En cambio, Francie parecía sentirse a sus anchas. Estaba sentada en el banco con las piernas cruzadas y fumando un cigarrillo. El caso es que, justo cuando Agnes estaba poniéndose el vestido, se produjo un relámpago y al instante se oyó el estampido aterrador de un trueno. Agnes dio un grito y dejó caer el vestido. A los pocos segundos se produjo otro relámpago y otra vez el estruendo de un trueno, peligrosamente cercano. El aire se volvió azul a nuestro alrededor, las moscas empezaron a picar y nos pusimos nerviosos e impacientes y un poco asustados también. Sobre todo Agnes, que tenía miedo de los rayos y más aún de que nos encontraran a los tres desnudos y muertos. Según dijo, quería ponerse la ropa y correr a su casa. Y, justo cuando pronunció esas palabras, que le salieron del alma, empezó a llover a cántaros. Pensé que escamparía al cabo de pocos minutos, nos quedamos allí, desnudos, mirando al vapor que subía del río a través de la puerta entreabierta. Parecía que cayeran piedras y los rayos seguían cayendo incesantes a nuestro alrededor. Ahora estábamos asustados de verdad y sin saber qué hacer. Agnes se retorcía las manos y rezaba en voz alta; parecía una idiota de Georges Grosz, una de esas tías cojas con rosario en torno al cuello y, encima, ictericia. Pensé que iba a desmayarse en nuestros brazos o algo así. De pronto, se me ocurrió la brillante idea de hacer una danza de guerra en la lluvia... para distraerlas. Justo cuando salgo de un salto para empezar mi baile, brilla un rayo y parte por la mitad un árbol no lejos de allí. Estoy tan asustado, que pierdo el juicio. Siempre que estoy asustado, me echo a reír. Así, que solté una carcajada salvaje, espeluznante, que hizo gritar a las chicas. Cuando las oí gritar, no sé por qué, pero pensé en los ejercicios de velocidad y entonces sentí que me encontraba en el vacío y todo estaba azul a mi alrededor y la lluvia tamborileaba caliente y fría en mi tierna piel. Todas mis sensaciones se habían reunido en la superficie de la piel y bajo la capa de piel exterior estaba vacío, ligero como una pluma, más ligero que el aire, el humo, el talco, el magnesio o cualquier cosa que se os ocurra. De repente, era un indio chippewa y otra vez en tono de sasafrás y me importaba tres cojones que las chicas gritaran, se desmayasen o se cagaran en las bragas, que en cualquier caso no llevaban puestas. Al mirar a la loca de Agnes con el rosario en torno el cuello y su enorme panza, azul de miedo, se me ocurrió la idea de hacer una danza sacrílega, con una mano cogiéndome las pelotas y el pulgar de la otra en la nariz haciendo burla de los rayos y truenos. La lluvia era caliente y fría y la hierba parecía llena de libélulas. Fui saltando como un canguro y gritando a pleno pulmón: «¡Oh, Padre, cochino hijo de puta, deja de enviar esos relámpagos de los cojones o, si no, Agnes va a dejar de creer en ti! ¿Me oyes, viejo capullo, ahí arriba? Deja de hacer chorradas... que estás volviendo loca a Agnes. Oye, ¿es que estás sordo, viejo verde?». Y, sin dejar de soltar esos disparates desafiantes, bailé en torno a la caseta saltando y brincando como una gacela y usando las blasfemias más espantosas que se me ocurrían. Cuando brillaba un relámpago, yo saltaba más alto y, cuando retumbaba el trueno, rugía como un león y después di una voltereta sobre las manos y luego rodé por la hierba como un cachorro, masqué la hierba y la escupí hacia ellas, me golpeé el pecho como un gorila y todo el rato veía los ejercicios de Czerny sobre el piano, la página blanca llena de sostenidos y bemoles, y pensar, me dije para mis adentros, que ese imbécil de los cojones se imaginaba que ése era el modo de aprender a tocar el clavicordio bien templado. Y de pronto pensé que Czerny podía estar en el cielo a estas alturas contemplándome, conque escupí hacia él lo más alto que pude y, cuando volvió a retumbar el trueno, grité con todas mis fuerzas: «Oye, Czerny, cabrón, que estás ahí arriba, ojalá te arranquen los cojones los rayos... ojalá te tragues tu torcida cola y te asfixies... ¿Me oyes, capullo majara?».

Pero, pese a mis nobles esfuerzos, el delirio de Agnes iba en aumento. Era una estúpida irlandesa católica y nunca había oído a nadie dirigirse así a Dios. De repente, mientras yo bailaba por detrás de la caseta, salió disparada hacia el río. Oí gritar a Francie: «¡Corre, que se va a ahogar! ¡Ve a buscarla!». Salí tras ella, con la lluvia cayendo aún como chuzos y gritándole que volviera, pero siguió corriendo a ciegas, como poseída por el diablo, y, cuando llegó a la orilla, se zambulló y se dirigió hacia el bote. Nadé tras ella y, cuando llegamos junto al bote, que temía fuera a volcar, la cogí por la cintura con una mano y empecé a hablarle serena y suavemente, como si hablara a un niño. «¡Apártate de mi lado!», dijo. «¡Eres un ateo!» ¡Hostia! Me quedé tan asombrado al oír aquello, que podrían haberme derribado con una pluma. Así, ¿que era por eso? Toda aquella histeria porque estaba insultando a Dios Todopoderoso. Me dieron ganas de darle un golpe en un ojo para hacerla recuperar el juicio. Pero no hacíamos pie allí y temía que hiciera alguna locura, como volcar el bote sobre nuestras cabezas, si se me desmandaba. Así, que fingí que lo sentía mucho y dije que no hablaba en serio, que había sentido un miedo de muerte y que si patatín y que si patatán y, mientras le hablaba con voz dulce, sedante, le deslicé la mano por la cintura y le acaricié el culo con suavidad. Eso era lo que ella quería. Me estaba hablando entre sollozos de lo buena católica que era y cómo había intentado no pecar y quizás estuviera tan absorta en lo que decía, que no se daba cuenta de lo que estaba haciendo yo, pero, aun así, cuando le metí la mano por la entrepierna y dije todas las cosas bonitas que se me ocurrieron, sobre Dios, el amor, ir a la iglesia y confesarse y demás gilipolleces, debió de sentir algo, pues le tenía metidos tres buenos dedos y los movía alrededor como bobinas locas. «Ponme los brazos alrededor, Agnes», le dije suavemente, sacando la mano y atrayéndola hacia mí para poder meter mis piernas entre las suyas... «Así, qué buena chica... no te preocupes... va a acabar pronto.» Y, sin dejar de hablar de la iglesia, el confesionario, el amor de Dios y toda la pesca, conseguí metérsela. «Eres muy bueno conmigo», dijo, como si no supiera que tenía la picha dentro, «y siento haberme portado como una tonta». «Ya sé, Agnes», dije, «no te preocupes... oye, apriétame más fuerte... eso, así». «Me temo que el bote se va a volcar», va y dice, mientras hacía lo posible para mantener el culo en su sitio y remaba con la mano derecha. «Sí, volvamos a la orilla», dije yo y empecé a retirarme de ella. «Oh, no me dejes», va y dice, agarrándome más fuerte. «No me dejes, que me voy a ahogar.» Justo entonces llega Francie corriendo a la orilla. «De prisa», dice Agnes, «de prisa... que me voy a ahogar».

Francie era de buena pasta, debo reconocerlo. Desde luego, no era católica y, si tenía moral alguna, era del orden de los reptiles. Era una de esas chicas nacidas para follar. No tenía aspiraciones ni grandes deseos, no se mostraba celosa, no guardaba rencores, siempre estaba alegre y no carecía de inteligencia. Por las noches, cuando estábamos sentados en el porche a obscuras hablando con los invitados, se me acercaba y se me sentaba en las rodillas sin nada bajo el vestido y yo se la metía, mientras ella reía y hablaba con los demás. Creo que habría actuado con el mismo descaro ante el Papa, si hubiera tenido oportunidad. De regreso en la ciudad, cuando iba a visitarla a su casa, usaba el mismo truco delante de su madre, quien, por fortuna, estaba perdiendo la vista. Si íbamos a bailar y se ponía demasiado cachonda, me arrastraba hasta una cabina telefónica y la muy chiflada se ponía a hablar con alguien, alguien como Agnes, por ejemplo, mientras le dábamos al asunto. Parecía darle un placer especial hacerlo en las narices de la gente; decía que era más divertido, si no pensabas demasiado en ello. En el metro abarrotado de gente, al volver a casa de la playa, pongamos por caso, se corría el vestido para que la abertura quedara en el medio, me cogía la mano y se la colocaba en pleno coño. Si el tren iba repleto y estábamos encajados a salvo en un rincón, me sacaba la picha de la bragueta y la cogía con las dos manos, como si fuera un pájaro. A veces se ponía juguetona y colgaba su bolso de ella, como para demostrar que no había ningún peligro. Otra cosa suya era que no fingía que yo fuese el único tío al que tenía sorbido el seso. No sé si me contaba todo, pero, desde luego, me contaba muchas cosas. Me contaba sus aventuras riéndose, mientras estaba subiéndome encima o cuando se la tenía metida o justo cuando estaba a punto de correrme. Me contaba lo que hacían, si la tenían grande o pequeña, lo que decían, cuando se excitaban, y esto y lo otro, dándome todos los detalles posibles, como si yo fuera a escribir un libro de texto al respecto. No parecía sentir el menor respeto por su cuerpo, ni por sus sentimientos, ni por nada relacionado con ella. «Francie, cachondona», solía decirle yo, «tienes la moral de una almeja». «Pero te gusto, ¿verdad?», respondía ella. «A los hombres les gusta joder y a las mujeres también. No hace daño a nadie y no significa que tengas que amar a toda la gente con la que folles, ¿no? No quisiera estar enamorada; debe de ser terrible tener que joder con el mismo hombre todo el tiempo, ¿no crees? Oye, si sólo follaras conmigo todo el tiempo, te cansarías de mí en seguida, ¿no? A veces es bonito joder con alguien que no conoces de nada. Sí, creo que eso es lo mejor», añadió, «no hay complicaciones, ni números de teléfono, ni cartas de amor, ni peleas, ¡vamos! Oye, ¿crees que está mal lo que te voy a contar? Una vez intenté hacer que mi hermano me follara; ya sabes lo sarasa que es... no hay quien lo aguante. Ya no recuerdo exactamente cómo fue, pero el caso es que estábamos en casa solos y aquel día me moría de ganas. Vino a mi habitación a preguntarme algo. Yo estaba ahí tumbada con las faldas levantadas, pensando en el asunto y muerta de ganas y, cuando entró, me importó un comino que fuera mi hermano, sólo lo vi como un hombre, conque seguí tumbada con las faldas levantadas y le dije que no me sentía bien, que me dolía el estómago. Quiso salir al instante a comprarme algo, pero le dije que no, que me diera friegas en el estómago, que eso me calmaría. Me abrí la blusa y le hice darme friegas en la piel desnuda. Intentaba mantener los ojos fijos en la pared, el muy idiota, y me frotaba como si fuera un leño. "No es ahí, tontaina", dije, "es más abajo... ¿de qué tienes miedo?" Y fingí que me dolía mucho. Por fin, me tocó accidentalmente. "¡Eso! ¡Ahí!", exclamé. "¡Oh, restriégame ahí! ¡Qué bien sienta!" ¿Y sabes que el muy lelo estuvo cinco minutos dándome masajes sin darse cuenta de que era un simple juego? Me exasperó tanto, que le dije que se fuera a hacer puñetas y me dejase tranquila "Eres un eunuco", dije, pero era tan lelo, que no debía saber lo que significaba esa palabra». Se rió pensando en lo tontorrón que era su hermano. Dijo que probablemente fuese aún virgen. ¿Qué me parecía? ¿Había hecho muy mal? Naturalmente, sabía que yo no pensaría nada semejante. «Oye, Francie», dije, «¿le has contado alguna vez esa historia al guripa con el que estás liada?». Le parecía que no. «Eso me parece a mí también», dije. «Si oyera alguna vez esa historia, te iba a dar para el pelo.» «Ya me ha pegado», respondió al instante. «*¡Cómo!*», dije, «¿Le dejas que te pegue?» «No se lo pido», dijo, «pero ya sabes lo irascible que es. No dejo a nadie pegarme, pero, no sé por qué, viniendo de él no me importa tanto. A veces me hace sentirme bien por dentro... no sé, quizá las mujeres necesiten que les den una somanta de vez en cuando. Si te gusta el tipo de verdad, no duele tanto. Y después es tan dulce... casi me da vergüenza...»

No es frecuente encontrar a una ja que reconozca cosas así... me refiero a una ja legal, no a una retrasada mental. Por ejemplo, Trix Miranda y su hermana, la señora Costello. Menudas pájaras eran esas dos. Trix, que salía con mi amigo MacGregor, fingía ante su propia hermana, con la que vivía, que no tenía relaciones sexuales con MacGregor. Y la hermana fingía ante todo el mundo que era frígida, que no podía tener relaciones de ninguna clase con un hombre, aunque quisiera, porque lo tenía «muy pequeño». Y, mientras tanto, mi amigo MacGregor se las jodía a las dos pánfilas y las dos lo sabían, pero seguían mintiéndose mutuamente. La puta de la Costello era una histérica; siempre que tenía la impresión de que no se llevaba un porcentaje justo de los polvos que MacGregor repartía, le daba un ataque seudoepiléptico. Eso significaba que había que ponerle toallas, darle palmadas en las muñecas, desabrocharle el vestido, darle friegas en las piernas y, por último, llevarla en volandas al piso de arriba, a la cama, donde mi amigo MacGregor se ocuparía de ella tan pronto como hubiera puesto a dormir a la otra. A veces las dos hermanas se acostaban juntas para echar la siesta por la tarde; si Mac Gregor andaba por allí, subía al piso de arriba y se tumbaba entre ellas. Según me explicó riendo, el truco consistía en fingir que se había quedado dormido. Se quedaba así, respirando hondo, abriendo primero un ojo y luego el otro, para ver cuál de las dos estaba dormitando de verdad. En cuanto comprobaba que una de las dos estaba dormida, abordaba a la otra. Al parecer, en esas ocasiones prefería a la hermana histérica, la señora Costello, cuyo marido la visitaba una vez cada seis meses. Según decía, cuanto más riesgo corría, más lo excitaba. Si era a la otra hermana, a Trix, a la que le correspondía cortejar, había de fingir que sería terrible que la otra los sorprendiera así y al mismo tiempo, según me confesaba a mí, siempre albergaba la esperanza de que la otra se despertara y los sorprendiese. Pero la hermana casada, la que lo tenía «muy pequeño», como solía decir, era una tía taimada y, además, se sentía culpable para con su hermana y, si ésta la hubiera sorprendido en el acto, probablemente habría fingido que tenía un ataque y no sabía lo que estaba haciendo. Por nada del mundo habría admitido que en realidad se estaba dando el gusto de que un hombre se la jodiera.

Yo la conocía bastante bien porque le di clases por un tiempo y solía hacer todo lo posible para hacerla reconocer que tenía un coño normal y que disfrutaría con un buen polvo, si podía echarlo de vez en cuando. Solía contarle historias estrafalarias, que en realidad eran descripciones ligeramente deformadas de lo que ella hacía y, aun así, seguía en sus trece. Un día llegué hasta el extremo —lo nunca visto— de conseguir que me dejara meterle el dedo. Pensé que ya la tenía en el bote. Era cierto que estaba seca y un poco apretada, pero lo atribuí a su histeria. Pero imaginaos lo que es llegar hasta ese extremo con una tía y después que te diga en la cara, mientras se baja las faldas de un tirón violento: «¿Lo ves? ¡Ya te he dicho que no estoy bien hecha!». «No veo nada de eso», dije airado. «¿Qué querías? ¿Que usase un microscopio para mirarte?»

«¡Muy bonito!», dijo fingiendo actitud altanera. «¡Bonita forma de hablarme!»

«Sabes perfectamente que estás mintiendo», contesté. «¿Por qué mientes así? ¿No crees que es humano tener un coño y usarlo de vez en cuando? ¿Quieres que se te seque?»

«¡Qué lenguaje!», dijo, mordiéndose el labio inferior y poniéndose más colorada que un tomate. «Siempre te había considerado un caballero.»

«Pues tú no eres una dama», repliqué, «porque hasta una dama se deja echar un polvo de vez en cuando y, además, las damas no piden a los caballeros que les metan el dedo por el coño para ver si lo tienen pequeño».

«No te he pedido que me tocaras», dijo. «No se me ocurriría pedirte que me pusieses la mano encima, por lo menos no en mis partes íntimas.»

«Quizá pensaras que te iba a limpiar la oreja, ¿no?»

«Te veía como un médico en ese momento; es lo único que puedo decir», dijo muy seca, intentando dejarme cortado.

«Oye», dije, sin muchas esperanzas, «vamos a hacer como que ha sido un error, como que nada ha ocurrido, nada en absoluto. Te conozco demasiado bien como para que se me ocurra insultarte así. Nunca se me ocurriría hacerte una cosa así... no, que me cuelguen, si miento. Tan sólo me preguntaba si no estarías en lo cierto, si no lo tendrías quizá bastante pequeño. Mira, todo ha sucedido tan rápido, que no sabría decir lo que he sentido... no creo siquiera que te haya metido el dedo. Debo de haber tocado la parte de fuera... nada más. Mira, siéntate aquí, en el sofá... seamos amigos otra vez». La senté a mi lado (estaba aplacándose a ojos vistas) y le pasé el brazo por la cintura, como para consolarla más tiernamente. «¿Siempre has sido así?», le pregunté inocente y casi me eché a reír al instante, al comprender la idiotez de mi pregunta. Bajó la cabeza tímida, como si estuviéramos aludiendo a una tragedia que no se debía mentar. «Oye, quizá si te sentaras en mis rodillas...» y la alcé despacito hasta mis rodillas, al tiempo que le metía la mano suavemente bajo el vestido y la dejaba descansar con delicadeza en su rodilla... «quizá si te sentases un momento así, te sentirías mejor... eso, así, recuéstate en mis brazos... ¿te sientes mejor?» No respondió, pero tampoco opuso resistencia; se limitó a recostarse relajada y cerró los ojos. Poco a poco, muy despacito y con suavidad, subí la mano por la pierna, sin dejar de hablarle en voz baja y sedante. Cuando le metí los dedos en la entrepierna y separé los labios menores, estaba tan mojado como un estropajo. Le di suaves masajes, abriéndolo cada vez más y sin dejar de soltar un rollo telepático sobre que a veces las mujeres se equivocan y creen tenerlo muy pequeño, cuando en realidad son bastante normales y cuanto más hablaba, más jugo le salía y más se abría. Le tenía metidos cuatro dedos y había sitio para más, si hubiera tenido más para meter. Tenía un coño enorme y noté que se lo habían agrandado lo suyo. La miré para ver si seguía con los ojos cerrados. Tenía la boca abierta y jadeaba, pero los ojos estaban cerrados, como si estuviera fingiéndose a sí misma que todo era un sueño. Ahora podía moverla con fuerza... no había peligro de que protestase. Y, maliciosamente quizá, la zarandeé sin necesidad, sólo para ver si volvía en sí. Estaba tan fláccida como un cojín de plumas y ni siquiera cuando se golpeó contra el brazo del sofá dio muestras de irritación alguna. Era como si se hubiese anestesiado para un polvo gratuito. Le quité toda la ropa y la tiré al suelo y, después de haberle lanzado unos viajes en el sofá, la saqué y la tumbé en el suelo, sobre su ropa; y luego se la volví a meter y la apretó con esa válvula de succión que usaba con tanta habilidad, pese a la apariencia exterior de estar en coma.

Me parece extraño que de la música siempre se pasara al sexo. Por las noches, si salía a dar un paseo, estaba seguro de ligarme a alguna: una enfermera, una chica que salía de un baile, una dependienta, cualquier cosa con faldas. Si salía con mi amigo MacGregor en su coche —sólo un paseíto hasta la playa, como él decía—, hacia medianoche me encontraba sentado en una sala de estar ajena de un barrio extraño con una chica en las rodillas, que, por lo general, me importaba un pito, porque MacGregor era todavía menos exigente que yo. Muchas veces, al subir a su coche, le decía: «Oye, esta noche nada de jais, ¿eh?». Y él decía: «¡No, joder! Ya estoy hasta los huevos... sólo una vuelta a algún sitio... tal vez a Sheepshead Bay, ¿eh? ¿Qué te parece?». No habíamos recorrido más de un kilómetro, cuando se detenía de repente junto a la acera y me daba un codazo. «Mira lo que va por ahí», decía, señalando a una chica que iba andando por la acera. «¡La Virgen, qué piernas!» O bien: «Oye, ¿qué te parece, si le pedimos que se venga con nosotros? Quizá pueda traerse a una amiga». Y, antes de que yo pudiera decir nada, ya estaba llamándola y soltándole el rollo de costumbre, que era el mismo para todas. Y nueve de cada diez veces la chica se venía con nosotros. Y, antes de que hubiéramos avanzado mucho, mientras la tocaba con la mano libre, le preguntaba si tenía una amiga que pudiera traerse para hacernos compañía. Y, si ella le armaba un cristo, si no le gustaba que la toquetearan tan pronto, decía: «Vale, vete a hacer puñetas, entonces... ¡No podemos perder el tiempo con tías como tú!». Y, dicho eso, reducía la marcha y la hacía salir de un empujón. «No vamos a molestarnos con tías así, ¿eh, Henry?», decía riéndose entre dientes. «Espera un poco, te prometo conseguirte algo bueno antes de que acabe la noche.» Y, si le recordaba que íbamos a descansar por una noche, respondía: «Bueno, como gustes... es que pensaba que te resultaría más agradable». Y, de repente, daba un frenazo y ya estaba diciendo a una silueta sedosa que se vislumbraba entre las sombras: «Hola, chica, ¿qué?... ¿Dando un paseíto?». Y quizás esa vez fuera algo excitante, una tía calentorra sin nada que hacer salvo levantarse las faldas y ofrecértelo. Quizá no tuviésemos siquiera que invitarla a un trago, sino sólo detenernos en alguna carretera secundaria y pasar al asunto, uno tras otro, en el coche. Y, si era una boba, como solían ser, ni siquiera se molestaba en llevarla a casa. «Vamos en otra dirección», decía, el muy cabrón. «Será mejor que bajes aquí» y, acto seguido, abría la puerta y la echaba. Naturalmente, en seguida se ponía a pensar en si estaría limpia. Eso le ocupaba el pensamiento durante todo el viaje de vuelta. «Joder, deberíamos tener más cuidado», decía. «No sabes dónde te metes al ligártelas así. Desde la última —¿recuerdas?, la que nos ligamos en el Drive— me ha estado picando más que la hostia. Quizá sólo sean los nervios... pienso demasiado en eso. Dime una cosa, Henry: ¿por qué no puede uno quedarse con una sola tía? Por ejemplo, Trix; es buena chica, ya lo sabes. Y en cierto modo me gusta también, pero... hostia, ¿de qué sirve hablar de eso? Ya me conoces... soy un glotón. ¿Sabes una cosa? Estoy llegando al extremo de que a veces, cuando voy a buscar un ligue —imagínate, una chica que quiero joderme y que tengo en el bote—, pues, como digo, a veces, voy de camino y quizá con el rabillo del ojo veo unas piernas cruzando la calle y, cuando me quiero dar cuenta, ya la tengo en el coche y al diablo la otra. Debo de ser un obseso, supongo... ¿Tú qué crees? No me digas nada», añadía rápido. «Te conozco, cabrito... seguro que me dirás lo peor.» Y luego, tras una pausa: «Eres un tipo curioso, ¿sabes? Nunca te veo rechazar nada, pero, no sé por qué, no pareces pensar todo el tiempo en eso. A veces me da la impresión de que te da igual cómo salga la cosa. Y, además, eres constante, cabrón... casi diría que eres monógamo. No comprendo cómo puedes seguir tanto tiempo con una mujer. ¿No te aburres con ellas? Joder, yo sé tan bien lo que me van a decir. A veces me dan ganas de decir... ya sabes, de llegar a verlas y decir: "Mira, chica, no me digas ni una palabra... sácamela y abre bien las piernas".» Se rió con ganas. «¿Te imaginas la cara que pondría Trix, si le soltara algo así? Mira, una vez estuve a punto de hacerlo. No me quité ni la chaqueta ni el sombrero. *¡Cogió un cabreo!* No le importaba demasiado que no me quitara la chaqueta, pero, ¡lo del sombrero! Le dije que tenía miedo de enfriarme con una corriente de aire... claro, que no había ninguna corriente de aire. La verdad es que estaba tan impaciente por largarme, que pensé que, si me dejaba el sombrero puesto, acabaría antes. En realidad, tuve que quedarme toda la noche con ella. Me armó tal bronca, que no podía calmarla... Pero, oye, eso no es nada. Una vez me ligué a una irlandesa borracha y aquélla tenía ideas raras. En primer lugar, nunca quería hacerlo en la cama... siempre sobre la mesa. Ya sabes, de vez en cuando no está mal, pero, si lo haces con frecuencia, te deja baldado. Conque una noche —supongo que estaba un poco trompa— voy y le digo: "No, de eso nada, borracha, que eres una borracha... esta noche te vas a venir a la cama conmigo. Quiero un polvo de verdad... *en la cama*". ¿Sabes que tuve que discutir casi una hora con aquella hija de puta antes de poder convencerla para que se viniera a la cama conmigo? Y, aun así, con la condición de que no me quitase el sombrero. Oye, ¿me imaginas montándome a aquella idiota con el sombrero puesto? ¡Y, encima, en pelotas! Le pregunté... "¿Por qué no quieres que me quite el sombrero?" ¿Y sabes lo que me dijo? Pues que parecía más elegante. ¿Te imaginas la mentalidad de aquella tía? Me odiaba a mí mismo por ir con aquella mala puta. Siempre iba a verla borracho, eso por un lado. Primero tenía que estar como una cuba y como ciego y atontado... ya sabes cómo me pongo a veces...»

Yo sabía muy bien lo que quería decir. Era uno de mis amigos más antiguos y uno de los tipos más pendencieros que he conocido en mi vida. Testarudo no es la palabra exacta. Era como una mula: un escocés cabezón. Y su viejo era todavía peor. Cuando los dos se ponían furiosos, era digno de ver. Su viejo se ponía a bailar, lo que se dice *bailar*, de rabia. Si su vieja se metía por medio, se ganaba un puñetazo en el ojo. Cada cierto tiempo, lo echaban de casa. Y a la calle se iba, con todas sus pertenencias, incluidos los muebles y el piano también. Al cabo de un mes o así, ya estaba de vuelta otra vez... porque en casa siempre confiaban en él. Y entonces, una noche, llegaba borracho con una mujer que se había ligado en algún sitio y empezaban las broncas otra vez. Al parecer, no les importaba demasiado que llegara a casa con una chica y se quedase con ella toda la noche, pero a lo que sí que ponían reparos era a que tuviese el tupé de pedir a su madre que le sirviera el desayuno en la cama. Si su madre intentaba echarle una bronca, él la hacía callar diciendo: «¿A mí qué me explicas? Pero, si tú no te habrías casado aún, si no te hubieras quedado preñada». Su vieja se retorcía las manos y decía: «¡Qué hijo! ¡Qué hijo! ¡Válgame Dios! ¿Qué he hecho yo para merecer esto?». A lo que él comentaba: «¡Venga ya! ¡Lo que pasa es que eres una vieja gilipuertas!». Muchas veces acudía su hermana para intentar calmar los ánimos. «¡Por Dios, Wallie!», decía. «No quiero meterme en tus asuntos, pero, ¿no podrías hablar con más respeto a tu madre?» Ante lo cual MacGregor hacía sentar a su hermana en la cama y empezaba a engatusarla para que le trajera el desayuno. Por lo general, tenía que preguntar a su compañera de cama cómo se llamaba para presentársela a su hermana. «No es mala chica», decía refiriéndose a su hermana. «Es la única decente de la familia... Oye, hermanita, tráenos un poco de papeo, ¿quieres? Unos huevos con jamón curiositos, ¿eh? ¿Quieres? Oye, ¿anda el viejo por ahí? ¿De qué humor está hoy? Me gustaría pedirle un par de pavos prestados. Intenta sacárselos tú, anda. Te compraré algo bonito para Navidad.» Y después, como si hubieran quedado de acuerdo en todo, retiraba las sábanas para enseñar a la ja que tenía al lado. «Mírala, hermana, ¿no es bonita? ¡Mira qué pierna! Oye, tendrías que conseguirte a un hombre tú también... estás demasiado flaca. Aquí, Patsy, apuesto a que no tiene que ir solicitándolo, ¿eh, Patsy?» Y, al decir eso, daba a Patsy una sonora palmada en la grupa. «Y ahora, ¡largo, hermanita! Quiero un poco de café... y recuerda: ¡el jamón muy hecho! No traigas ese jamón asqueroso de la tienda... trae algo extra. ¡Y date prisa!»

Lo que me gustaba de él eran sus debilidades; como todos los hombres que hacen demostración de fuerza de voluntad, estaba absolutamente fofo por dentro. No había nada que no hiciera... por debilidad. Siempre estaba muy ocupado y nunca estaba haciendo nada en realidad. Y siempre estudiando algo, siempre intentando mejorar su inteligencia. Por ejemplo, cogía el diccionario más completo y cada día le arrancaba una página y se la leía de cabo a rabo y religiosamente durante los trayectos de ida y vuelta a la oficina. Estaba atiborrado de datos y cuanto más absurdos e incongruentes fueran, más placer le daban. Parecía decidido a probar a todos y cada uno que la vida era una farsa, que no valía la pena, que una cosa invalidaba otra, etcétera. Se crió en el North Side, no muy lejos del barrio en que yo había pasado mi infancia. También él era en gran medida un producto del North Side y ésa era una de las razones por las que me gustaba. Su forma de hablar por la comisura de los labios, por ejemplo, el tono duro que adoptaba cuando hablaba con un guripa, el modo como escupía de asco, las palabrotas que usaba, el sentimentalismo, las estrechas miras, la pasión por el billar o los dados, el pasarse la noche contando historias, el desprecio hacia los ricos, el codearse con los políticos, la curiosidad por cosas sin valor, el respeto a la cultura, la fascinación por el baile, los bares, el teatro de revista, el hablar de ver el mundo y no salir nunca de la ciudad, el idolatrar a cualquiera con tal de que demostrara tener «agallas», mil y un rasgos o particularidades de esa clase me hacían apreciarlo, porque eran precisamente esas peculiaridades las que caracterizaban a los tipos que había conocido yo de niño. Parecía que el barrio se compusiera exclusivamente de fracasados entrañables. Los adultos se comportaban como niños y los niños eran incorregibles. Nadie podía elevarse mucho por encima de su vecino o, si no, lo linchaban. Era asombroso que alguien llegara a ser doctor o abogado. Aun así, tenía que ser un buen tío, aparentar que hablaba como todo el mundo y votar por la candidatura demócrata. Oír a MacGregor hablar a sus amiguetes de Platón o Nietzsche, por ejemplo, era algo inolvidable. En primer lugar, para que sus compañeros le permitiesen siquiera hablar sobre cosas tales como Platón o Nietzsche, tenía que aparentar que le habían surgido sus nombres por pura casualidad o tal vez dijera que una noche había conocido a un borracho interesante que se había puesto a hablar de esos tipos, Nietzsche y Platón. Incluso hacía como que no sabía del todo cómo se pronunciaban sus nombres. Platón no era ningún tonto, decía como disculpándose. Platón tenía una o dos ideas en el coco, sí, señor, ya lo creo que sí. Le habría gustado ver a uno de esos políticos estúpidos de Washington intentando echar un pulso con un tipo como Platón. Y seguía explicando de ese modo indirecto y prosaico, a sus compañeros de dados, la clase de pájaro inteligente que fue Platón en su época y cómo podía compararse con otros hombres de otras épocas. Desde luego, probablemente fuera un eunuco, añadía, para echar un poco de agua fría sobre toda aquella erudición. En aquellos tiempos, se apresuraba a añadir, era frecuente que los tíos grandes, los filósofos, se castraran —¡como lo oís!— para verse libres de toda clase de tentaciones. El otro tipo, Nietzsche, ése era un caso, un caso para el manicomio. Se decía que estaba enamorado de su hermana. Hipersensible, vamos. Tenía que vivir en un clima especial: en Niza, le parecía que era. Por regla general, a MacGregor los alemanes no le gustaban demasiado, pero aquel tipo, Nietzsche, era diferente. En realidad, ese Nietzsche detestaba a los alemanes. Afirmaba ser polaco o algo así. Además, los caló perfectamente. Decía que eran estúpidos y bestiales y menudo si sabía de lo que hablaba. El caso es que los desenmascaró. En pocas palabras, decía que eran unos mierdas, ¿y acaso no tenía la tira de razón? ¿Visteis cómo pusieron pies en polvorosa esos cabrones, cuando recibieron una dosis de su propia medicina? «Mirad, conozco a un tipo que limpió un nido de ellos en la región de Argonne... decía que eran tan viles, que no le daban ganas ni de cagarse en ellos. Decía que ni siquiera desperdiciaba una bala con ellos... se limitaba a romperles la cabeza con una porra. No recuerdo ahora el nombre de ese tipo, pero el caso es que me dijo que vio la tira en los pocos meses que estuvo allí. Dijo que lo que más le divirtió de todo el asunto de los cojones fue cargarse a su propio comandante. No es que tuviera una queja especial de él... simplemente no le gustaba su jeta. No le gustaba la forma como daba las órdenes el andoba ese. Según dijo, la mayoría de los oficiales que murieron recibieron tiros en la espalda. Les estuvo bien empleado, ¡por capullos! Era un simple chaval del North Side. Creo que ahora regenta unos billares cerca de Wallabout Market. Un tipo tranquilo, que sólo se ocupa de sus asuntos. Pero, si te pones a hablarle de la guerra, pierde los estribos. Dice que sería capaz de asesinar al Presidente de los Estados Unidos, si alguna vez intentaran iniciar otra guerra. Sí, señor, y lo haría, os lo digo yo... Pero, leche, ¿qué es lo que quería deciros de Platón? Ah, sí...»

Cuando los otros se habían marchado, cambiaba de tono de repente: «Tú no eres partidario de hablar así, ¿verdad?», empezaba. No quedaba más remedio que reconocerlo. «Estás equivocado», continuaba. «Tienes que ponerte a su altura, no sabes cuándo puedes necesitar a uno de esos tipos. ¡Tú te comportas como si fueras libre, independiente! Como si fueses superior a esa gente. Bueno, pues, en eso es en lo que te equivocas y mucho. ¿Qué sabes tú dónde estarás dentro de cinco años o incluso dentro de seis meses? Podrías quedarte ciego, podría pillarte un camión, podrían meterte en el manicomio; no puedes saber lo que te va a ocurrir. Nadie puede saberlo. Podrías estar tan indefenso como un niño de pecho...»

«¿Y qué?», decía yo.

«Hombre, pues que... ¿no crees que estaría bien tener un amigo, cuando lo necesitases? Podrías estar tan desamparado, que te sintieras contento de que alguien te ayudase a cruzar la calle. Crees que esos tipos no tienen interés; crees que pierdo el tiempo con ellos. Mira, nunca se sabe lo que un hombre podría hacer por ti algún día. Nadie llega a nada solo...»

Era quisquilloso en relación con mi independencia, lo que llamaba mi indiferencia. Si me veía obligado a pedirle un poco de pasta, se mostraba encantado. Eso le proporcionaba la oportunidad de echarme un sermoncito sobre la amistad. «¿Conque también tú necesitas dinero?», decía con una gran mueca de satisfacción que se le extendía por toda la cara. «¿Conque también el poeta tiene que comer? Vaya, vaya... Tienes suerte de haber recurrido a mí, Henry, muchacho, porque te aprecio, te conozco, hijo puta sin corazón. Claro que sí: ¿cuánto quieres? No tengo mucho, pero lo dividiré contigo. Creo que es bastante justo, ¿no? ¿O acaso crees, cacho cabrón, que debería dártelo todo y salir a pedir algo prestado para mí? Supongo que querrás una *buena* comida, ¿eh? Huevos con jamón sería poca cosa, ¿verdad? Supongo que te gustaría que cogiera el coche y te llevase al restaurante también, ¿eh? Oye, levántate un momento de esa silla... que voy a ponerte un cojín bajo el culo. Bien, hombre, bien; o sea, ¿qué estás sin blanca? Joder, siempre estás sin blanca... no recuerdo haberte visto nunca con dinero en el bolsillo. Oye, ¿nunca te sientes avergonzado de ti mismo? Tú hablas de esos vagos con los que me junto... pero, mire usted, señor mío, esos tipos nunca vienen a darme un sablazo. Tienen más orgullo... preferirían robarlo a darme un sablazo. Pero, *tú*, la hostia, tú estás lleno de ideas presuntuosas, tú quieres reformar el mundo y todas esas gilipolleces... no quieres trabajar por dinero, no, tú, no... esperas que alguien te lo entregue en bandeja de plata. ¡Venga, hombre! Tienes suerte de que haya tipos como yo que te entienden. Tienes que dejar de engañarte, Henry. Estás soñando. Todo el mundo quiere comer, ¿no lo sabes? La mayoría de la gente está dispuesta a trabajar para comer... no se queda todo el día en la cama como tú y después se pone los pantalones de repente y recurre al primer amigo que tenga a mano. Supongamos que yo no estuviera aquí, ¿qué habrías hecho? No respondas... sé lo que me vas a decir. Pero, mira, no puedes seguir toda tu vida así. Desde luego, tienes un pico de oro... da gusto oírte. Eres el único tipo que conozco con el que disfruto hablando de verdad, pero, ¿adónde te conducirá eso? Un día de éstos te van a encerrar por vagancia. Eres un vago y nada más, ¿lo sabes? Ni siquiera vales lo que esos otros vagos sobre los que me sermoneas. ¿Dónde estás, cuando yo me encuentro en un apuro? No hay forma de encontrarte. No contestas a mis cartas, no coges el teléfono, hasta te escondes a veces, cuando voy a verte. Oye, ya sé... no tienes que explicarme. Sé que no quieres oír mis historias todo el tiempo. Pero, joder, a veces tengo que hablarte de veras. Claro, que te la trae floja. Mientras estés protegido de la lluvia y te eches otra comida para el cuerpo, eres feliz. No te acuerdas de tus amigos... hasta que estás desesperado. Ésa no es forma de comportarse, *¿no?* Di que no y te daré un pavo. Me cago en la leche puta, Henry, eres el único amigo de verdad que tengo, pero eres un hijoputa sin vergüenza, si es que sé lo que me digo. Eres un hijoputa y gandul de nacimiento, eso es lo que eres. Prefieres morirte de hambre a dedicarte a algo útil...»

Naturalmente, yo me reía y extendía la mano para el pavo que me había prometido. Eso volvía a irritarlo. «Estás dispuesto a decir cualquier cosa, ¿verdad?, con tal de que te dé el pavo que te he prometido. ¡Vaya un tipo! Hablas de moral... pero, joder, si tienes la ética de una serpiente de cascabel. *No*, no te lo voy a dar todavía, joder. Antes te voy a torturar un poco más. Te voy a hacer *ganar* este dinero, si puedo. Oye, ¿qué tal si me lustras los zapatos?... Hazlo por mí, ¿quieres? Nunca llegarán a estar brillantes, si no los lustras ahora.» Cojo los zapatos y le pido un cepillo. No me importa lustrarle los zapatos, ni lo más mínimo. Pero también eso parece irritarle. «O sea, que vas a lustrarlos, ¿verdad? Pero, bueno, eres la hostia. Oye, ¿dónde está tu orgullo?... ¿Has tenido alguna vez? Y tú eres el tipo que todo lo sabe. Es asombroso. Sabes tantas cosas, que tienes que lustrar los zapatos de tu amigo para sacarle una comida. ¡Me tienes contento! ¡Toma, cabrón, toma el cepillo! Lustra el otro par también, ya que estás.»

Una pausa. Está lavándose en la pila y canturreando. De repente, en tono vivo y alegre: «¿Qué tal tiempo hace hoy, Henry? ¿Hace sol? Oye, conozco el lugar ideal para ti. ¿Qué me dices de unos mejillones con jamón y un poco de salsa tártara al lado? Es una tabernita cerca de la ensenada. Un día como hoy es ideal para tomarse unos mejillones con jamón, ¿eh? ¿Qué me dices, Henry? No me digas que tienes algo que hacer... si te llevo ahí, tienes que pasar un rato conmigo; lo sabes, ¿verdad? ¡Joder, ojalá tuviera tu carácter! Te dejas llevar por la corriente, minuto a minuto. A veces pienso que te va muchísimo mejor que a cualquiera de nosotros, aunque seas un asqueroso hijoputa, traidor y ladrón. Cuando estoy contigo, el día parece pasar como un sueño. Oye, ¿entiendes a lo que me refiero, cuando digo que tengo que verte a veces? Me vuelvo loco estando solo todo el tiempo. ¿Por qué ando tanto tras las jais? ¿Por qué juego a las cartas toda la noche? ¿Por qué me junto con esos vagos del Point? Necesito hablar con alguien, eso es lo que pasa».

Un poco después, en la bahía, sentados junto al mar, tras haberse tomado un whisky y esperando que nos sirvan los mariscos... «La vida no es tan mala, si puedes hacer lo que quieres, ¿eh, Henry? Si hago un poco de pasta, voy a dar la vuelta al mundo... y tú te vas a venir conmigo. Sí, aunque no te lo mereces, voy a gastarme un poco de dinero de verdad contigo. Quiero ver cómo actúas, si te aflojo la cuerda. Te voy a dar el *dinero*, ¿entiendes?... No voy a fingir que te lo presto. Veremos qué ocurre con tus bonitas ideas, cuando tengas algo de pasta en el bolsillo. Mira, cuando estaba hablando de Platón el otro día, quería preguntarte una cosa: quería preguntarte si has leído esa historia suya sobre la Atlántida. ¿Sí? Bueno, ¿y qué te parece? ¿Crees que era simplemente un cuento o crees que puede haber existido un lugar así?»

No me atreví a decirle que sospechaba que había cientos y miles de continentes cuya existencia pasada o futura no habíamos empezado siquiera a imaginar, conque dije que me parecía posible, en efecto, que hubiera existido un lugar como la Atlántida.

«Bueno, supongo que da igual una cosa que la otra», prosiguió, «pero te voy a decir lo que pienso. Creo que debió de haber una época así, una época en que los hombres fueran diferentes. No puedo creer que hayan sido siempre tan cerdos como ahora son y como han sido los últimos milenios. Creo que es posible que hubiera una época en que los hombres sabían vivir, sabían aceptar la vida tal como es y disfrutarla. ¿Sabes lo que me vuelve loco? Ver a mi viejo. Desde que se jubiló, se pasa el día sentado frente al fuego y desanimado. Para eso trabajó como un esclavo toda su vida, para estarse ahí sentado como un gorila decrépito. Pues, ¡vaya una mierda! Si pensara que eso era lo que me iba a ocurrir a mí, me volaría los sesos ahora mismo. Mira a tu alrededor... mira a la gente que conocemos... ¿conoces a alguien que valga la pena? ¿A qué viene tanto alboroto? Es lo que me gustaría saber. *Hay que vivir*, según dicen. *¿Por qué?* Es lo que me gustaría saber. Estarían mucho, pero que mucho mejor, muertos todos. Son simple basura. Cuando estalló la guerra y los vi ir a las trincheras, me dije: "*¡Bien!* ¡Quizá vuelvan con un poco más de juicio!". Muchos no volvieron, desde luego. Pero, ¡y los otros!... Oye, ¿crees que se volvieron más *humanos*, más considerados? ¡Nada de eso! En el fondo son todos unos carniceros y, cuando se ven entre la espada y la pared, chillan. Me ponen enfermo, toda esa pandilla de los cojones. Veo lo que son, al sacarlos en libertad bajo fianza cada día. Lo veo desde los dos lados de la barrera. Los del otro lado son más asquerosos todavía. Vamos, que si te contara algunas de las cosas que sé sobre los jueces que condenan a esos pobres diablos, te darían ganas de partirles la boca. Basta con que les mires a la cara. Sí, Henry, sí, me gustaría pensar que hubo una época en que las cosas eran diferentes. No hemos visto nunca una vida auténtica... y no vamos a verla. Esto va a durar otros varios miles de años, si no me equivoco. Tú crees que soy un mercenario, que estoy chalado por querer ganar mucho dinero, ¿verdad? Pues, mira, te voy a decir una cosa: quiero ganar una fortunita para sacar los pies de esta basura. Me largaría a vivir con una negra, si pudiera escapar de esta atmósfera. Me he partido los cojones intentando llegar adonde estoy, que no es demasiado lejos. Creo tan poco en el trabajo como tú... lo que pasa es que me educaron así. Si pudiera dar un golpe, si pudiese estafar una fortuna a uno de esos cabrones asquerosos con los que trato, lo haría con la conciencia tranquila. Lo malo es que me conozco las leyes demasiado bien. Pero algún día les engañaré, ya lo verás. Y, cuando dé el golpe, será de aúpa...».

Otro whisky, mientras llegan los mariscos, y empieza otra vez. «Decía en serio eso de llevarte de viaje conmigo. Lo estoy pensando en serio. Supongo que me dirás que tienes una mujer y una hija que cuidar. Oye, ¿cuándo vas a separarte de esa gruñona? ¿Es que no sabes que tienes que librarte de ella?» Se echa a reír bajito. «¡Ji! ¡Ji! ¡Y pensar que fui yo quien la escogió para ti! ¡Nunca habría pensado que fueras tan tonto como para dejarte cazar por ella! Pensaba que te ofrecía un buen polvete y tú, pobre idiota, vas y te casas con ella. ¡Ji! ¡Ji! Escúchame, Henry, mientras te quede un poco de juicio: no dejes que esa tía con cara de perro te joda la vida, ¿me entiendes? Me da igual lo que hagas o adonde vayas. No me gustaría nada verte abandonar la ciudad… te echaría de menos, te lo digo francamente, pero, joder, si tienes que irte a África, lárgate, líbrate de sus garras; es una tía que no te va. A veces, cuando me ligo a una ja cojonuda, pienso para mis adentros: "Hombre, ésta le iría bien a Henry"... y me propongo presentártela y después, claro, se me olvida. Pero, joder, hay miles de jais en el mundo con las que te puedes llevar bien, hombre. ¡Y pensar que tenías que ir a escoger a una tía puta mezquina como ésa!... *¿Quieres más jamón?* Más vale que comas ahora lo que quieras, ya sabes que después no quedará pasta. *Tómate otro trago, ¿eh?* Oye, si intentas dejarme plantado hoy, te juro que no te vuelvo a prestar ni un centavo nunca... ¿Qué estaba yo diciendo? Ah, sí, esa tía chiflada con la que te casaste. Oye, ¿vas a hacerlo o no? Siempre que te veo, me dices que te vas a escapar, pero nunca lo haces. Supongo que no creerás que la estás manteniendo. Si no te *necesita*, tonto, ¿es que no lo ves? Lo único que quiere es torturarte. En cuanto a la niña... pues, joder, yo que tú, la ahogaba. Parece una canallada, ¿verdad?, pero tú sabes lo que quiero decir. Tú no eres padre. No sé qué cojones eres... lo único que sé es que eres un tipo que vale demasiado para desperdiciar la vida con ellas. Oye, ¿por qué no intentas hacer algo de provecho? Todavía eres joven y tienes buen aspecto. Lárgate a algún sitio, muy lejos, y empieza de nuevo. Si necesitas un poco de dinero, te lo conseguiré. Es como tirarlo a una alcantarilla, lo sé, pero igual lo haré por ti. La verdad, Henry, es que te aprecio más que la hostia. He recibido más de ti que de nadie en el mundo. Supongo que tenemos mucho en común, por ser del mismo barrio. Tiene gracia que no te conociera en aquellos tiempos. Joder, me estoy poniendo sentimental...»

El día pasaba así, con mucha comida y bebida, el sol, que calentaba, un coche para llevarnos por ahí, puros entre medias, dormitando un poco en la playa, contemplando a las jais que pasaban, hablando, riendo, cantando un poco también: un día como muchos, muchos otros, que pasé así con MacGregor. Días así parecían realmente detener la rueda. En la superficie todo era alegría y despreocupación; el tiempo pasaba como un sueño pegajoso. Pero por debajo era fatalista, premonitorio, me dejaba al día siguiente en un estado de inquietud mórbida. Sabía muy bien que algún día tenía que cortar, sabía muy bien que estaba perdiendo el tiempo. Pero también sabía que no podía hacer nada... *aún*. Tenía que ocurrir algo, algo grande, algo que me hiciera perder la cabeza. Lo único que necesitaba era un empujón oportuno, de eso estaba seguro. No podía reconocerme, porque eso no iba con mi naturaleza. En mi vida todo había salido bien... *al final*. No estaba destinado a esforzarme. Había que dejar algo en manos de la Providencia... en mi caso, mucho. Pese a las manifestaciones exteriores de infortunio y desgobierno, sabía que había nacido de pie. Y con buena estrella, además. La situación exterior era mala, de acuerdo... pero lo que más me preocupaba era la situación interior. Tenía de verdad miedo de mí mismo, de mi apetito, mi curiosidad, mi flexibilidad, mi permeabilidad, mi maleabilidad, mi afabilidad, mi capacidad de adaptación. Ninguna situación en sí misma podía asustarme: sin saber cómo, siempre me veía en buena posición, sentado dentro de un ranúnculo, por decirlo así, y chupando la miel. Aunque me metieran en la cárcel, tenía el presentimiento de que lo pasaría bien. Supongo que era porque sabía no resistir. Otra gente se agotaba luchando, esforzándose y afanándose; mi estrategia consistía en flotar con la corriente. Lo que la gente me hacía a mí casi no me preocupaba tanto como lo que hacían a otros o a sí mismos. Me sentía tan cojonudamente bien por dentro, que había de cargar con los problemas del mundo. Por eso me encontraba siempre en un berenjenal. No estaba sincronizado con mi propio destino, por decirlo así. Si llegaba a casa una noche, por ejemplo, y no había comida en casa, ni siquiera para la niña, daba media vuelta y me iba a buscarla. Pero lo que notaba en mí, y eso era lo que me asombraba, era que tan pronto estaba fuera y agitándome en busca del papeo, ya estaba otra vez a vueltas con la *Weltanschauung*. No pensaba en comida para *nosotros* exclusivamente, pensaba en la comida en general, en todas sus fases, en todas las partes del mundo y a esa hora y en cómo se obtenía y en cómo se preparaba y lo que la gente hacía, si no la tenía, y en que tal vez hubiera un modo de solucionarlo para que todo el mundo la tuviese, cuando la necesitara, y no hubiera que desperdiciar más tiempo con un problema tan estúpidamente simple. Sentía lástima de mi mujer y mi hija, claro está, pero también de los hotentotes y los bosquimanos de Australia, por no citar a los belgas, los turcos y los armenios que se morían de hambre. Sentía lástima de la raza humana, de la estupidez del hombre y de su falta de imaginación. Perderse una comida no era tan terrible... el espantoso vacío de la calle era lo que me perturbaba profundamente. Todas aquellas malditas casas, una tras otra, y todas tan vacías y tan tristes. Magníficos adoquines bajo los pies y asfalto en la calzada y escaleras de una elegancia bella y horrenda para subir a las casas y, sin embargo, un tipo podía caminar de un lado para otro todo el día y toda la noche sobre esos costosos materiales buscando un mendrugo de pan. Eso era lo que me mataba. Su incongruencia. Si al menos pudieras salir con una campanilla y gritar: «Escuchen, escuchen, señores, soy un tipo hambriento. ¿Quién quiere que le lustren los zapatos? ¿Quién quiere que le saquen la basura? ¿Quién quiere que le limpien las tuberías?». Si al menos pudieses salir a la calle y expresárselo así de claro. Pero, no; no te atreves a abrir el pico. Si dices a un tipo en la calle que estás hambriento, le das un susto de muerte y corre como alma que lleva el diablo. Eso era algo que nunca entendía yo y sigo sin entenderlo. Todo es tan sencillo: basta que digas «sí», cuando alguien se te acerque. Y si no puedes decir «sí», puedes cogerlo del brazo y pedir a algún otro andoba que te ayude. La razón por la que tienes que ponerte un uniforme y matar a hombres que no conoces sólo para conseguir ese mendrugo de pan es un misterio para mí. En eso es en lo que pienso, más que en la boca que se lo traga o en lo que cuesta. ¿Por qué cojones ha de importarme lo que cuesta una cosa? Estoy aquí para vivir, no para calcular. Y eso es precisamente lo que los cabrones no quieren que hagas: *¡vivir!* Quieren que te pases la vida sumando cifras. Eso tiene sentido para ellos. Es razonable, inteligente. Si yo estuviera al timón, tal vez no estuviesen las cosas tan ordenadas, pero todo sería más alegre, ¡qué hostia! No habría que cagarse en los pantalones por nimiedades. Quizá no hubiera calles pavimentadas, ni automóviles aerodinámicos, ni altavoces, ni cachivaches de miles de millones de variedades, tal vez no hubiese siquiera cristales en las ventanas, puede que hubiese que dormir en el suelo, tal vez no hubiera cocina francesa ni cocina italiana ni cocina china, quizá se mataran las personas unas a otras, cuando se les acabase la paciencia, y puede que nadie se lo impidiera, porque no habría ni cárceles, ni guripas, ni jueces y, desde luego, no habría ministros ni legislaturas, porque no habría leyes de los cojones que obedecer o desobedecer, y quizá se tardara meses y años en la caminata de un lugar a otro, pero no se necesitaría visado ni pasaporte ni *carte d'identité*, porque no estaría uno registrado en ninguna parte ni llevaría un número y, si quisieses cambiar de nombre cada semana, podrías hacerlo, porque daría lo mismo, dado que no poseerías nada que no pudieras llevar contigo, ¿y para qué ibas a querer poseer nada, si todo sería gratuito?

Durante aquel período en que iba de puerta en puerta, de empleo en empleo, de amigo en amigo, de comida en comida, intenté, pese a todo, delimitar un poco de espacio para mí que pudiera servirme de fondeadero; se parecía más que nada a un salvavidas en medio de un canal rápido. Quien se acercara a un kilómetro de mí oía el repique doloroso de una campana enorme. Nadie podía ver el fondeadero: estaba profundamente sumergido en el fondo del canal. Se me veía subir y bajar en la superficie, a veces meciéndome suavemente o bien oscilando agitado hacia adelante y hacia atrás. Lo que me sujetaba era el enorme escritorio con casilleros que coloqué en el salón. Era el escritorio que había estado en la sastrería de mi viejo los cincuenta últimos años, que había visto nacer muchas facturas y muchos gemidos, había albergado extraños recuerdos en sus compartimentos y al final le había soplado yo, cuando estaba viejo y ausente de la sastrería, y ahora se encontraba en el centro de nuestro lúgubre salón en el tercer piso de una casa respetable del barrio más respetable de Brooklyn. Tuve que sostener una dura batalla para instalarlo, pero insistí en que estuviera ahí, en el centro del tinglado. Era como colocar un mastodonte en el centro del consultorio de un dentista. Pero, como mi mujer no tenía amigas que la visitaran y a mis amigos les habría importado tres cojones que estuviese colgado de la araña, lo dejé en la sala y alrededor coloqué todas las sillas que nos sobraban en un gran círculo y después me senté cómodamente, puse los pies sobre el escritorio y soñé con lo que escribiría, si fuera capaz de escribir. Tenía una escupidera al lado del escritorio, una grande y de bronce, también de la sastrería, y de vez en cuando escupía en ella para que no se me olvidase que estaba allí. Todos los casilleros y los cajones estaban vacíos; dentro del escritorio o sobre él, excepto una hoja de papel en blanco en la que me resultaba imposible poner siquiera un garabato.

Cuando pienso en los esfuerzos titánicos que hice para canalizar la lava caliente que bullía dentro de mí, los esfuerzos repetidos mil veces para colocar el embudo en su sitio y captar *una* palabra, *una* frase, no puedo por menos de pensar en los hombres de la antigua edad de piedra. Cien mil, doscientos mil, trescientos mil años para llegar a la idea del paleolítico. Una lucha quimérica, porque no soñaban con algo como el paleolítico. Llegó sin esfuerzo, en un segundo, un milagro, podríamos decir, excepto que todo lo que ocurre es milagroso. Las cosas ocurren o no ocurren y nada más. Nada se realiza con sudor y esfuerzos. Casi todo lo que llamamos vida es simple insomnio, una agonía, porque hemos perdido la costumbre de quedarnos dormidos. No sabemos dejarnos llevar. Somos como un muñeco de una caja de sorpresas colocado sobre un resorte y cuantos más esfuerzos hacemos, más difícil es volver a la caja.

Creo que, si hubiera estado loco, no habría encontrado nada mejor para consolidar mi fondeadero que instalar ese objeto de Neanderthal en medio del salón. Con los pies en el escritorio, recogiendo la corriente y la columna vertebral cómodamente encajada en un espeso cojín de cuero, estaba en una relación ideal con los restos y desechos que giraban a mi alrededor y que, por ser demenciales y formar parte de la corriente, mis amigos intentaban convencerme de que eran la vida. Recuerdo vivamente el primer contacto con la realidad en que entré con los pies, por decirlo así. El millón de palabras, más o menos, fijaos bien, que había escrito, bien ordenadas, bien ensambladas, no eran nada para mí —vulgares cifras de la antigua edad de piedra—, porque el contacto era por la cabeza y la cabeza es un apéndice inútil, a no ser que estés anclado en medio de un canal y en pleno cieno. Todo lo que había escrito antes era material de museo y la mayor parte de lo que se escribe es material de museo; por eso no se incendia, no inflama el mundo. Yo era un simple portavoz de la raza ancestral que hablaba a través de mí; ni siquiera mis sueños eran sueños auténticos, genuinos, de Henry Miller. Estar sentado y quieto y concebir una idea que brotara de mí, del salvavidas, era una tarea hercúlea. No me faltaban ideas ni palabras ni capacidad de expresión... me faltaba algo más importante: la palanca que cortara el paso al jugo. La máquina no se detenía, ésa era la dificultad. No sólo estaba en medio de la corriente, sino que, además, la corriente pasaba a través de mí y no podía controlarla en absoluto.

Recuerdo el día en que detuve en seco la máquina y el otro mecanismo, el que iba firmado con mis iniciales y que había fabricado con mis propias manos y sangre, empezó a funcionar poco a poco. Había ido a un teatro cercano a ver una función de variedades; era la función de la tarde y tenía una localidad para la galería. Estando en fila en el vestíbulo, experimenté ya una extraña sensación de firmeza. Era como si estuviese coagulándome, convirtiéndome en una masa de jalea reconocible. Era como la última fase de la curación de una herida. Estaba en el punto culminante de la normalidad, lo que es una situación muy anormal. Podía llegar el cólera y echarme su fétido aliento en la boca: no importaría. Podía inclinarme a besar las úlceras de una mano leprosa y ningún mal me sobrevendría. No había sólo equilibrio en esa constante contienda entre salud y enfermedad, lo máximo a que podemos aspirar la mayoría de nosotros, sino que había un número entero en la sangre: significaba que, al menos por unos momentos, la enfermedad estaba completamente derrotada. Si tuvieras la sagacidad de arraigar en ese momento, nunca volverías a estar enfermo ni a ser desgraciado ni a morir siquiera. Pero llegar a esa conclusión es dar un salto que te llevaría a una época anterior a la antigua edad de la piedra. En ese momento no estaba soñando siquiera con arraigar; estaba experimentando por primera vez en mi vida el significado de lo milagroso. Me sentí tan asombrado al oír mis propias piezas engranarse, que estaba dispuesto a morir allí y entonces por el privilegio de la experiencia.

Lo que ocurrió fue lo siguiente... Al pasar ante el portero con el boleto roto en la mano, se apagaron las luces y subió el telón. Me quedé ligeramente aturdido un momento por la repentina obscuridad. Mientras se alzaba el telón despacio, tuve la sensación de que a lo largo de las eras el hombre se había visto calmado siempre misteriosamente por ese breve momento que precede al espectáculo. Sentía el telón subiendo *en el hombre.* Y al instante comprendí también que ése era un símbolo que se le presentaba sin cesar en el sueño y qué, si hubiera estado despierto, los actores nunca habrían entrado en escena, sino que él, el hombre, habría subido a las tablas. No concebí esa idea: fue una comprensión, como digo, y era tan simple y abrumadoramente clara, que la máquina se detuvo en seco al instante y yo me encontré ante mí bañado en una realidad luminosa. Aparté la vista del escenario y contemplé la escalera de mármol, que debía subir para llegar a mi butaca de entresuelo. Vi a un hombre que subía despacio la escalera, con la mano apoyada en la barandilla. Ese hombre podría haber sido yo mismo, el antiguo yo que había estado sonámbulo desde que nací. No abarqué con la mirada toda la escalera, sólo los pocos escalones que el hombre había subido o estaba subiendo en el momento en que comprendí todo. El hombre no llegó nunca al final de la escalera y nunca apartó la mano de la barandilla. Sentí que bajaba el telón y por unos momentos más me encontré entre bastidores moviéndome por entre los decorados, como el tramoyista que se despierta de repente y no está seguro de si sigue soñando o contemplando un sueño en el escenario. Era tan fresco y verde, tan extraordinariamente nuevo como las tierras de pan y queso que las doncellas de Biddenden veían todos los días de su larga vida unidas a las caderas. ¡Vi sólo lo que estaba vivo! El resto se desvaneció en una penumbra. Y fue para mantener el mundo vivo para lo que corrí a casa sin esperar a ver la función y me senté a describir el pequeño tramo de escaleras que es imperecedero.

Era más o menos por aquella época cuando los dadaístas —a los que poco después seguirían los surrealistas— estaban en su apogeo. No oí hablar de ninguno de los dos grupos hasta unos diez años después; nunca leí un libro francés ni tuve nunca una idea francesa. Quizá fuera yo el único dadaísta de América sin saberlo. Tenía tan poco contacto con el mundo exterior, que igual podría haber estado viviendo en las junglas del Amazonas. Nadie entendía aquello de lo que yo escribía ni por qué escribía de ese modo. Era tal mi lucidez, que estaba, según decían, chiflado. Estaba describiendo el Nuevo Mundo... demasiado pronto, por desgracia, porque aún no lo habían descubierto y no podía convencerse a nadie de que existiese. Era un mundo ovárico, escondido aún en las trompas de Falopio. Naturalmente, nada estaba formulado con claridad: sólo había visible la leve insinuación de una espina dorsal y, desde luego, ni brazos ni piernas ni pelo ni uñas ni dientes. En el sexo no había ni que soñar; era el mundo de Cronos y su progenie ovicular. Era el mundo de la pizca, en que cada pizca era indispensable, espantosamente lógica y absolutamente imprevisible. No existía algo así como una *cosa*, porque faltaba el concepto de «cosa».

Digo que era un Mundo Nuevo el que estaba describiendo, pero, como el Nuevo Mundo que Colón descubrió, resultó ser mucho más antiguo que cualquiera de los que hemos conocido. Por debajo de la fisonomía superficial de piel y huesos, vi el mundo indestructible que el mundo siempre ha llevado consigo; no era antiguo ni nuevo, en realidad, sino el mundo eternamente verdadero que cambia de un momento a otro. Todo lo que miraba era un palimpsesto y no había capa de escritura, por extraña que fuese, que no descrifrara yo. Cuando mis compañeros me dejaban por la noche, muchas veces me sentaba y escribía a mis amigos los bosquimanos de Australia o a los *Mound Builders** del valle del Misisipí o a los igorrotes de Filipinas. Tenía que escribir en inglés, naturalmente, porque era la única lengua que hablaba, pero entre mi lengua y el código telegráfico empleado por

* *Mound Builders:* antiguos pueblos indios que construyeron los montículos funerarios y fortificaciones en el Medio Oeste y el Sudeste de Estados Unidos.

mis amigos del alma había un mundo de diferencia. Cualquier hombre primitivo me habría entendido, cualquier hombre de épocas arcaicas me habría entendido: sólo los que me rodeaban, es decir, un continente de cien millones de personas, eran incapaces de entender mi lenguaje. Para escribir de forma que ellos pudieran entender me habría visto obligado en primer lugar a matar algo y, en segundo lugar, a detener el tiempo. Acababa de comprender que la vida es indestructible y que no existe el tiempo, sólo el presente. ¿Esperaban que negara una verdad que había tardado toda la vida en vislumbrar? Ya lo creo que sí. Lo único que no querían oír era que la vida era indestructible. ¿Acaso no se alzaba su precioso nuevo mundo sobre la destrucción de los inocentes, la violación y el pillaje, la tortura y la devastación? Ambos continentes habían sido violados; ambos continentes habían sido despojados y saqueados de todo lo precioso... *en cosas.* En mi opinión, ningún hombre ha sufrido una humillación mayor que Moctezuma; ninguna raza ha sido exterminada más despiadadamente que la del indio americano; ninguna tierra ha sido violada del modo execrable e infame como lo fue California por los buscadores de oro. Siento vergüenza al pensar en nuestros orígenes: nuestras manos están empapadas de sangre y crímenes y la carnicería y el pillaje no cesan, como descubrí con mis propios ojos viajando a lo largo y a lo ancho del país. Cualquier hombre, hasta el amigo más íntimo, es un asesino en potencia. Muchas veces no necesitaban sacar el rifle ni el lazo ni la calimba: habían encontrado formas más sutiles y perversas de torturar y matar a sus semejantes. Para mí, la agonía más dolorosa era que aniquilaran la palabra antes de que hubiese salido siquiera de mi boca. La amarga experiencia me enseñó a callar; aprendí incluso a quedarme sentado en silencio, a sonreír incluso, cuando en realidad estaba echando espuma por la boca. Aprendí a estrechar las manos y a decir «¿cómo está usted?» a todas esas fieras de aspecto inocente que no esperaban sino que me sentara para chuparme la sangre.

¿Cómo iba a ser posible, cuando me sentaba a mi escritorio prehistórico en el salón, usar aquel lenguaje cifrado de la violación y el asesinato? Estaba solo en ese gran hemisferio de violencia, pero no estaba en relación con la raza humana. Estaba solo en medio de un mundo de *cosas* iluminado por destellos fosforescentes de crueldad. Deliraba con una energía que no se podía liberar, salvo al servicio de la muerte y la futilidad. No podía empezar con una declaración completa: habría significado la camisa de fuerza o la silla eléctrica. Era como un hombre que había estado encarcelado demasiado tiempo en una mazmorra: tenía que andar a tientas, vacilante, para no caer y ser pisoteado. Tenía que acostumbrarme poco a poco a las consecuencias de la libertad. Tenía que crecerme una nueva epidermis que me protegiera de aquella luz abrasadora del cielo.

El mundo ovárico es el producto de un ritmo de vida. En el momento en que nace un nino pasa a formar parte de un mundo en que no hay sólo el ritmo de la vida, sino también el ritmo de la muerte. El deseo desesperado de vivir, de vivir a toda costa, no es consecuencia del ritmo de vida en nosotros, sino del ritmo de muerte. No sólo no hay necesidad de mantenerse vivo a toda costa, sino que, además, si la vida es indeseable, es un error tremendo. Ese mantenerte vivo, por una ciega inclinación a derrotar la muerte, es en sí mismo una forma de sembrarla. Todo el que no haya aceptado la vida plenamente, que no esté aumentando la vida, está ayudando a llenar el mundo de muerte. Hacer el gesto más simple con la mano puede comunicar el mayor sentido de vida; una palabra pronunciada con todo el ser puede dar vida. La actividad en sí misma nada significa: con frecuencia es un signo de muerte. Por la simple presión exterior, por la fuerza del ambiente y el ejemplo, por el propio clima que la actividad engendra, puedes convertirte en parte integrante de una monstruosa máquina de muerte, como América, por ejemplo. ¿Qué sabe una dínamo de la vida, la paz, la realidad? ¿Qué sabe cualquier dínamo americana individual de la sabiduría y la energía, de la vida abundante y eterna que posee un mendigo harapiento sentado bajo un árbol en el acto de meditar? ¿Qué es la *energía?* ¿Qué es la *vida?* Basta con leer las chorradas de los libros de texto científicos y filosóficos para comprender que el saber de esos americanos enérgicos es menos que nada. Mirad, a mí me tuvieron ajetreado, esos monomaníacos del caballo de vapor: para romper su ritmo demencial, su ritmo de muerte, tuve que recurrir a una longitud de onda que, hasta que encontrase el apoyo apropiado en mis entrañas, anulara al menos el ritmo que habían establecido. Desde luego, no necesitaba aquel escritorio grotesco, voluminoso y antediluviano que había instalado en el salón; desde luego, no necesitaba doce sillas vacías colocadas alrededor en semicírculo; lo único que necesitaba era espacio amplio para escribir y una decimotercera silla que me sacara del Zodíaco que ellos usaban y me colocase en un cielo más allá del cielo. Pero, cuando se conduce a un hombre casi hasta la locura y, quizá para sorpresa suya, descubre que todavía le queda alguna resistencia, alguna fuerza propia, se puede descubrir que esa clase de hombre actúa en gran medida como un hombre primitivo. Esa clase de hombre no sólo es capaz de volverse terco y obstinado, sino también supersticioso, creyente y practicante de la magia. Esa clase de hombre se sitúa más allá de la religión... de lo que sufre es de su religiosidad. Esa clase de hombre se convierte en un monomaníaco, empeñado en hacer una sola cosa, a saber, destruir el maleficio que le han echado. Esa clase de hombre ha superado los atentados con bombas, ha superado la rebelión; quiere dejar de reaccionar, inerte o ferozmente. Ese hombre, de entre todos los hombres de la Tierra, quiere que el acto sea una manifestación de vida. Si al comprender su terrible necesidad, empieza a actuar regresivamente, a volverse asocial, a balbucir y tartamudear, a mostrarse tan totalmente inadaptado como para ser incapaz de ganarse la vida, sabed que ese hombre ha encontrado el camino del regreso al útero y a la fuente de la vida y que en el futuro, en lugar del despreciable objeto de ridículo en que lo habéis convertido, dará un paso adelante como un *hombre* por derecho propio y nada podrán contra él todos los poderes del mundo.

A partir del tosco código con que comunica desde su escritorio prehistórico con los hombres arcaicos del mundo se forma un nuevo lenguaje que se abre paso a través del lenguaje muerto del momento, como la radio a través de una tormenta. No hay magia en esa longitud de onda, como tampoco la hay en el útero. Los hombres están solos y no comunican entre sí, porque todos sus inventos no hablan sino de la muerte. La muerte es el autómata que gobierna el mundo de la actividad. La muerte es silenciosa, porque carece de boca. La muerte nunca ha *expresado* nada. La muerte es maravillosa también... *después de la vida.* Sólo alguien como yo que haya abierto la boca y haya hablado, sólo alguien que haya dicho sí, sí, sí y otra vez ¡sí!, puede abrir los brazos a la muerte sin sentir miedo. La muerte como recompensa, ¡sí! La muerte como resultado de la realización, ¡sí! La muerte como corona y escudo, ¡sí! Pero no la muerte desde las raíces, que aísla a los hombres, los llena de amargura, temor y soledad, les infunde una energía estéril, los hinche de una voluntad que sólo puede decir ¡no! La primera palabra que cualquier hombre escribe, cuando se ha encontrado a sí mismo, cuando ha encontrado su ritmo, el ritmo de la vida, es ¡sí! Todo lo que escribe a continuacion es sí, sí, sí... sí en mil millones de formas. Ninguna dínamo, por enorme que sea —ni siquiera una dínamo de cien millones de almas muertas—, puede combatir a un hombre que dice ¡sí!

Seguía la guerra y los hombres morían como moscas, un millón, dos, cinco, diez, veinte millones, finalmente cien, después mil millones, todo el mundo, hombres, mujeres y niños, hasta el último. «¡No!» , gritaban. *«¡No! ¡No pasarán!»* Y, sin embargo, todo el mundo pasaba; todo el mundo tenía el paso libre, ya gritara sí o no. En medio de aquella triunfante demostración de ósmosis espiritualmente destructiva, yo estaba sentado con los pies plantados en el gran escritorio intentando comunicar con Zeus, el Padre de la Atlántida, y con su progenie desaparecida, sin saber que Apollinaire iba a morir antes del armisticio en un hospital militar, sin saber que en su «nueva escritura» había compuesto versos indelebles:

Sed indulgentes, cuando nos comparéis
Con quienes fueron la perfección del orden.
Nosotros que por doquier buscamos la aventura.
No somos vuestros enemigos.
Queremos daros vastos y extraños dominios
En que el misterio en flor se ofrece a quien quiera cogerlo.

Ignoraba que en ese mismo poema había escrito:

Tened piedad de nosotros que siempre combatimos en las
[fronteras
Del ilimitado porvenir.
Piedad de nuestros errores, piedad de nuestros pecados.

Ignoraba que entonces vivían hombres que respondían a los exóticos nombres de Blaise Cendrars, Jacques Vaché, Louis Aragon, Tristan Tzara, René Crevel, Henri de Montherlant, André Breton, Max Ernst, George Grosz; ignoraba que el 14 de julio de 1916, en el Saal Waag, en Zurich, se había proclamado el primer Manifiesto Dadá —«manifiesto del señor Antipirina»—, que en aquel extraño documento se declaraba: «Dadá es la vida sin zapatillas ni paralelo... severa necesidad sin disciplina ni moralidad y escupimos en la Humanidad». Ignoraba que en el Manifiesto Dadá de 1918 figuraban estas líneas: «Estoy escribiendo un manifiesto y no quiero nada, pero digo ciertas cosas, como también estoy en contra de los principios... Escribo este manifiesto para mostrar que se pueden realizar a un tiempo acciones opuestas en una sola espiración; estoy en contra de la acción; a favor de la contradicción continua, también de la afirmación, no estoy ni en contra ni a favor y no explico, porque detesto el sentido común... Hay una literatura que no llega a la masa voraz. La obra de los creadores, surgida de una necesidad real del autor y para sí mismo. Conciencia de un egotismo supremo en que las estrellas se consumen... Todas las páginas deben explotar, ya sea con lo profundamente serio y pesado, el torbellino, el vértigo, lo nuevo, lo eterno, el engaño abrumador, un entusiasmo por los principios o el estilo tipográfico. Por un lado, un mundo tambaleante y huidizo, prometido en matrimonio con las campanillas de la gama infernal; por otro, *seres nuevos...*».

Treinta y dos años después y sigo diciendo: ¡Sí! ¡Sí, señor Antipirina! ¡Sí, señor Tristan Bustanoby Tzara! ¡Sí, señor Max Ernst Geburt! ¡Sí, señor René Crevel! Ahora que se ha suicidado usted, sí, el mundo está loco, tenía usted razón. Sí, señor Blaise Cendrars, tenía usted razón en matar. ¿Fue el día del armisticio cuando publicó usted su librito *J'ai tué?* Sí, «seguid adelante, hijos míos, Humanidad...». Sí, Jacques Vaché, muy cierto: «El arte debería ser algo divertido y un poco aburrido». Sí, mi querido difunto Vaché, qué razón tenía usted y qué divertido y qué aburrido, conmovedor, tierno y cierto: «Corresponde a la esencia de los símbolos ser simbólicos». ¡Dígalo otra vez, desde el otro mundo! ¿Tiene un megáfono ahí arriba? ¿Ha encontrado todos los brazos y piernas volados durante la refriega? ¿Puede juntarlos de nuevo? ¿Recuerda el encuentro en Nantes con André Breton en 1916? ¿Celebraron juntos el nacimiento de la histeria? ¿Le había dicho a usted Breton que sólo existe lo maravilloso y nada más que lo maravilloso y que lo maravilloso es siempre maravilloso...? ¿Y acaso no es maravilloso volver a oírlo, aunque tengas los oídos tapados? Quiero incluir aquí, antes de pasar a otra cosa, un pequeño retrato de usted por Emile Bouvier para mis amigos de Brooklyn, que tal vez no me reconocieran entonces, pero me reconocerán ahora, estoy seguro...

«... no estaba loco en absoluto y podía explicar su conducta, cuando la ocasión lo exigía. No por ello dejaban sus acciones de ser tan desconcertantes como las peores excentricidades de Jarry. Por ejemplo, apenas acababa de salir del hospital, cuando se empleó de estibador y en adelante pasaba las tardes descargando carbón en los muelles del Loira. En cambio, por la noche recorría los cafés y los cines, vestido a la última moda y con muchas variaciones de traje. Más aún: en tiempo de guerra, a veces se pavoneaba en uniforme de teniente de húsares, a veces en el de oficial inglés, aviador o cirujano. En la vida civil se mostraba igualmente libre y desenvuelto, sin importarle presentar a Breton con el nombre de André Salmon, al tiempo que se atribuía a sí mismo, pero sin la menor vanidad, los títulos y aventuras más maravillosos. Nunca decía "buenos días" ni "buenas noches" ni "adiós" y nunca hacía el menor caso de las cartas, excepto las de su madre, cuando tenía que pedir dinero. No reconocía a sus mejores amigos de un día para otro...»

¿Me reconocéis, muchachos? Un simple muchacho de Brooklyn comunicando con los albinos pelirrojos de la región zuni. Preparándose, con los pies en el escritorio, para escribir «obras fuertes, obras por siempre incomprensibles», como prometían mis difuntos camaradas. Esas «obras fuertes»... ¿las reconoceríais, si las vierais? ¿Sabéis que de los millones de muertes que hubo ni una de ellas era necesaria para producir «la obra fuerte»? ¡*Nuevos seres*, sí! Todavía necesitamos nuevos seres. Podemos prescindir del teléfono, del automóvil, los bombarderos de primera... pero no de nuevos seres. Si la Atlántida quedó sumergida bajo el mar, si la Esfinge y las Pirámides siguen siendo un enigma eterno, es porque no nacían más seres nuevos. ¡Detened la máquina un momento! ¡Volvamos atrás! Volvamos a 1914, a la secuencia del Kaiser montado en su caballo. Mantenedlo así un momento, sentado ahí con el brazo marchito sosteniendo las riendas. ¡Miradle el bigote! ¡Contemplad su altivo aspecto, su orgullo y arrogancia! Mirad su carne de cañón formando con la más estricta disciplina, todos dispuestos a obedecer a la voz de mando, a dejarse matar, destripar, quemar en cal viva. Ahora mantened la imagen así un momento y mirad al otro lado: los defensores de nuestra gran y gloriosa civilización, los hombres que harán la guerra para acabar con la guerra. Cambiadles la ropa, los uniformes, los caballos, las banderas, el terreno. ¡Dios mío! ¿Es el Kaiser a quien veo montado en un caballo blanco? ¿Son ésos, los terribles hunos? ¿Y dónde está el Gran Bertha? Ah, ya veo... pensaba que estaba apuntando a Notre-Dame. La Humanidad, muchachos, la Humanidad siempre avanzando en vanguardia... ¿Y las obras fuertes de que hablábamos? ¿Dónde están las obras fuertes? Llamad a la Wester Union y enviad a un mensajero de pies veloces... no a un inválido ni a un octogenario, ¡sino a un joven! Pedidle que busque la gran obra y vuelva a traerla. La necesitamos. Tenemos un museo nuevecito esperando para albergarla... y celofán y el sistema decimal de Dewey para archivarla. Lo único que necesitamos es el nombre del autor. Aunque no tenga nombre, aunque sea una obra anónima, no protestaremos. Aunque contenga un poco de gas de mostaza, no nos importará. Traedla viva o muerta: hay una recompensa de veinticinco mil dólares para el hombre que la traiga.

Y, si os dicen que tenía que ser así, que no podía ser de otro modo, que Francia hizo todo lo que pudo, Alemania todo lo que pudo y la pequeña Liberia y el pequeño Ecuador y todos los demás aliados todo lo que pudieron también y que, desde que acabó la guerra, todo el mundo ha estado haciendo todo lo que podía para hacer las paces o para olvidar, decidles que no basta con que hagan todo lo que puedan, que no queremos volver a oír esa lógica de «hacer todo lo que se puede», decidles que no queremos la parte mejor de un trato malo, que no creemos en tratos buenos ni malos ni en los monumentos de guerra. No queremos oír hablar de la lógica de los acontecimientos... ni de clase alguna de lógica. *«Je ne parle pas logique»*, dijo Montherland, *«je parle générosité»*. No creo que lo oyerais bien, pues estaba en francés. Voy a repetirlo para vosotros, en la propia lengua de la Reina: «No hablo lógica, hablo generosidad». Es inglés malo, como la propia Reina podría hablarlo, pero está claro. *Generosidad...* ¿oís? Nunca la practicáis, ninguno de vosotros, ni en la paz ni en la guerra. No sabéis lo que significa esa palabra. Creéis que suministrar cañones y municiones al bando vencedor es generosidad; creéis que enviar enfermeras de la Cruz Roja o el Ejército de Salvación al frente es generosidad. Creéis que una gratificación con veinte años de retraso es generosidad; creéis que una pequeña pensión y una silla de ruedas es generosidad; creéis que devolver su antiguo empleo a un hombre es generosidad. No sabéis lo que esa puta palabra significa, ¡cacho cabrones! Ser generoso es decir «sí» antes incluso de que el hombre haya abierto la boca. Para decir «sí» primero tienes que ser surrealista o dadaísta, por haber entendido lo que significa decir «no». Incluso puedes decir «sí» y «no» a un tiempo, con tal de que hagas más de lo que se espera de ti. Sé un estibador de día y un Beau Brummel de noche. Lleva cualquier uniforme, con tal de que no sea tuyo. Cuando escribas a tu madre, pídele que afloje un poco de pasta para que puedas tener un trapo limpio con que lavarte el culo. Si ves a tu vecino persiguiendo a su mujer con un cuchillo, no te inquietes: probablemente tenga razones poderosas para hacerlo y, si la mata, puedes estar seguro de que tuvo la satisfacción de saber *por qué* lo hizo. Si estás intentando mejorar tu inteligencia, ¡desiste! No se puede mejorar la inteligencia. Mírate el corazón y las entrañas: el cerebro está en el corazón.

Ah, sí, si hubiera sabido entonces que esos andobas —Cendrars, Vaché, Grosz, Ernst, Apollinaire— existían, si lo hubiese sabido entonces, si hubiera sabido que a su modo estaban pensando exactamente las mismas cosas que yo, creo que habría explotado. Sí, creo que habría estallado como una bomba. Pero lo ignoraba. Ignoraba que casi cincuenta años antes un judío loco había alumbrado en Sudamérica frases tan asombrosamente maravillosas como «la duda del pato con labios de vermouth» o «he visto a un higo comerse un onagro»... que por la misma época un francés, que no era sino un niño, estaba diciendo: «Busca flores que sean sillas»... «mi hambre es trocitos de aire negro»... «su corazón, ámbar y yesca». Quizás en la misma época, poco más o menos, mientras Jarry decía: «al comer el sonido de las polillas» y Apollinaire repetía tras él: «cerca de un caballero que se tragaba a sí mismo», y Breton murmuraba bajito: «los pedales de la noche se mueven sin cesar», quizás «en el aire hermoso y negro» que el judío solitario había encontrado bajo la Cruz del Sur otro hombre, también solitario y exiliado y de origen español, estaba preparándose para escribir estas palabras memorables: «En conjunto, procuro consolarme de mi exilio, de mi exilio de la eternidad, de ese *destierro* que gusto llamar mi descuelgue del cielo... En el momento presente creo que la mejor forma de escribir esta novela es decir cómo debería escribirse. Es la novela de la novela, la creación de la creación. O Dios de Dios, *Deus de Deo*». Si hubiera yo sabido que iba a añadir esto, esto que sigue, con toda seguridad habría estallado como una bomba. «... Por estar loco se entiende perder la razón. La razón, pero no la verdad, pues hay locos que dicen verdades, mientras otros guardan silencio...» Al hablar de estas cosas, al hablar de la guerra y de los muertos en la guerra, no puedo dejar de decir que unos veinte años después me tropecé con esto en francés escrito por un francés. ¡Oh, milagro de milagros! *«Il faut le dire, il y a des cadavres que je ne respecte qu'à moitié.»* ¡Sí, sí y otra vez sí! Oh, hagamos algo imprudente... ¡por el puro placer de hacerlo! ¡Hagamos algo vivo y magnífico, aunque sea destructivo! Dijo el zapatero loco: «Todas las cosas se engendran a partir del gran misterio y pasan de un grado a otro. Lo que quiera que avance en su grado no es objeto de abominación».

En todas partes y en todas las épocas el mismo mundo ovárico anunciándose. Pero también, paralelos a esos anuncios, esas profecías, esos manifiestos ginecológicos, paralelos y contemporáneos de ellos, nuevos postes totémicos, nuevos tabúes, nuevas danzas de guerra. Mientras los hermanos del hombre, los poetas, los excavadores del futuro, lanzaban al aire sus mágicos versos, tan negros y hermosos, en aquella misma época, ¡oh, insondable y desconcertante enigma!, otros hombres estaban diciendo: «Haga el favor de venir a tomar un empleo en nuestra fábrica de armas. Le prometemos los salarios más altos, las condiciones más higiénicas. El trabajo es tan fácil, que hasta un niño podría hacerlo». Y, si tenías una hermana, una esposa, una tía, con tal de que pudiera servirse de sus manos, con tal de que pudiese demostrar que no tenía malas costumbres, te invitaban a llevarla o llevarlas contigo a la fábrica de municiones. Si temías ensuciarte las manos te explicaban, muy amables e inteligentes, cómo funcionaban aquellos delicados mecanismos, lo que hacían cuando explotaban y por qué no debías desperdiciar ni siquiera la basura porque... *et ipso facto e pluribu unum*. Lo que me impresionaba al hacer el recorrido en busca de trabajo no era tanto que me hicieran vomitar todos los días (suponiendo que hubiese tenido la suerte de meterme algo en las tripas) cuanto que siempre quisieran saber si tenías buenas costumbres, si eras formal, si no bebías, si eras diligente, si habías trabajado antes y, si no, por qué no. Hasta la basura, cuya recogida para el Ayuntamiento fue uno de los trabajos que conseguí, era preciosa para ellos, los asesinos. Pese a estar en la porquería hasta las rodillas, en la posición social más baja posible, ser un *coolie*, un paria, participaba en el chanchullo de la muerte. Intentaba leer el *Inferno* de Dante por la noche, pero estaba en inglés y el inglés no es lengua para una obra católica. «Lo que quiera que en sí mismo entre en su propio ser, es decir, en su *lubet...*» ¡*Lubet!* Si hubiera tenido entonces una palabra así para mis invocaciones, ¡con qué paz me habría dedicado a mi recogida de la basura! ¡Qué agradable por la noche, cuando Dante está inalcanzable y las manos huelen a porquería y cieno, adoptar esta palabra que en holandés significa «lascivia» y en latín *libitum* o el divino *beneplacitum*! Metido hasta las rodillas en la porquería, dije un día lo que, según cuentan, dijo Meister Eckhart hace mucho: «En verdad necesito a Dios, pero Dios me necesita a mí también». Había un trabajo esperándome en el matadero, un trabajo curiosito de seleccionar vísceras, pero no conseguí juntar el dinero para el billete hasta Chicago. Me quedé en Brooklyn, en mi propio palacio de vísceras, y di vueltas y más vueltas en el plinto del laberinto. Me quedé en casa buscando la «vesícula germinal», «el castillo del dragón en el fondo del mar», «el Corazón Celestial», «el campo de la pulga cuadrada», «la casa del pie cuadrado», «el pasaje obscuro», «el espacio del antiguo Cielo». Me quedé encerrado, prisionero de Fórculo, dios de la puerta, Cardea, dios de la bisagra, y Limencio, dios del umbral. Hablé sólo con sus hermanas, las tres diosas llamadas Miedo, Palidez y Fiebre. No vi «lujo asiático», como vio o imaginó ver San Agustín. Tampoco vi «nacer a los dos gemelos, tan cerca uno del otro, que el segundo iba cogido al talón del primero». Pero vi una calle llamada Myrtle Avenue, que va de Borough Hall a Fresh Pond Road, y por esa calle nunca caminó santo alguno (de lo contrario, se habría desmoronado), por esa calle nunca pasó milagro alguno ni poeta alguno ni especie alguna de genio humano ni creció en ella nunca flor alguna ni le dio el sol de lleno ni la bañó nunca la lluvia. Por el *Inferno* auténtico que tuve que aplazar durante veinte años os doy Mirtle Avenue, uno de los innumerables caminos de herradura recorridos por monstruos de hierro que conducen al corazón vacío de América. Si sólo habéis visto Essen o Manchester o Chicago o Levallois-Perret o Glasgow o Hoboben o Canarsie o Bayonne, no habéis visto nada del magnífico vacío del progreso y la ilustración. Querido lector, debes ver Myrtle Avenue antes de morir, aunque sólo sea para comprender hasta qué punto caló Dante en el futuro. Tienes que creerme, si te digo que ni en esa calle ni en las casas que se alinean a sus lados ni en los adoquines con que está pavimentada ni en la estructura elevada que la corta en dos ni en criatura alguna que lleve un nombre y viva en ella ni en animal alguno, ave o insecto, que pase por ella camino del matadero o de vuelta de él, hay esperanza alguna de «*lubet*», «sublimación» o «abominación». No es una calle de pena, pues la pena sería humana y reconocible, sino de puro vacio: está más vacía que el volcán más extinto, más vacía que una vacuidad, más vacía que la palabra Dios en boca de un descreído.

He dicho que no sabía ni palabra de francés entonces y es verdad, pero estaba a punto precisamente de hacer un gran descubrimiento, que iba a compensar el vacío de Myrtle Avenue y de todo el continente americano. Casi había llegado a la costa de ese gran océano francés que responde al nombre de Élie Faure, océano por el que los propios franceses apenas han navegado y que, al parecer, han confundido con un mar interior. Al leerlo, aun en una lengua tan marchita como ha llegado a ser la inglesa, veía que aquel hombre que había descrito la gloria de la raza humana en el puño de su camisa era el padre Zeus de la Atlántida, al que yo había estado buscando. Un océano lo he llamado, pero también era una sinfonía mundial. Fue el primer músico que Francia ha dado: era exaltado y controlado, una anomalía, un Beethoven galo, un gran médico del alma, un pararrayos gigantesco. También era un girasol que giraba con el sol, siempre bebiendo en la luz, siempre radiante y resplandeciente de vitalidad. No era optimista ni pesimista, de igual modo que no se puede decir que el océano sea benéfico o malévolo. Creía en la raza humana. Hizo crecer un codo a la raza, al devolverle su dignidad, su fuerza, su necesidad de creación. Lo vio todo como creación, como gozo solar. No lo consignó con orden, sino con música. Le resultaba indiferente que los franceses tuvieran mal oído... estaba orquestando para el mundo entero simultáneamente. Cuál no sería mi asombro, pues, cuando unos años después llegué a Francia y descubrí que no había monumentos erigidos a él ni calles que llevaran su nombre. Peor aún: durante nada menos que ocho años ni una sola vez oí a un francés citar su nombre. Tuvo que morir para que lo colocasen en el panteón de las deidades francesas... ¡y qué aspecto más macilento deben de presentar sus deíficos contemporáneos frente a ese sol radiante! Si no hubiera sido médico, lo que le permitió ganarse la vida, ¡qué no le habría podido pasar! ¡Quizás otra mano hábil para los camiones de la basura! El hombre que hizo cobrar vida a los frescos egipcios con todos sus colores fulgurantes podía muy bien haberse muerto de hambre, para lo que al público importaba. Pero era un océano y los críticos se ahogaban en él y los directores de periódicos, los editores y el público también. Tardará milenios en secarse, en evaporarse. Tardará tanto como los franceses en adquirir oído para la música.

Si no hubiera habido música, habría acabado en el manicomio como Nijinski. (Por aquella época mas o menos fue cuando descubrieron que Nijinski estaba loco. Lo habían visto regalando su dinero a los pobres... ¡lo que siempre es mala señal!) Yo tenía la cabeza llena de tesoros maravillosos, gusto fino y exigente, músculos en perfectas condiciones, apetito vigoroso, aliento sano. No tenía nada que hacer salvo perfeccionarme y me estaba volviendo loco con los progresos que hacía todos los días. Aun cuando hubiera un empleo que pudiese desempeñar, no podía aceptarlo, porque no era trabajo lo que necesitaba, sino una vida más rica. No podía desperdiciar el tiempo haciendo de maestro, abogado, médico, político o cualquier otra cosa que la sociedad ofreciese. Era más fácil hacer trabajos humildes, porque me dejaban la mente en libertad. Después de que me despidiesen del empleo de basurero, recuerdo que pase a trabajar con un evangelista que parecía tener gran confianza en mí. Hacía las funciones de conserje, cobrador y secretario particular. Él me reveló todo el mundo de la filosofía india. Por las noches, cuando estaba libre, me reunía con mis amigos en casa de Ed Bauries, que vivía en un barrio aristocrático de Brooklyn. Ed Bauries era un pianista excéntrico que no sabía leer ni una nota. Tenía un compañero del alma llamado George Neumiller, con el que a menudo tocaba dúos. De la docena aproximada que nos congregábamos en casa de Ed Bauries, casi todos sabíamos tocar el piano. Todos teníamos entre veintiuno y veinticinco años por aquel entonces; nunca llevábamos mujeres con nosotros y casi nunca mencionábamos el tema de las mujeres en aquellas sesiones. Teníamos mucha cerveza para beber y toda una gran casa a nuestra disposición, pues celebrábamos nuestras reuniones en verano, cuando sus viejos estaban fuera... Aunque había otra docena de casas así de las que podría hablar, cito la de Ed Bauries porque era representativa de algo que no he encontrado en ningún otro lugar del mundo. Ni Ed Bauries ni ninguno de mis amigos sospechaba la clase de libros que leía yo ni las cosas que ocupaban mi mente. Cuando aparecía, me recibían con entusiasmo... como a un payaso. Esperaban de mí que comenzara la función. Había unos cuatro pianos diseminados por la enorme casa, por no citar la celesta, el órgano, las guitarras, mandolinas, violines y yo qué sé qué más. Ed Bauries era un chiflado, un chiflado muy amable, comprensivo y generoso, además. Los emparedados eran siempre de lo mejor, la cerveza abundante y, si querías quedarte a pasar la noche, te podía proporcionar un diván de lo más cómodo. Desde la calle —una calle grande, ancha, somnolienta, lujosa, una calle que no era de este mundo— oía ya el tintineo del piano en el gran salón del primer piso. Las ventanas estaban abiertas de par en par y, al acercarme más, veía a Al Burger y Connie Grimm arrellanados en las grandes y cómodas sillas, con los pies en el alféizar y grandes jarras de cerveza en las manos. Probablemente George Neumiller estuviera improvisando al piano, sin camisa y con un gran puro en la boca. Hablaban y reían, mientras George tocaba al tuntún buscando una obertura. En cuanto encontraba un tema, llamaba a Ed y éste se sentaba a su lado a estudiarlo a su modo no profesional y después, de repente, se abalanzaba sobre las teclas y daba la réplica clavada. Quizá, cuando entraba yo, estuviera alguien intentando hacer el pino en la habitación contigua: había tres habitaciones grandes en el primer piso que daban una a la otra y detrás de ellas un jardín, un jardín enorme, con flores, árboles frutales, viñas, estatuas, fuentes y todo. A veces, cuando hacía demasiado calor, llevaban la celesta o el organito al jardín (y un barrilito de cerveza, naturalmente) y nos sentábamos a obscuras riendo y cantando... hasta que los vecinos nos hacían callar. A veces, sonaba música por toda la casa al mismo tiempo, en todos los pisos. Entonces era de verdad demencial, embriagador y, si hubiera habido mujeres por allí, lo habrían estropeado. A veces era como contemplar un torneo de resistencia: Ed Bauries y George Neumiller en el piano grande, uno intentando agotar al otro, cambiando de sitio sin cesar de tocar, cruzando las manos, volando como una pianola. Y siempre había algo de que reír. Nadie te preguntaba qué hacías, qué pensabas, ni cosas así. Cuando llegabas a casa de Ed Bauries, dejabas en la entrada tus señas de identidad. A nadie le importaba tres cojones la talla de sombrero que gastabas ni cuánto habías pagado por él. Era diversión desde el principio al fin... y la casa proporcionaba los emparedados y las bebidas. Y, cuando empezaba la función, tres o cuatro pianos a la vez, la celesta, el órgano, las mandolinas, las guitarras, cerveza a discreción por los pasillos, las repisas de las chimeneas llenas de emparedados y puros, una brisa que llegaba del jardín, George Neumiller desnudo hasta la cintura y modulando como un loco, era mejor que cualquier espectáculo que yo haya visto y no costaba ni un centavo. De hecho, con tanto vestirse y desvestirse, siempre salía yo con unas monedas de más y un puñado de buenos puros. Nunca veía a ninguno de ellos fuera de nuestras reuniones... sólo los lunes por la noche durante todo el verano, cuando Ed recibía.

Al oír el estrépito desde el jardín, apenas podía creer que fuera la misma ciudad. Y, si hubiese abierto el pico y hubiera revelado lo que pensaba, todo se habría acabado. Ni uno de aquellos tipos valía mucho, para el mundo. Eran tan sólo buenos chicos, niños, tipos a los que les gustaba la música y pasarlo bien. Les gustaba tanto, que a veces teníamos que llamar a una ambulancia. Como la noche en que Al Burnet se torció la rodilla, cuando nos mostraba una de sus acrobacias. Todo el mundo tan contento, tan ebrio de música, tan bebido, que tardó una hora en convencernos de que se había hecho daño de verdad. Intentamos llevarlo al hospital, pero quedaba demasiado lejos y, además, era una broma tan divertida, que de vez en cuando lo dejábamos caer y eso le hacía dar alaridos como un maníaco. Conque al final pedimos ayuda por teléfono a la policía y llega la ambulancia y también el coche celular. Se llevan a Al al hospital y a los demás al trullo. Y por el camino cantamos a pleno pulmón. Y, después de que nos suelten, seguimos alegres y los guripas también se sienten alegres, conque pasamos todos al sótano, donde hay un piano destartalado y seguimos cantando y tocando. Todo eso es como una época histórica antes de Cristo que acaba, no porque haya una guerra, sino porque ni siquiera una queli como la de Ed Bauries es inmune al veneno que se cuela desde la periferia. Porque todas las calles se están convirtiendo en Myrtle Avenue, porque el vacío está llenando el continente entero desde el Atlántico hasta el Pacífico. Porque, al cabo de un tiempo, no puedes entrar en una sola casa a todo lo largo y ancho del país y encontrar a un hombre haciendo el pino y cantando. Es algo que ya no se hace. Ni hay dos pianos que suenen a la vez en ningún sitio ni dos hombres en parte alguna dispuestos a tocar toda la noche por pura diversión. A dos hombres que sepan tocar como Ed Bauries y George Neumiller los contratan para la radio o el cine y sólo usan una ínfima parte de su talento y el resto lo tiran al cubo de la basura. A juzgar por los espectáculos públicos, nadie sabe el talento que hay disponible en el gran continente americano. Posteriormente, y por eso me sentaba en los escalones de las puertas de Tin Pan Alley, pasaba las tardes escuchando a los profesionales desgañitarse. Eso estaba bien también, pero era diferente. No era divertido, era un ensayo continuo para que rindiese dólares y centavos. Cualquier hombre de América que tuviera una pizca de humor, se lo guardaba para triunfar. También había algunos chalados maravillosos entre ellos, hombres a los que nunca olvidaré, hombres que no dejaron un nombre tras sí y fueron los mejores que este país ha producido. Recuerdo un actor anónimo en un teatro de la cadena Keith, que probablemente fuera el hombre más loco de América y puede que no sacara más de cincuenta dólares a la semana. Tres veces al día, todos los días de la semana, salía a escena y mantenía al público embelesado. No hacía un número... tan sólo improvisaba. Nunca repetía sus chistes ni sus acrobacias. Se prodigaba y no creo que fuese un drogota. Era uno de esos tipos que nacen en los maizales y su energía y alegría eran tan impetuosas, que nada podía contenerlas. Sabía tocar cualquier instrumento y bailar cualquier paso y era capaz de inventar una historia en el momento y alargarla hasta el final de la función. No se contentaba con hacer su número, sino que ayudaba a los demás. Se quedaba entre bastidores y esperaba el momento oportuno para interrumpir en el número de otro. Él solo era el espectáculo entero, un espectáculo que contenía más terapia que todo el arsenal de la ciencia moderna. A un hombre así tendrían que haberle pagado el sueldo que cobra el Presidente de los Estados Unidos y todo el Tribunal Supremo y ponerlo a gobernar. Aquel hombre podía curar cualquier enfermedad del catálogo. Además, era la clase de hombre que lo haría por nada, si se lo pidieran. Un hombre así vacía los manicomios. No propone una cura... vuelve loco a todo el mundo. Entre esa solución y el estado de guerra perpetua, que es la civilización, sólo hay otra salida... y es el camino que todos tomaremos tarde o temprano, porque todo lo demás está condenado al fracaso. El hombre que representa esa única salida tiene una cabeza con seis caras y ocho ojos; la cabeza es un faro giratorio y en lugar de una triple corona encima, como podría perfectamente haber, hay un agujero que ventila los pocos sesos que hay. Hay pocos sesos, como digo, porque hay poco equipaje que llevar, porque, al vivir en plena conciencia, la substancia gris se convierte en luz. Ése es el único tipo de hombre que podemos colocar por encima del comediante; no ríe ni llora, está por encima del sufrimiento. No lo reconocemos aún, porque está demasiado próximo a nosotros, justo bajo la piel, en realidad. Cuando el comediante nos acierta en sus tripas, ese hombre, cuyo nombre podría ser Dios, supongo, si tuviera que usar un nombre, habla claro. Cuando toda la raza humana está desternillándose de risa, riendo tanto que llega a doler, quiero decir, entonces todo el mundo va por buen camino. En ese momento todo el mundo puede ser Dios, precisamente, o cualquier otra cosa. En ese momento se produce la aniquilación de la conciencia doble, triple, cuádruple y múltiple, que es lo que hace que la substancia gris se haga un ovillo de pliegues muertos en la coronilla. En ese momento puedes sentir realmente el agujero en la coronilla; sabes que en otro tiempo tenías un ojo en ella y que ese ojo podía captar todo a la vez. Ahora el ojo ha desaparecido, pero, cuando ríes hasta que se te saltan las lágrimas y te duele el vientre, estás abriendo realmente la claraboya y ventilando los sesos. En ese momento nadie puede convencerte para que cojas un rifle y mates a tu enemigo; tampoco puede convencerte nadie para que abras un mamotreto que contenga las verdades metafísicas del mundo y lo leas. Si sabes lo que significa la libertad, la libertad absoluta y no una libertad relativa, debes reconocer que eso es lo más cerca que puedes llegar a estar de ella. Si estoy en contra del estado del mundo, no es porque sea un moralista... es porque quiero reírme más. No digo que Dios sea una grandiosa carcajada: digo que tienes que reír con ganas antes de acercarte lo más mínimo a Dios. Mi exclusivo fin en la vida es llegar cerca de Dios, es decir, llegar cerca de mí mismo. Por eso, no importa el camino que siga. Pero la música es muy importante. La música es un tónico para la glándula pineal. La música no es Bach ni Beethoven; la música es el abrelatas del alma. Te deja muy tranquilo por dentro, te hace tomar conciencia de que hay un techo para tu ser.

El horror asesino de la vida no radica en las calamidades ni los desastres, porque esas cosas te despiertan y te familiarizas e intimas mucho con ellas y, al final, acaban amansadas de nuevo... no, es más como estar en la habitación de un hotel en Hoboken, pongamos por caso, y con suficiente dinero en el bolsillo para otra comida. Estás en una ciudad en la que no esperas volver a estar nunca más y sólo tienes que pasar la noche en la habitación de tu hotel, pero necesitas todo el valor y coraje que poseas para permanecer en esa habitación. Tiene que haber una razón poderosa para que ciertas ciudades, ciertos lugares, inspiren semejante espanto y aversión. Debe de estar produciéndose algún asesinato perpetuo en esos lugares. La gente es de la misma raza que tú, se ocupan de sus asuntos como hace la gente en todas partes, construyen el mismo tipo de casa, ni mejor ni peor, tienen el mismo sistema de educación, la misma moneda, los mismos periódicos... y, sin embargo, son del todo diferentes de las demás personas que conozco; la atmósfera en conjunto es diferente, el ritmo y la tensión son diferentes. Es casi como mirarte a ti mismo en otra encarnación. Sabes, con la certidumbre más inquietante, que lo que rige la vida no es el dinero ni la política ni la religión ni la educación ni la raza ni la lengua ni las costumbres, sino otra cosa, algo que estás intentando sofocar todo el tiempo y que, en realidad, te está sofocando a ti, porque si no, no te sentirías tan aterrado de repente ni te preguntarías cómo vas a escapar. En algunas ciudades ni siquiera tienes que pasar una noche... una o dos horas bastan para abatirte. Eso pienso de Bayonne. Llegué a ella por la noche con algunas direcciones que me habían dado. Llevaba bajo el brazo un maletín con un prospecto de la *Enciclopedia Británica*. Mi misión era ir al amparo de la obscuridad y vender la maldita enciclopedia a algunos pobres diablos que deseaban mejorar. Si me hubieran dejado caer en Helsingfors, no podría haberme sentido más a disgusto que caminando por las calles de Bayonne. Para mí, no era una ciudad americana. No era una ciudad en absoluto, sino un enorme pulpo retorciéndose en la obscuridad. La primera puerta a que acudí era tan repulsiva, que ni siquiera me molesté en llamar; fui así a varias direcciones antes de poder hacer acopio de valor para llamar. La primera cara que miré me hizo cagarme de miedo. No hablo de timidez ni de vergüenza... hablo de miedo. Era la cara de un peón de albañil, un irlandés ignorante que lo mismo se abalanzaría sobre ti con un hacha en la mano que te escupiría en un ojo. Fingí que me había equivocado de número y me apresuré a dirigirme a la siguiente dirección. Cada vez que se abría la puerta, veía un monstruo. Y por fin di con un pobre bobo que de verdad quería mejorar y aquello fue la puntilla. Me sentí sinceramente avergonzado de mí mismo, de mi país, mi raza, mi época. Las pasé canutas para convencerlo de que no comprara la maldita enciclopedia. Me preguntó, inocente, qué me había llevado a su casa, entonces... y sin vacilar ni un instante le conté una mentira asombrosa, que más adelante iba a resultar una gran verdad. Le dije que tan sólo fingía vender enciclopedias para conocer a gente y escribir sobre ella. Aquello le interesó enormemente, más incluso que la enciclopedia. Me preguntó qué escribiría sobre él, si podía decirlo. He tardado veinte años en dar una respuesta, pero aquí va. Si aún desea saberlo, Fulano de Tal de la ciudad de Bayonne, ésta es... le debo mucho a usted, porque después de esa mentira abandoné su casa, hice pedazos el prospecto que me habían facilitado en la *Enciclopedia Británica* y lo tiré al arroyo. Me dije: «Nunca más me presentaré ante la gente con pretextos falsos, ni siquiera para darles la Sagrada Biblia. Nunca más venderé nada, aunque tenga que morirme de hambre. Ahora me voy a casa y me siento a escribir de verdad sobre la gente. Y, si alguien llama a mi puerta para venderme algo, lo invitaré a pasar y le diré: "¿Por qué se dedica usted a esto?". Y, si dice que es porque tiene que ganarse la vida, le ofreceré el dinero que tenga y le rogaré una vez más que piense en lo que hace. Quiero impedir al mayor número posible de hombres que finjan hacer esto o lo otro porque tienen que ganarse la vida. *No es verdad.* Puedes morirte de hambre: es mucho mejor. Todos los hombres que se mueren de hambre voluntariamente contribuyen a interrupir el proceso automático. Preferiría ver a un hombre coger una pistola y matar a su vecino, para conseguir la comida que necesita, que mantener el proceso automático fingiendo ganarse la vida». Eso es lo que quería decirle, señor Fulano de Tal.

A otra cosa. No el horror atroz del desastre y la calamidad, digo, sino el retroceso automático, el panorama desolador de la lucha atávica del alma. Un puente de Carolina del Norte, cerca de la frontera con Tennessee. Destacando de entre campos de tabaco lujuriantes, chozas bajas por doquier y olor a leña fresca ardiendo. El día ha pasado en un espeso lago de verde ondulante. Casi ni un alma a la vista. Y después un claro de repente y me encuentro sobre un barranco cruzado por un puente de madera desvencijado. ¡Es el fin del mundo! Cómo cojones he llegado aquí y por qué estoy aquí es algo que no sé. *¿Cómo voy a comer?* Y, aunque comiera la mayor comida imaginable, seguiría triste, espantosamente triste. No sé adónde ir desde aquí. Este puente es el fin, mi fin, el fin del mundo conocido para mí. Este puente es la locura: no hay razón por la que deba estar ahí ni razón por la que deba cruzarlo la gente. Me niego a dar un paso más; me niego a cruzar ese puente demencial. Cerca hay un muro bajo contra el que me recuesto mientras intento pensar qué hacer y adónde ir. Comprendo de pronto lo civilizado que soy... la necesidad que tengo de gente, conversación, libros, teatro, música, cafés, bebidas, etcétera. Es terrible ser civilizado, porque, cuando llegas al fin del mundo, no tienes nada que te ayude a soportar el terror de la soledad. Ser civilizado es tener necesidades complicadas. Y un hombre en la flor de la vida no debería necesitar nada. He pasado todo el día cruzando campos de tabaco y sintiéndome cada vez más inquieto. ¿Qué tengo que ver con todo este tabaco? ¿Adónde me dirijo? En todas partes la gente produce cosechas y mercancías para otra gente... y yo soy como un fantasma que se desliza entre toda esa actividad ininteligible. Quiero encontrar alguna clase de trabajo, pero no quiero formar parte de esto, de este proceso automático e infernal. Paso por una ciudad y miro el periódico para ver qué ocurre en ella y en sus alrededores. Me parece que no ocurre *nada*, que el reloj se ha parado, pero esos pobres diablos no lo saben. Además, intuyo de forma insistente que hay asesinato en el aire. Lo huelo. Unos días atrás, crucé la línea imaginaria que divide el Norte del Sur. No fui consciente de ello hasta que pasó un morenito conduciendo una yunta; cuando llega a mi altura, se levanta del asiento y se quita el sombrero con el mayor respeto. Tenía pelo blanco como la nieve y una cara de gran dignidad. Me hizo sentirme horrible: me hizo comprender que todavía hay esclavos. Aquel hombre tenía que descubrirse ante mí... porque yo era de la raza blanca. Cuando en realidad, ¡era yo quien debía descubrirme ante él! Debería haberlo saludado como superviviente de todas las torturas que los blancos han infligido a los negros. Debería haberme quitado el sombrero antes que él, para hacerle saber que no formo parte de este sistema, que pido perdón por todos mis hermanos blancos, demasiado ignorantes y crueles como para hacer un gesto honrado y claro. Hoy siento sus ojos sobre mí todo el tiempo; miran desde detrás de las puertas, desde detrás de los árboles. Todos muy tranquilos, muy pacíficos, aparentemente. Negro dice nunca nada. Negro canturrea todo rato. Hombre blanco piensa que negro aprende su lugar. Negro aprende nada. Negro espera. Negro mira todo lo que blanco hace. Negro dice nada, no señor, que no. PERO, DE TODOS MODOS, ¡EL NEGRO ESTÁ MATANDO AL BLANCO! Siempre que el negro mira al blanco, le está clavando una daga. No es el calor ni la lombriz intestinal ni las malas cosechas, lo que está matando el Sur: ¡es el negro! El negro despide un veneno, quiera o no. El Sur está drogado con veneno de negro.

A otra cosa... Sentado ante una barbería junto al río James. Voy a quedarme aquí diez minutos, mientras descansan mis pies. Enfrente hay un hotel y unas cuantas tiendas; todo ello va desvaneciéndose rápido, acaba como empezó: sin razón. Desde el fondo de mi alma compadezco a los pobres diablos que nacen y mueren aquí. No hay razón concebible para que exista este lugar. No hay razón para que alguien cruce la calle y pida que le corten el pelo o le despachen un plato de solomillo. Eh, vosotros, ¡compraos una pistola y mataos unos a otros! Borrad esta calle de mi mente para siempre: no tiene el menor sentido.

El mismo día, tras la caída de la noche. Sigo pateando, ahondando cada vez más en el Sur. Me voy alejando de un pueblecito por un camino corto que conduce a la carretera. De pronto oigo pasos detrás de mí y en seguida pasa un joven a escape, jadeando y maldiciendo con todas sus fuerzas. Me paro ahí un momento, sin saber qué pasa. Oigo que llega otro hombre a escape; es más viejo y lleva un revólver. Respira sin dificultad y no dice ni pío. Justo cuando lo distingo, la Luna se abre paso entre las nubes y le veo la cara. Es un cazador de hombres. Me hago a un lado, cuando llegan los otros tras él. Estoy temblando de miedo. Es el *sheriff*, oigo decir a un hombre, y va a atraparlo. Horrible. Sigo hacia la carretera esperando oír el disparo que pondrá fin a todo aquello. No oigo nada: sólo esa respiración jadeante del joven y los rápidos y ansiosos pasos de la chusma que sigue al *sheriff*. Justo cuando me acerco a la carretera, sale un hombre de la obscuridad y se me acerca muy deprisa. «¿Adónde vas, hijo?», dice, tranquilo y casi con ternura. Balbuceo algo sobre la ciudad siguiente. «Más vale que te quedes aquí, hijo», dice. No dije nada más. Le dejé llevarme de nuevo a la ciudad y entregarme como un ladrón. Estuve tumbado en el suelo con otros cincuenta tipos. Tuve un maravilloso sueño sexual que acababa en la guillotina.

Sigo pateando... Tan difícil es volver atrás como seguir adelante. Tengo la sensación de haber dejado de ser ciudadano americano. La parte de América de la que procedía, donde tenía algunos derechos, donde me sentía libre, ha quedado tan lejos detrás de mí, que está empezando a borrárseme de la memoria. Tengo la sensación de que alguien me tiene clavado un revólver en la espalda constantemente. Sigue andando, es lo único que me parece oír. Si un hombre me habla, intento no parecer demasiado inteligente. Intento fingir que me interesan vitalmente las cosechas, el tiempo, las elecciones. Si me paro, me miran, negros y blancos: me miran de pies a cabeza como si fuera jugoso y comestible. Tengo que caminar otras mil millas más o menos, como si tuviese una meta clara, como si de verdad fuera a algún sitio. Tengo que parecer agradecido también de que a nadie se le haya ocurrido todavía pegarme un tiro. Es deprimente y estimulante a un tiempo. Eres un hombre marcado... y, sin embargo, nadie aprieta el gatillo. Te dejan caminar sin molestarte hasta el golfo de México, donde puedes ahogarte.

Sí, señor, llegué al golfo de México y caminé derecho hasta él y me ahogué. Lo hice gratis. Cuando sacaron el cadáver, descubrieron que llevaba la etiqueta F.O.B.* Myrtle Avenue, Brooklyn; lo devolvieron con la etiqueta C.O.D.** Cuando me preguntaron después por qué me había suicidado, lo único que se me ocurrió decir fue: *¡porque quería electrificar el cosmos!* Con eso quería decir una cosa muy simple: Delaware, Lakawanna y Western habían sido electrificadas, la Seabor Air Line había sido electrificada, pero el alma del hombre seguía en la etapa del carromato. Nací en me-

* *Free on board:* «franco de porte».

** *Cash on delivery:* «contrarreembolso».

dio de la civilización y la acepté con toda naturalidad: ¿qué otra cosa podía hacer? Pero el chiste consistía en que nadie más se lo tomaba en serio. Yo era el único hombre de la comunidad que era de verdad civilizado. No había sitio para mí... aún. Y, sin embargo, los libros que leía, la música que escuchaba, me aseguraban que había otros hombres en el mundo como yo. Tuve que ir a ahogarme al golfo de México para tener una excusa con que continuar aquella existencia seudocivilizada. Tenía que despojarme de mi cuerpo espiritual, por decirlo así.

Cuando advertí que, según el orden de cosas, yo valía menos que el barro, la verdad es que me puse muy contento. Perdí rápido todo sentido de la responsabilidad. Y, si no hubiera sido porque mis amigos se cansaron de prestarme dinero, podría haber seguido perdiendo el tiempo eternamente. El mundo era como un museo para mí; no veía otra cosa que hacer que devorar ese maravilloso pastel cubierto de chocolate que los hombres del pasado nos habían dejado en las manos. A todo el mundo molestaba ver cómo me divertía. Según su lógica, el arte era muy bonito, oh, sí, desde luego, pero tienes que trabajar para ganarte la vida y después descubrirás que estás demasiado cansado para pensar en el arte. Pero, cuando amenacé con añadir una o dos capas por mi cuenta a aquel maravilloso pastel cubierto de chocolate, fue cuando se cabrearon conmigo. Fue la pincelada final. Significaba que yo estaba rematadamente loco. Primero me consideraron un miembro inútil de la sociedad; después, por un tiempo, les parecí un cadáver vivalavirgen con un apetito tremendo; ahora me había vuelto loco. *(Oye, cacho cabrón, búscate un empleo... ¡estamos hartos de ti!)* En cierto modo, ese cambio de frente fue alentador. Sentía el viento que soplaba por los pasillos. Por lo menos, «nosotros» ya no estábamos encalmados. Era la guerra y, como cadáver que era, yo estaba bastante fresco como para que me quedara un poco de combatividad. La guerra te reanima. Te hace bullir la sangre. Fue en plena guerra mundial, de la que me había olvidado, cuando experimenté ese cambio de ánimo. De la noche a la mañana me casé, para demostrar a todos y cada uno que me importaba tres cojones una cosa u otra. Casarse estaba bien para su mentalidad. Recuerdo que, gracias al anuncio de la boda, junté cinco pavos al instante. Mi amigo MacGregor me pagó la licencia e incluso el afeitado y el corte de pelo, al que accedí ante su insistencia. Decían que no podías casarte sin afeitarte; yo no veía por qué, pero, como no me costaba nada, cedí. Fue interesante ver que todo el mundo estaba deseoso de contribuir con algo a nuestro sustento. De repente, sólo porque había mostrado un poco de juicio, acudieron como moscas a nuestro alrededor: y que si podían hacer esto y que si podían hacer lo otro por nosotros. Naturalmente, suponían que ahora iba a ir a trabajar, seguro, ahora iba a ver que la vida es cosa seria. En ningún momento se les ocurrió que podría dejar que mi esposa trabajase por mí. La verdad es que al principio me porté muy bien con ella. No era un negrero. Lo único que pedía era dinero para el autobús —para ir a buscar el mítico empleo— y un poquito de dinero para mis gastos, para cigarrillos, cine, etcétera. Me pareció que, ahora que estábamos casados, podríamos comprar a crédito las cosas importantes, como libros, discos, gramófonos, filetes y demás. El pago a plazos se había inventado a propósito para tipos como yo. La entrada era fácil... el resto lo dejaba en manos de la Providencia. Tiene uno que vivir, estaban diciendo siempre. Pero, Dios mío, si era lo que yo me decía: *¡Tiene uno que vivir! ¡Vive primero y paga des-*

pués! Si veía un abrigo que me gustaba, entraba y lo compraba. Además, lo compraba un poco antes de temporada, para mostrar que era un tío serio. Qué leche, era un hombre casado y probablemente fuese a ser padre pronto... tenía derecho a un abrigo para el invierno por lo menos, ¿no? Y, cuando tenía el abrigo, pensaba en unos zapatos fuertes para acompañarlo: un par de zapatos gruesos de cordobán como los que había deseado toda mi vida, pero nunca había podido pagar. Y, cuando llegaba el frío intenso y estaba en la calle buscando trabajo, a veces me entraba un hambre terrible —es muy sano salir así, día tras día, andar de un lado para otro por la ciudad con lluvia, nieve, viento y granizo—, conque de vez en cuando me metía en una taberna acogedora y pedía un filete jugoso con cebollas y patatas fritas. También me hice un seguro de vida y un seguro de accidentes... cuando estás casado, es importante hacer cosas así, según me decían. Y si un día me moría de repente... ¿qué? Recuerdo que el tipo me dijo eso para dar más fuerza a su argumentación. Yo le había dicho que iba a firmar, pero debía de haberlo olvidado. Había dicho «sí» al instante, por la fuerza de la costumbre, pero, como digo, era evidente que no lo había notado... o si no, sería que iba contra las normas cerrar el trato con una persona hasta haberle largado toda la perorata. El caso es que estaba preparándome para preguntarle cuánto tiempo había de pasar antes de que pudieses pedir un préstamo con la póliza, cuando lanzó la pregunta hipotética: *y si se muere usted un día de repente... ¿qué?* Me figuro que pensaría que estaba un poco mal de la cabeza por la forma como me reí al oír eso. Me reí hasta que me corrieron lágrimas por las mejillas. Por fin, dijo: «No creo haber dicho nada gracioso». «Pero, bueno», dije poniéndome serio por un momento, «míreme bien. Ahora dígame: ¿cree usted que soy la clase de persona a quien preocupa más que la hostia lo que ocurra, una vez muerto?». Se quedó de piedra al oírme, al parecer, porque lo que me dijo a continuación fue: «No creo que ésa sea una actitud demasiado ética, señor Miller. Estoy seguro de que usted no desea que su esposa...». «Mire», dije, «supongamos que le digo que me importa tres cojones lo que ocurra a mi mujer, cuando me muera... entonces, ¿qué?». Y como eso pareció herir su susceptibilidad ética aún más, añadí para no quedarme corto: «Por lo que a mí se refiere, no tienen que pagar el seguro, cuando yo la diñe: lo hago sólo por usted. Estoy intentando ayudar al mundo, ¿no lo ve? Usted tiene que vivir, ¿no es cierto? Bueno, pues, le estoy poniendo un poquito de comida en la boca, nada más. Si tiene usted algo más para vender, sáquelo. Compro cualquier cosa que me parezca buena. Soy comprador, no vendedor. Me gusta ver feliz a la gente: por eso compro cosas. A ver, ¿a cuánto ha dicho que saldría por semana? ¿A cincuenta y siete centavos? Estupendo. ¿Qué son cincuenta y siete centavos? ¿Ve usted ese piano? Sale por unos treinta y nueve centavos por semana, me parece. Mire a su alrededor... todo lo que ve cuesta tanto como eso a la semana. Dice usted: *si me muero, ¿qué?* ¿Supone usted que me voy a morir y dejar a toda esa gente colgada? Eso sería una broma más pesada que la hostia. No, preferiría que vinieran y se llevasen sus cosas... si no puedo pagarlas, quiero decir...». Se había puesto muy nervioso y me pareció que tenía una mirada bastante vidriosa. «Perdone», dije, interrumpiéndome, «pero, ¿no le gustaría echar un traguito... para celebrar lo de la póliza?». Dijo que le parecía que no, pero insistí y, además, aún faltaba firmar los papeles y examinar mi orina y aprobarla y había que pegar toda clase de sellos y timbres —me sabía de memoria todas esas chorradas—, conque pensé que podríamos echar un traguito primero y prolongar así el asunto serio, porque comprar un seguro o comprar cualquier cosa era un auténtico placer para mí, la verdad, y me daba la sensación de que era como cualquier otro ciudadano, *¡un hombre, vamos!*, y no un mono. Así, que saqué una botella de jerez (que era lo único que tenía permitido) y le serví un vaso bien lleno, pensando para mis adentros que daba gusto ver desaparecer el jerez, porque quizá la próxima vez me comprarían algo mejor. «Yo también vendí seguros en tiempos», dije, alzando el vaso hasta los labios. «Ya lo creo, soy capaz de vender cualquier cosa. Sólo... que soy vago. Fíjese en un día como hoy: ¿es que no es más agradable quedarse en casa leyendo un libro o escuchando discos? ¿Por qué habría de salir y andar perdiendo el culo por una compañía de seguros? Si hubiera estado trabajando hoy, no me habría usted cogido en casa... ¿no es así? No, creo que es mejor tomárselo con calma y ayudar a la gente, cuando se presente... como usted, por ejemplo. Es mucho más agradable comprar cosas para venderlas, ¿no le parece? *¡Si tienes el dinero*, naturalmente! En esta casa no necesitamos demasiado dinero. Como le estaba diciendo, el piano sale por unos treinta y nueve centavos a la semana, o cuarenta y dos quizás, y el...»

«Perdone, señor Miller», interrumpió, «pero, ¿no cree que deberíamos pasar a la firma de estos papeles?».

«Pues, claro», dije alegre. «¿Los ha traído usted todos? ¿Cuál cree que deberíamos firmar primero? Por cierto, no tendrá usted una estilográfica para venderme, ¿verdad?»

«Basta con que firme aquí», dijo, haciendo como que no oía mis comentarios. «Y aquí. Eso es. Y ahora, señor Miller, creo que me despediré... y dentro de unos días tendrá noticias de la compañía.»

«Cuanto antes, mejor», observé, mientras lo acompañaba hasta la puerta, «porque podría ser que cambiara de idea y me suicidase».

«Claro, claro; cómo no, señor Miller, así lo haremos sin falta. Y ahora, ¡adiós, buenos días!»

Por supuesto, llega un momento en que la compra a plazos falla, aun cuando seas un comprador asiduo como lo era yo. Desde luego, hice todo lo posible para mantener ocupados a los fabricantes y anunciantes de América, pero parece ser que les defraudé. Defraudé a todo el mundo. Pero hubo un hombre en particular al que defraudé más que a nadie, un hombre que había hecho un esfuerzo de verdad para ayudarme. Pienso en él y en cómo me tomó de ayudante —tan fácil y amablemente—, porque más adelante, cuando estaba yo contratando y despidiendo a gente como un revólver del calibre cuarenta y dos, me traicionaron a base de bien, pero para entonces había llegado a estar tan inmunizado, que me importaba un comino. Pero aquel hombre se había tomado la molestia de mostrarme que confiaba en mí. Era el encargado de preparar un catálogo para una gran empresa de venta por correo. Era un enorme compendio de estupideces que se publicaba una vez al año y que se tardaba todo el año en preparar. Yo no tenía la menor idea de qué era exactamente y no sé por qué entré en su despacho aquel día, a no ser porque quisiese calentarme, ya que había estado vagando por los muelles todo el día intentando conseguir un empleo de verificador o cualquier otra cosa de los cojones. Se estaba calentito en su despacho y le largué un discurso muy largo para calentarme. No sabía qué empleo pedir... un empleo, dije. Era un hombre sensible y muy bondadoso. Pareció adivinar que yo era, o quería ser escritor, porque no tardó en preguntarme qué me gustaba leer y qué opinaba de este y aquel escritor. Precisamente llevaba una lista de libros en el bolsillo —libros que iba a buscar a la biblioteca pública—, conque la saqué y se la enseñé. «¡Válgame Dios!», exclamó. «¿De verdad lee usted estos libros?» Dije que sí con la cabeza modesto y después, como me ocurría con frecuencia, cuando una observación tonta como ésa me provocaba, me puse a hablar de los *Misterios* de Hamsun, que acababa de leer. A partir de ese momento lo tuve en el bote. Cuando me preguntó si me gustaría ser su ayudante, se excusó por ofrecerme una posición tan modesta; dijo que podía tomarme tiempo para aprender los pormenores del empleo, estaba seguro de que sería cosa de coser y cantar para mí. Y después me preguntó si podía dejarme un poco de dinero, de su propio bolsillo, hasta que cobrara. Antes de que pudiese decir sí o no, ya había sacado un billete de veinte dólares y me lo había puesto en la mano. Naturalmente, me sentí emocionado. Estaba dispuesto a trabajar como un cabrón para él. Subdirector: sonaba bien, sobre todo para los acreedores del barrio. Y por un tiempo me sentí tan feliz de comer rosbif, pollo y lomo de cerdo, que fingí que me gustaba el trabajo. En realidad, tenía que esforzarme para no quedarme dormido. Lo que había de aprender lo aprendí en el plazo de una semana. ¿Y después? Después me vi condenado a trabajos forzados para toda la vida. Para sacar el mayor provecho, pasaba el tiempo escribiendo cuentos, ensayos y largas cartas a mis amigos. Quizá pensaran que escribía ideas nuevas para la empresa, porque durante mucho tiempo nadie me prestó atención. Me pareció un trabajo maravilloso. Podía disponer de casi todo el día, para escribir, después de haber aprendido a despachar el trabajo de la empresa en una hora más o menos. Me sentía tan entusiasmado con mi propio trabajo particular, que di orden a mis subordinados de no molestarme, excepto en momentos convenidos. Todo iba sobre ruedas, pues la empresa me pagaba sin falta y los negreros hacían el trabajo que yo les había indicado, cuando un día, justo cuando estoy enfrascado en la lectura de un importante ensayo sobre *El Anticristo*, va y se acerca a mi escritorio un hombre a quien nunca había visto, se inclina sobre mi hombro y en tono de voz sarcástico se pone a leer en voz alta lo que acababa de escribir. No necesité preguntar quién era o qué pretendía... lo único que se me ocurrió y que repetí para mis adentros desesperado fue: *¿Me darán una semana de sueldo extra?»*. Cuando llegó el momento de despedirme de mi benefactor, me sentí un poco avergonzado de mí mismo, sobre todo cuando dijo, casi al instante: «He intentado conseguirle una semana de sueldo extra, pero no han querido ni oír hablar de eso. Ojalá pudiera hacer algo por usted... mire, lo único que hace usted es ponerse obstáculos a sí mismo. A decir verdad, tengo la mayor confianza en usted... pero me temo que lo va a pasar mal, por un tiempo. No encaja usted en ninguna parte. Algún día será un gran escritor, estoy seguro de ello. En fin, discúlpeme», añadió, estrechándome la mano calurosamente, «tengo que ir a ver al jefe. ¡Buena suerte!».

Me sentí algo apenado por aquel incidente. Ojalá hubiera podido demostrarle en aquel mismo momento que su confianza estaba justificada. Deseé justificarme ante el mundo entero en aquel momento: me habría tirado del puente de Brooklyn, si con eso hubiese convencido a la gente de que no era un hijoputa sin corazón. Tenía un corazón tan grande como una ballena, como no iba a tardar en demostrar, pero nadie me miraba el corazón. Todo el mundo quedaba profundamente decepcionado: no sólo las empresas de venta a plazos, sino también el casero, el carnicero, el panadero, los cabrones del gas, el agua y la electricidad, *todo el mundo*. ¡Si al menos hubiese podido creer en ese cuento del trabajo! No podía creerlo, ni aunque de ello dependiese la salvación de mi vida. Lo único que veía era que la gente se partía los cojones trabajando porque no sabía hacer nada mejor. Pensé en el discurso que me había valido el empleo. En cierto modo, me parecía mucho a Herr Nagel. No se podía saber lo que haría de un minuto para otro. No se podía saber si era un monstruo o un santo. Como tantos otros hombres maravillosos de nuestra época, Herr Nagel era un desesperado... y esa propia desesperación era lo que lo convertía en un tipo tan simpático. El propio Hamsun no sabía qué hacer con ese personaje: sabía que existía y que era algo más que un simple bufón y un mistificador. Creo que amaba a Herr Nagel más que a ningún otro de los personajes que creó. ¿Y por qué? Porque Herr Nagel era el santo no reconocido que todo artista es: el hombre a quien se ridiculiza porque sus soluciones, que son de verdad profundas, parecen demasiado simples para el mundo. Ningún hombre *quiere* ser artista: se ve impelido a serlo, porque el mundo se niega a reconocer que es un guía idóneo. El trabajo no significaba nada para mí, porque se eludía el auténtico trabajo por hacer. La gente me consideraba vago e inepto, pero era, al contrario, una persona sumamente activa. Aunque sólo fuese andar tras un polvete, ya era algo, y que valía la pena, sobre todo si lo comparamos con otras formas de actividad... como las de fabricar botones o apretar tornillos o incluso extirpar apéndices. ¿Y por qué me escuchaba la gente de tan buena gana, cuando solicitaba trabajo? ¿Por qué les parecía divertido? Sin duda porque siempre había utilizado el tiempo con provecho. Les llevaba regalos: de las horas pasadas en la biblioteca pública, de mis vagabundeos por las calles, de mis experiencias íntimas con las mujeres, de las tardes pasadas en los teatros de revistas, de mis visitas al museo y a las galerías de arte. Si hubiera sido un inútil, un pobre andoba honrado que deseara partirse los cojones trabajando por un tanto a la semana, no me habrían ofrecido los empleos que me ofrecían, ni me habrían dado puros, ni me habrían invitado a comer, ni me habrían prestado dinero con la frecuencia con que lo hacían. Debía de ofrecer algo que quizá sin saberlo apreciaban más que los caballos de vapor o la capacidad técnica. Yo mismo no sabía lo que era, porque no tenía ni orgullo ni vanidad ni envidia. Sobre las cuestiones importantes, no tenía dudas, pero, al enfrentarme con los detalles humildes de la vida, me sentía perplejo. Tuve que contemplar esa misma perplejidad en gran escala para poder comprender de qué se trataba. En muchos casos, los hombres corrientes tardan menos en calibrar las situaciones prácticas: su yo está en proporción con lo que se les pide: el mundo no difiere mucho de como lo imaginan. Pero un hombre que esté en completo desacuerdo con el resto del mundo o bien padece una colosal hipertrofia del yo o bien su yo está tan hundido, que es prácticamente inexistente. Herr Nagel tuvo que zambullirse hasta el extremo más profundo en busca de su yo auténtico; su existencia era un misterio, para sí mismo y para todos los demás. Yo no podía permitirme el lujo de dejar las cosas pendientes de ese modo: el misterio era demasiado intrigante. Aun cuando tuviese que frotarme como un gato contra todos los seres humanos que encontrara, iba a llegar hasta el fondo. Frota durante el tiempo suficiente y con la fuerza suficiente, ¡y saltará la chispa!

La hibernación de los animales, la suspensión de la vida practicada por ciertas formas biológicas inferiores, la maravillosa vitalidad de la chinche en acecho incesante tras el empapelado de la pared, el trance del yogi, la catalepsia del individuo patológico, la unión del místico con el cosmos, la inmortalidad de la vida celular, el artista aprende todas esas cosas para despertar al mundo en el momento propicio. El artista pertenece a la raíz X de la raza humana: es el microbio espiritual, por decirlo así, que se transmite de una raíz de la raza a otra. El infortunio no lo aplasta, porque no forma parte del orden de cosas físico, racial. Su aparición coincide siempre con la catástrofe y la disolución; es el ser cíclico que vive en el epiciclo. Nunca usa para fines personales la experiencia que adquiere; está al servicio del objetivo más amplio para el que va encaminado. No se le escapa nada, por nimio que sea. Si se ve obligado a interrumpir durante veinticinco años la lectura de un libro, puede continuar a partir de la página en que se quedó, como si nada hubiera ocurrido en el intervalo. Todo lo que ocurre en el intervalo, que es la «vida» para la mayoría de la gente, es una mera interrupción de su avance. La eternidad de su obra, cuando se expresa, es un mero reflejo del automatismo de la vida en que se ve obligado a permanecer aletargado, un durmiente en la espalda del sueño, en espera de la señal que anuncie el instante del nacimiento. Eso es lo importante y siempre estuvo claro para mí, hasta cuando lo negaba. La insatisfacción que te impele de una palabra a otra, de una creación a otra, no es sino una protesta contra la futilidad del aplazamiento. Cuanto más despierto llegas a estar, como microbio artístico, menos deseas actuar. Estando del todo despierto, todo es justo y no hay que salir del trance. La acción, tal como se expresa en la creación de una obra de arte, es una concesión al principio automático de la muerte. Al ahogarme en el golfo de México, pude participar en una vida activa que permitiría al yo real hibernar hasta que estuviese maduro para nacer. Lo entendí perfectamente, aunque mi actuación fuera ciega y confusa. Volví nadando a la corriente de la actividad humana hasta que llegué a la fuente de toda acción y en ella me metí, llamándome director de personal en una compañía de telégrafos, y dejé que la marea de humanidad me pasara por encima como oleadas de blancas crestas. Toda aquella vida activa, que precedió al desesperado acto final, me condujo de duda en duda y me cegó cada vez más para el yo real que, como un continente asfixiado con los testimonios de una gran civilización floreciente, ya se había hundido bajo la superficie del mar. El yo colosal quedó sumergido y lo que la gente observaba moviéndose frenético sobre la superficie era el periscopio del alma buscando su blanco. Había que destruir todo lo que se pusiera a tiro, para que yo pudiese volver a emerger y surcar las olas. Llegado el momento, ese monstruo que emergía de vez en cuando para fijar su blanco con puntería mortífera, se sumergía de nuevo y erraba y saqueaba sin cesar, volvería a emerger por última vez para revelarse como un arca, reuniría una pareja de cada especie y, al final, cuando las olas se retiraran, arraigaría en la cima de un alto pico montañés desde donde abrir sus puertas de par en par y devolver al mundo lo que se había preservado de la catástrofe.

Si me estremezco de vez en cuando al pensar en mi vida activa, si tengo pesadillas, posiblemente sea porque pienso en todos los hombres a los que robé y asesiné en mi sueño diurno. Hice todo lo que mi naturaleza me ordenaba hacer. La naturaleza nos susurra al oído eternamente: «Si quieres sobrevivir, ¡has de matar!». Por ser humanos, no matamos como el animal, sino automáticamente, y se disfraza el asesinato, cuyas ramificaciones son infinitas, de modo que matamos sin pensarlo siquiera, matamos sin necesidad. Los hombres más ensalzados son los mayores asesinos. Creen estar sirviendo a sus semejantes, y son sinceros al creerlo, pero son criminales despiadados y en ciertos momentos, cuando despiertan, comprenden sus crímenes y realizan buenas acciones frenéticas y quijotescas para expiar su culpa. La bondad del hombre apesta más que la maldad que hay en él, pues la bondad no se reconoce todavía, no es una afirmación del yo consciente. Al verse empujado al precipicio, es fácil en el último instante ceder todas las posesiones, volverse y dar un último abrazo a todos los que quedan atrás. ¿Cómo vamos a detener la embestida ciega? ¿Cómo vamos a detener el proceso automático, empujando cada cual al otro lado del precipicio?

Sentado en mi escritorio, en el que había puesto un rótulo que decía: «Vosotros los que entráis, ¡no abandonéis toda esperanza!»... sentado ahí, diciendo sí, no, sí, no, comprendí, con una desesperación que estaba convirtiéndose en atroz desvarío, que era una marioneta en cuyas manos la sociedad había colocado una ametralladora. En última instancia, daba igual realizar una buena acción o cometer una fechoría. Yo era como un signo igual por el que pasaba el enjambre algebraico de la Humanidad. Era un signo igual bastante importante y activo, como un general en época de guerra, pero, por competente que llegara a ser, nunca me convertiría en un signo más ni en un signo menos. Ni ninguna otra persona, por lo que yo podía colegir. Toda nuestra vida se basaba en ese principio de la ecuación. Los números enteros se habían convertido en símbolos que se barajaban en provecho de la muerte. Compasión, desesperación, pasión, esperanza, valor: ésas eran las refracciones temporales causadas por el examen de las ecuaciones desde ángulos diversos. De nada serviría tampoco detener el malabarismo incesante volviéndole la espalda, afrontándolo cara a cara o escribiendo sobre él. En un vestíbulo de espejos no hay modo de volverse la espalda a sí mismo. *No haré esto... ¡Haré otra cosa!* Muy bien. Pero, ¿puedes acaso hacer algo siquiera? ¿Puedes dejar de pensar en no hacer algo? ¿Puedes detenerte en seco y, sin pensar, irradiar la verdad que conoces? Ésa era la idea que se albergaba en el fondo de mi cabeza y que abrasaba y abrasaba, y quizá, cuando me mostraba más expansivo, más radiante de energía, más comprensivo, más dispuesto, servicial, sincero, bueno, esa idea fija era la que se translucía y automáticamente decía yo: «Pero, bueno, no hay de qué... en absoluto, se lo aseguro... no, por favor, no me dé las gracias, no tiene importancia», etcétera. De tantos centenares de veces como disparaba la pistola al día, ya ni siquiera notaba las detonaciones; quizá pensara que estaba abriendo puertas de palomares y llenando el cielo de aves blancas como la leche. ¿Habéis visto alguna vez a un monstruo sintético en la pantalla, a un Frankenstein en carne y hueso? ¿Os imagináis cómo se lo podría adiestrar para que apretara un gatillo y viese al mismo tiempo palomas volando? Frankenstein no es un mito: Frankenstein es una creación muy real nacida de la experiencia personal de un ser humano sensible. El monstruo siempre es más real, cuando no adquiere las proporciones de carne y hueso. El monstruo de la pantalla no es nada comparado con el de la imaginación; incluso los monstruos patológicos existentes que acaban en la comisaría no son sino débiles demostraciones de la monstruosa realidad con que vive el patólogo. Pero ser el monstruo y el patólogo al mismo tiempo... eso está reservado para determinada especie de hombres, que, disfrazados de artistas, son sumamente conscientes de que el sueño es un peligro aún mayor que el insomnio. Para no quedarse dormidos, para no convertirse en víctimas de ese insomnio que se llama «vida», recurren a la droga de juntar palabras hasta el infinito. *No* es un proceso automático, según dicen, porque siempre está presente la ilusión de que pueden detenerlo, cuando quieran. Pero no pueden detenerse; lo único que han logrado es crear una ilusión, que quizá sea un débil algo, pero dista de estar completamente despierto y ni activo ni inactivo. *Yo quería estar del todo despierto sin hablar ni escribir sobre ello, para aceptar la vida absolutamente.* He mencionado a los hombres arcaicos de lugares remotos del mundo con los que comunicaba a menudo. ¿Por qué consideraba a aquellos «salvajes» más capaces de entenderme que los hombres y mujeres que merodeaban? ¿Estaba loco para pensar una cosa así? No lo creo en absoluto. Esos «salvajes» son los restos degenerados de razas humanas anteriores que, según creo, debieron de tener un mayor dominio de la realidad. La inmortalidad de la raza está constantemente ante nuestros ojos en esos especímenes del pasado que subsisten en un esplendor marchito. Que la raza humana sea inmortal o no es algo que no me importa, pero la vitalidad de la raza sí que significa algo para mí y que esté activa o aletargada significa aún más. A medida que decae la vitalidad de la nueva raza, la de las razas antiguas se manifiesta a la mente despierta cada vez con mayor significado. La vitalidad de las razas antiguas subsiste incluso en la muerte, pero la de la raza nueva a punto de morir parece ya inexistente. *Si un hombre llevara un enjambre hormigueante de abejas al río para ahogarlas...* Ésa era la imagen que llevaba siempre conmigo. ¡Si al menos fuera yo el hombre y no la abeja! En cierto modo confuso, inexplicable, sabía que yo *era* el hombre, que no me ahogaría en el enjambre, como los demás. Siempre, cuando nos presentábamos en grupo, me señalaban para que me quedara aparte; desde que nací me vi favorecido así y, fueran cuales fuesen las tribulaciones por las que pasaba, sabía que no eran fatales ni duraderas. También me ocurría otra cosa extraña, siempre que me decían que diese un paso al frente. ¡Sabía que era superior al hombre que me requería! La tremenda humildad que practicaba no era hipócrita, sino un estado provocado por la conciencia del carácter fatal de la situación. La inteligencia que tenía, incluso de muchacho, me asustaba: era la de un «salvaje», siempre superior a la de los hombres civilizados, en el sentido de que es más adecuada para las exigencias de la situación. Es una inteligencia *vital*, aun cuando aparentemente la vida haya pasado de largo ante ellos. Me sentía casi como si me hubieran arrojado a un ciclo de la existencia que para el resto de la Humanidad aún no había alcanzado su ritmo completo. Si quería seguir a su altura y no verme desviado a otra esfera de la existencia, me veía obligado a marcar el paso. Por otro lado, en muchos sentidos era inferior a los seres humanos que me rodeaban. Era como si hubiese salido de los fuegos del infierno sin purificar del todo. Aún tenía cola y un par de cuernos y, cuando se despertaban mis pasiones, exhalaba un veneno sulfuroso y aniquilador. Siempre me llamaban «diablo con suerte». Llamaban «suerte» a las cosas buenas que me ocurrían y siempre consideraban las malas consecuencia de mis defectos o, mejor dicho, fruto, de mi ceguera. ¡Raras veces descubrió nadie la maldad que había en mí! En ese sentido, yo era tan diestro como el propio diablo. Pero con frecuencia estaba ciego: eso todo el mundo podía verlo. Y en esas ocasiones me dejaban solo, me rehuían, como al propio diablo. Entonces abandoné el mundo, volví a los fuegos del infierno... voluntariamente. Esas idas y venidas son tan reales para mí, más reales, de hecho, que cualquier cosa que ocurriera en el intervalo. Los amigos que creen conocerme no saben nada de mí por la razón de que mi yo real cambió de dueño incontables veces. Ni los hombres que me daban las gracias ni los que me maldecían sabían con quién se las habían. Nadie llegó nunca a pisar terreno firme conmigo, porque no cesaba de liquidar mi «personalidad». Conservaba la llamada «inteligencia» en suspenso para el momento en que, dejándola «coagularse», adoptaría un ritmo humano apropiado. Ocultaba la cara hasta el momento en que me encontrara de acuerdo con el mundo. Desde luego, todo aquello era un error. Hasta el papel de artista vale la pena adoptar, mientras se marca el paso. La acción es importante, aun cuando entrañe una actividad fútil. No debería uno decir sí, no, sí, no, ni aun sentado en el lugar más alto. No debería uno ahogarse en la oleada humana, ni siquiera para llegar a ser un maestro. Debería uno latir con su propio ritmo... a cualquier precio. En pocos años acumulé miles de años de experiencia, pero fue experiencia malgastada, porque no la necesitaba. Ya me habían crucificado y marcado con la cruz; había nacido exento de la necesidad de sufrir... y, sin embargo, no conocía otra forma de avanzar con esfuerzo que la de repetir el drama. Toda mi inteligencia se oponía. El sufrimiento es fútil, me decía mi inteligencia una y mil veces, pero seguía sufriendo *voluntariamente*. El sufrimiento no me ha enseñado nada nunca; para otros puede que aún sea necesario, pero para mí no es sino una demostración algebraica de inadaptabilidad espiritual. Todo el drama que está representando el hombre de hoy mediante el sufrimiento no existe para mí: nunca ha existido, en realidad. Todos mis calvarios fueron crucifixiones de color de rosa, seudotragedias destinadas a mantener avivados los fuegos del infierno para los pecadores auténticos que corren peligro de verse olvidados.

Otra cosa... cuanto más me acercaba al círculo de los parientes uterinos, más profundo se volvía el misterio que ocultaba mi conducta. La madre de cuyas entrañas salí fue una completa extraña para mí. Para empezar, después de darme a luz, alumbró a mi hermana, a la que suelo llamar mi hermano. Mi hermana era como un monstruo inofensivo, un ángel que había recibido el cuerpo de una idiota. De niño, me daba una impresión extraña estar creciendo y desarrollándome junto a aquel ser condenado a ser toda su vida una enana mental. Era imposible ser hermano para ella, porque era imposible considerar «hermana» aquella masa de carne atávica. Me imagino que habría funcionado muy bien entre los australianos primitivos. Incluso podría haberse elevado hasta el poder y la eminencia entre ellos, pues, como digo, era la esencia de la bondad, no conocía el mal. Pero, para llevar una vida civilizada, era impotente; no sólo no deseaba matar, sino que, además, no deseaba prosperar a expensas de los demás. Estaba incapacitada para el trabajo, porque, aunque hubieran podido adiestrarla para fabricar fulminantes de explosivos instantáneos, por ejemplo, habría podido tirar distraída el sueldo al río de vuelta a casa o dárselo a un mendigo en la calle. Muchas veces la azotaban como a un perro delante de mí por haber realizado una bella acción bondadosa por despiste, como ellos decían. Tal como aprendí de niño, nada era peor que realizar una buena acción sin motivo. Yo había recibido el mismo castigo que mi hermana, al principio, porque también yo tenía la costumbre de regalar cosas, sobre todo cosas nuevas que acababan de darme. Incluso había recibido una paliza una vez, a la edad de cinco años, por haber aconsejado a mi madre que se cortara una verruga del dedo. Me había preguntado un día qué debía hacer con ella y, con mi limitado conocimiento de la medicina, le dije que se la cortara con las tijeras, cosa que hizo, como una idiota. Unos días después tuvo una infección en la sangre y entonces me cogió y me dijo: «Tú me dijiste que me la cortara, ¿verdad?» y me dio una soberana paliza. Desde aquel día supe que había nacido en la familia que no debía. Desde aquel día aprendí como un rayo. ¡Que me vengan a hablar a mí de adaptación! A los diez años ya había vivido toda la teoría de la evolución. Y allí me teníais pasando por todas las fases de la vida animal y, aun así, encadenado a aquella criatura, llamada mi «hermana», que, evidentemente, era un ser primitivo y nunca, ni siquiera a los noventa años, iba a llegar a la comprensión del alfabeto. En lugar de crecer derecho como un árbol fornido, empecé a inclinarme a un lado, en completo desafío a la ley de la gravedad. En lugar de echar ramas y hojas, me salieron ventanas y torrecillas. Todo el ser, a medida que crecía, se iba convirtiendo en piedra y cuanta más altura alcanzaba, más desafiaba la ley de la gravedad. Era un fenómeno en medio del paisaje, pero un fenómeno que atraía a la gente y despertaba elogios. Si la madre que nos dio a luz hubiera hecho un pequeño esfuerzo, tal vez podría haber nacido un maravilloso búfalo blanco y podrían habernos instalado a los tres permanentemente en un museo, protegidos para toda la vida. Las conversaciones que sostenían la torre inclinada de Pisa, el poste de flagelación, la máquina de roncar y el pterodáctilo en carne humana eran, por no decir algo peor, un poquito curiosas. Cualquier cosa podía ser tema de conversación: una miga de pan que mi «hermana» se había dejado al limpiar el mantel o la chaqueta multicolor de José, que, para la mentalidad de sastre de mi viejo, podría haber sido cruzada, chaqué o levita. Si llegaba yo del estanque helado, donde había estado toda la tarde patinando, lo importante no era el ozono que había respirado gratis, ni las circunvoluciones geométricas que estaban fortaleciendo mis músculos, sino la motita de herrumbre bajo las lañas, que, si no se quitaba en seguida, podía deteriorar todo el patín y provocar la disolución de un valor pragmático incomprensible para mi pródigo talante. Esa motita, por poner un ejemplo trivial, podía acarrear los resultados más alucinantes. Podía ser que mi «hermana», al buscar la lata de petróleo, tirara la jarra de las ciruelas que estaban guisándose y pusiese, así, en peligro la vida de todos nosotros, al privarnos de las calorías necesarias para la comida del día siguiente. Habría que darle una severa paliza, no irritada, pues eso perturbaría el aparato digestivo, sino silenciosa y eficaz, como un químico que batiera la clara de un huevo para preparar un análisis de poca importancia. Pero mi «hermana», al no entender el carácter profiláctico del castigo, daba rienda suelta a los gritos más espeluznantes y eso afectaba tanto a mi viejo, que salía a dar un paseo y regresaba dos o tres horas después borracho como una cuba y, lo que era peor, descascarillaba un poco la pintura de la puerta con sus ciegos traspiés. La pizca de pintura que había arrancado provocaba una trifulca que era muy negativa para mis sueños, pues en éstos con frecuencia me veía en el pellejo de mi hermana, aceptando las torturas que le infligían y fomentándolas con mi hipersensible cerebro. En esos sueños, acompañados siempre por el ruido de vidrios al romperse, chillidos, maldiciones, gemidos y sollozos, era en los que adquiría un saber confuso sobre los antiguos misterios, los ritos de iniciación, la transmigración de las almas y cosas así. Podía empezar con una escena de la vida real: mi hermana de pie junto a la pizarra en la cocina, mi madre amenazándola con una regla y preguntándole cuánto son dos y dos y mi hermana gritando *cinco.* ¡Bang! *No, siete.* ¡Bang! *No, trece, dieciocho, ¡veinte!* Yo estaba sentado a la mesa, haciendo los deberes, en la vida real pura y simple durante aquellas escenas, cuando, con un ligero giro o culebreo, quizás al ver caer la regla sobre la cara de mi hermana, me encontraba en otra esfera, de repente, en la que no se conocía el vidrio, como tampoco lo conocían los kickapoos ni los lenni-lenapie. Los rostros de quienes me rodeaban me resultaban familiares: eran mis parientes uterinos, que, por alguna razón misteriosa, no me reconocían en aquel nuevo *ambiente*. Iban vestidos de negro y el color de su piel era gris ceniza, como la de los diablos tibetanos. Todos ellos iban pertrechados con cuchillos y otros instrumentos de tortura: pertenecían a la casta de los carniceros ejecutores de sacrificios. Me parecía tener libertad absoluta y la autoridad de un dios y, sin embargo, por algún caprichoso cambio de los acontecimientos, el final iba a consistir en que me encontraba en la piedra de los sacrificios y uno de mis encantadores parientes uterinos se inclinaba sobre mí con un cuchillo centelleante para cortarme el corazón. Cubierto de sudor y aterrado, empezaba a recitar «mis lecciones» en voz aguda y chillona, cada vez más deprisa, al sentir el cuchillo buscándome el corazón. Dos y dos son cuatro, cinco y cinco diez, tierra, aire, fuego, agua, lunes, martes, miércoles, hidrógeno, oxígeno, nitrógeno, mioceno, plioceno, eoceno, el Padre, el Hijo, el Espíritu Santo, Asia, África, Europa, Australia, rojo, azul, amarillo, el alazán, el caqui, la papaya, la catalpa... *más deprisa, cada vez más deprisa*... Odín, Wotan, Parsifal, el rey Alfredo, Federico el Grande, la Liga Hanseática, la batalla de Hastings, las Termópilas, 1492, 1776, 1812, el almirante Farragut, la carga de Pickett, la Brigada Ligera, estamos hoy reunidos aquí, el Señor es mi pastor, no lo haré, uno e indivisible, no, 16, no, 27, ¡socorro! ¡un asesinato! ¡policía!... y gritando cada vez más fuerte y yendo cada vez más deprisa pierdo el juicio completamente y ya no hay dolor, ni terror, aunque me están atravesando por todas partes con cuchillos. De pronto, me siento absolutamente tranquilo y el cuerpo que yace en la piedra, que siguen agujereando con júbilo y éxtasis, no siente nada, porque yo, su dueño, he escapado. Me he convertido en una torre de piedra que se inclina sobre la escena y mira con interés científico. Basta con que sucumba a la fuerza de la gravedad y caeré sobre ellos y los borraré del mapa. Pero no sucumbo a la ley de la gravedad, porque estoy demasiado fascinado por todo el horror de la situación. Tan fascinado estoy, de hecho, que me salen cada vez más ventanas. Y, a medida que penetra luz en el pétreo interior de mi ser, siento que mis raíces, en la tierra, están vivas y que algún día podré alejarme a voluntad de este trance que me paraliza.

Eso en el sueño, en que estoy enraizado sin remedio. Pero en la realidad, cuando llegan los queridos parientes uterinos, estoy tan libre como un pájaro y lanzándome de un lado para otro como una aguja magnética. Si me hacen una pregunta, les doy cinco respuestas, cada cual mejor que la anterior; si me piden que toque un vals, toco una sonata cruzada para la mano izquierda; si me piden que me sirva otro muslo de pollo, dejo el plato limpio sin salsa ni nada; si me piden que salga a jugar a la calle, salgo y con mi entusiasmo abro la cabeza a mi primo con una lata de conservas; si me amenazan con darme un zurra, les digo: ¡adelante! ¡Me da igual! Si me dan palmaditas en la cabeza por mis progresos en la escuela, escupo en el suelo para mostrarles que todavía me queda algo que aprender. Hago todo lo que deseen que haga *y más*. Si desean que calle y no diga nada, me quedo callado como una roca: no oigo, cuando me hablan; no me muevo, cuando me tocan; no lloro, cuando me pellizcan; no me meneo, cuando me empujan. Si se quejan de que soy terco, me vuelvo tan dúctil y flexible como la goma. Si desean que me fatigue para que no despliegue demasiada energía, les dejo que me asignen toda clase de trabajos y los hago tan concienzudamente, que al final me desplomo en el suelo como un saco de trigo. Si desean que sea razonable, me vuelvo ultrarrazonable, lo que los saca de quicio. Si desean que obedezca, obedezco al pie de la letra, lo que causa continua confusión. Y todo eso porque la vida molecular de hermano-y-hermana es incompatible con los pesos atómicos que nos han asignado. Por no crecer ella lo más mínimo, crezco yo como un champiñón; por no tener ella personalidad, me vuelvo yo un coloso; por estar ella exenta de maldad, me convierto yo en treinta y dos candelabros del mal; por no pedir ella nada a nadie, pido yo todo; por inspirar ella ridículo en todas partes, inspiro yo miedo y respeto; por verse ella humillada y torturada, inflijo yo venganza a todos, amigos y enemigos; por estar ella indefensa, me vuelvo yo todopoderoso. El gigantismo que padecí fue el simple resultado de un esfuerzo por limpiar la motita de herrumbre que se había pegado al patín familiar, por decirlo así. Aquella motita de herrumbre bajo las lañas me convirtió en un campeón de patinaje. Me hizo patinar tan veloz y frenético, que, hasta cuando se había derretido el hielo, seguía patinando, patinando por el cieno, por el asfalto, por arroyos, ríos, melonares, teorías económicas y cosas así. Era tan veloz y ágil, que pedía patinar por el infierno.

Pero todo aquel patinaje artístico era inútil: el padre Coxco, el Noé panamericano, siempre me estaba llamando para que regresara al Arca. Siempre que dejaba de patinar había un cataclismo: la tierra se abría y me tragaba. Era hermano de todos los hombres y, al mismo tiempo, un traidor para mí. Hacía los sacrificios más asombrosos, sólo para descubrir que carecían de valor. ¿De qué servía demostrar que podía ser lo que esperaban de mí, si no quería ser ninguna de esas cosas? Siempre que llegas al límite de lo que te exigen, afrontas el mismo problema: ¡ser tú mismo! Y, al dar el primer paso en esa dirección, te das cuenta de que no hay ni más ni menos; tiras los patines y te pones a nadar. Ya no hay sufrimiento, porque no hay nada que pueda amenazar tu seguridad. Y ni siquiera hay deseo de ayudar a los demás: ¿por qué privar a los demás de un privilegio que se debe ganar? La vida se extiende de momento en momento en una infinitud prodigiosa. Nada puede ser más real que lo que como tal consideras. El cosmos es lo que pienses que es y en modo alguno podría ser otra cosa, mientras tú seas tú y yo sea yo. Vives en los frutos de tu acción y tu acción es la cosecha de tu pensamiento. El pensamiento y la acción son una misma cosa, porque al nadar estás en *él* y eres de él y él es lo que desees que sea, ni más ni menos. Cada brazada cuenta para la eternidad. El sistema de calefacción y refrigeración es un mismo sistema y Cáncer está separado de Capricornio sólo por una línea imaginaria. No entras en éxtasis ni te hundes en un pesar violento; no rezas para que llueva ni bailas una giga. Vives como una roca feliz en medio del océano: estás fijo, mientras que todo lo que te rodea está en movimiento tumultuoso. Estás fijo en una realidad que permite la idea de que nada está fijo, de que hasta la roca más feliz y fuerte se disolverá un día totalmente y será tan fluida como el océano del que nació.

Ésa es la vida musical a la que me acercaba patinando primero como un maníaco por todos los vestíbulos y pasillos que conducen del exterior al interior. Mis esfuerzos nunca me aproximaron a ella, ni mi actividad furiosa, ni el codearme con la Humanidad. Todo eso era un simple paso de vector a vector en un círculo que, por mucho que se dilatara el perímetro, seguía siendo paralelo, pese a todo, a la esfera a la que me refiero. En cualquier momento puede transcenderse la rueda del destino, porque en cualquier punto de su superficie toca el mundo real y sólo una chispa de iluminación es necesaria para producir lo milagroso, para transformar al patinador en nadador y al nadador en roca. La roca es una simple imagen del acto que detiene la fútil rotación de la rueda y sumerge el ser en la conciencia plena. Y la conciencia plena es en verdad como un océano inagotable que se entrega al Sol y a la Luna y que *incluye* el Sol y la Luna. Todo lo que existe nace del ilimitado océano de la luz... incluso la noche.

A veces, en las incesantes revoluciones de la rueda, vislumbraba la naturaleza del salto que era necesario dar. Saltar del mecanismo de relojería: ésa era la idea liberadora. ¡Ser algo más que el más brillante maníaco de la Tierra, *diferente* de él! La historia del hombre en la Tierra me aburría. La conquista, hasta la conquista del mal, me aburría. Irradiar bondad es maravilloso, porque es tónico, vigorizante, vivificador. Pero *ser* simplemente es aún más maravilloso, porque es infinito y no requiere demostración. Ser es música, que es una profanación del silencio en provecho del silencio y, por tanto, está por encima del bien y del mal. La música es la manifestación de la acción sin actividad. Es el puro acto de creación flotando en su propio seno. La música no incita ni defiende, no busca ni explica. La música es el sonido silencioso que produce el nadador en el océano de la conciencia. Es una recompensa que sólo puede conceder uno mismo. Es la dádiva del dios que eres por haber dejado de pensar en Dios. Es un augurio del dios que todo el mundo llegará a ser a su debido tiempo, cuando todo lo que *es* sea superior a la imaginación.

No hace mucho iba caminando por las calles de Nueva York. El viejo y querido Broadway. Era de noche y el cielo estaba de un azul oriental, tan azul como el oro en el techo de la *Pagode*, Rue de Babylone, cuando la máquina empieza a tintinear. Estaba pasando justo bajo el lugar en que nos conocimos. Me quedé allí un momento mirando las luces rojas de las ventanas. La música sonaba como siempre: alegre, picante, encantadora. Estaba solo y había millones de personas a mi alrededor. Estando allí, se me ocurrió que había dejado de pensar en ella; pensaba en este libro que estoy escribiendo y el libro había pasado a ser más importante para mí que ella, que todo lo que nos había ocurrido. ¿Será este libro la verdad, toda la verdad y nada más que la verdad, lo juro? Al meterme otra vez entre la multitud, me debatía con ese asunto de la «verdad». Llevo años intentando contar esta historia y siempre el asunto de la verdad ha pesado sobre mí como una pesadilla. He contado a otros una y mil veces las circunstancias de nuestra vida y siempre he dicho la verdad. Pero la verdad puede ser también una mentira. La verdad no es suficiente. La verdad es sólo el núcleo de una totalidad que es inagotable.

Recuerdo que la primera vez que nos separamos esta idea de la totalidad se adueñó de mí. Cuando me dejó, fingía, o quizá lo creyese, que era necesario para nuestro bien. Yo sabía en el fondo de mi corazón que estaba intentando librarse de mí, pero era demasiado cobarde como para reconocerlo. Pero, cuando comprendí que ella podía prescindir de mí, aunque fuera por poco tiempo, la verdad que había intentado desechar empezó a crecer con alarmante rapidez. Fue más doloroso que ninguna otra cosa que hubiese experimentado antes, pero también fue curativo. Cuando quedé completamente vacío, cuando la soledad hubo alcanzado tal punto, que no podía aguzarse más, tuve de repente la sensación de que, para seguir viviendo, había que incorporar aquella verdad intolerable a algo mayor que el ámbito de la desgracia personal. Tuve la sensación de que había dado un cambio de rumbo imperceptible hacia otro ámbito, un ámbito de fibra más fuerte, más elástica, que la verdad más horrible no podía destruir. Me senté a escribirle una carta en la que le decía que me sentía tan desdichado por haberla perdido, que había decidido empezar un libro sobre ella, un libro que la inmortalizaría. Dije que sería un libro como nadie había visto antes. Seguí divagando extáticamente y de pronto me interrumpí para preguntarme por qué me sentía tan feliz.

Al pasar bajo la sala de baile, pensando de nuevo en este libro, comprendí de repente que nuestra vida había llegado a su fin: comprendí que el libro que estaba proyectando no era sino una tumba en la que enterrarla... a ella y a mi yo que le había pertenecido. Eso fue hace algún tiempo y desde entonces he estado intentando escribirlo. ¿Por qué es tan difícil? ¿Por qué? Porque la idea de un «fin» es intolerable para mí.

La verdad radica en ese conocimiento del fin que es cruel y despiadado. Podemos conocer la verdad y aceptarla o podemos negarnos a conocerla y ni morir ni renacer. De ese modo es posible vivir para siempre, una vida negativa tan sólida y completa, tan dispersa y fragmentaria, como el átomo. Y, si nos adentramos por ese camino lo suficiente, hasta esa eternidad atómica puede ceder ante la nada y el propio universo desmoronarse.

Llevo años intentando contar esta historia; cada vez que he empezado, he escogido un rumbo diferente. Soy como un explorador que, deseando circunnavegar el globo, considera innecesario llevar siquiera un compás. Además, a fuerza de soñar sobre ella por tanto tiempo, la propia historia ha llegado a parecerse a una vasta ciudad fortificada y yo, que la sueño una y otra vez, estoy fuera de la ciudad, soy un vagabundo que llega ante una puerta tras otra demasiado exhausto para entrar. Y, como en el caso del vagabundo, esa ciudad en que está situada mi historia me elude perpetuamente. Pese a estar siempre a la vista, sigue siendo inalcanzable, como una ciudadela fantasma flotando en las nubes. Desde las elevadas almenas, bandadas de enormes gansos blancos descienden en formación uniforme y en forma de cuña. Con las puntas de sus alas blanquiazules rozan los sueños que deslumbran mi visión. Mis pies se mueven confusos; tan pronto como encuentro un apoyo, vuelvo a verme perdido. Vago sin rumbo, intentando conseguir un apoyo sólido e inconmovible desde el que poder dominar un panorama de mi vida, pero tras mí sólo hay un cenagal de huellas entrecruzadas, una circunvalación incierta y confusa, el gambito espasmódico del pollo al que acaban de cortar la cabeza.

Siempre que intento explicarme a mí mismo la pauta peculiar que mi vida ha adoptado, cuando me remonto hasta la causa primera, por decirlo así, pienso inevitablemente en la primera muchacha a la que amé. Me parece que todo data de aquel amor abortado. Fue un amor extraño y masoquista, ridículo y trágico a un tiempo. Quizá conociera el placer de besarla dos o tres veces, la clase de beso que reservas para una diosa. Tal vez la viese a solas varias veces. Desde luego, nunca habría podido imaginarse que durante un año pasé ante su casa todas las noches con la esperanza de vislumbrarla en la ventana. Todas las noches después de cenar me levantaba de la mesa y recorría el largo camino que conducía a su casa. Nunca estaba en la ventana, cuando yo pasaba, y nunca tuve valor para quedarme parado ante la casa y esperar. Iba y venía, para arriba y para abajo, pero nunca le vi ni un cabello. ¿Por qué no le escribí? ¿Por qué no le telefoneé? Recuerdo que en cierta ocasión hice acopio del suficiente valor para invitarla al teatro. Llegué a su casa con un ramo de violetas, la primera y única vez que he llevado flores a una mujer. Cuando salíamos del teatro, las violetas se le cayeron de la blusa y en mi confusión las pisé. Le pedí que las dejara allí, pero insistió en recogerlas. Estaba pensando en lo torpe que yo era: hasta mucho después no recordé la sonrisa que me dirigió, cuando se agachó a recoger las violetas.

Fue un completo fracaso. Al final, escapé. En realidad, huía de otra mujer, pero el día antes de abandonar la ciudad decidí ir a verla una vez más. Era por la tarde y salió a hablar conmigo en la calle, en el pequeño patio de entrada rodeado por una cerca. Ya estaba prometida a otro hombre; fingió que se sentía feliz, pero, aun ciego y todo como estaba, vi que no estaba tan feliz como aparentaba. Con sólo que yo hubiera dicho la palabra, estoy seguro de que habría dejado al otro; hasta puede que se hubiera venido conmigo. Preferí castigarme. Dije adiós como si tal cosa y me fui calle abajo como un muerto. A la mañana siguiente salía con destino al Oeste, decidido a emprender una nueva vida.

También la nueva vida fue un fracaso. Acabé en un rancho de Chula Vista, el hombre más desdichado que haya pisado la tierra. Por un lado, la muchacha a la que amaba y, por otro, la otra mujer, por la que tan sólo sentía profunda compasión. Había estado dos años viviendo con ella, con aquella otra mujer, pero parecía toda una vida. Yo tenía veintiún años y ella reconocía tener treinta y seis. Siempre que la miraba, me decía: «Cuando yo tenga treinta años, ella tendrá cuarenta y cinco; cuando yo tenga cincuenta años, ella tendrá sesenta y cinco». Tenía finas arrugas bajo los ojos, arrugas sonrientes, pero arrugas de todos modos. Cuando la besaba, aumentaban doce veces. Reía con facilidad, pero tenía ojos tristes, muy tristes. Eran ojos armenios. Su cabello, que en tiempos había sido rojo, era ahora de un rubio oxigenado. Por lo demás, era adorable: cuerpo de Venus, alma de Venus, leal, encantadora, agradecida, todo lo que debe ser una mujer, *pero tenía quince años más que yo.* Los quince años de diferencia me volvían loco. Cuando salía con ella, sólo pensaba: «¿Cómo será dentro de diez años?». O bien: «¿Qué edad aparenta ahora? ¿Parezco bastante mayor para ella?». Una vez que llegábamos a la casa, no había problema. Al subir las escaleras, le metía los dedos por la entrepierna, lo que la hacía relinchar como una yegua. Si su hijo, que era casi de mi edad, estaba acostado, cerrábamos las puertas y nos encerrábamos en la cocina. Ella se tumbaba en la estrecha mesa de la cocina y yo se la clavaba. Era maravilloso. Y lo que lo volvía más maravilloso aún era que a cada sesión me decía para mis adentros: «*Ésta es la última vez... ¡mañana me largo!*». Y después, como ella era la portera, bajaba al sótano y sacaba por ella los cubos de la basura. Por la mañana, cuando el hijo se había ido al trabajo, yo subía a la azotea y oreaba la ropa de la cama. Tanto ella como el hijo tenían tuberculosis... A veces no había sesión en la mesa. A veces el carácter irremediable de todo aquello se me subía a la garganta y me vestía y me iba a dar una vuelta. Una vez que otra, me olvidada de volver. Y, cuando lo hacía, me sentía más desdichado que nunca, porque sabía que ella me estaría esperando con aquellos ojazos desconsolados. Volvía con ella como un hombre que tuviera que cumplir una misión sagrada. Me tumbaba en la cama y la dejaba acariciarme; le escrutaba las arrugas bajo los ojos y las raíces del pelo que se estaban volviendo rojas. Estando tumbado así, muchas veces pensaba en la otra, aquella a la que amaba, me preguntaba también si estaría también tumbada dándole al asunto o... ¡Daba aquellos largos paseos trescientos sesenta y cinco días al año! Los repasaba en la mente acostado junto a la otra mujer. ¡Cuántas veces he revivido aquellos paseos desde entonces! Las calles más deprimentes, más desoladas, más feas que el hombre haya creado. Revivo con angustia aquellos paseos, aquellas calles, aquellas primeras esperanzas destruidas. La ventana está ahí, pero Melisenda no; también está el jardín ahí, pero no hay resplandor de oro. Paso y vuelvo a pasar y la ventana siempre está vacía. El lucero de la tarde se cierne a poca altura; aparece Tristán, luego Fidelio y después Oberón. El perro de cabeza de hidra ladra con todas sus bocas y, aunque no hay ciénagas, oigo croar a las ranas por todos lados. Las mismas casas, los mismos tranvías, todo igual. Está escondida tras la cortina, está esperando a que yo pase, está haciendo esto o lo otro... *pero no está ahí, nunca, nunca, nunca.* ¿Es una ópera grandiosa o es un organillo lo que suena? Es Amato rompiéndose el pulmón de oro, los *Rubayyat*, el monte Everest, una noche sin luna, un sollozo al amanecer, un muchacho que finge, el Gato con Botas, Mauna Loa, zorro o astracán, insubstancial e intemporal, infinito e iniciado una y mil veces, bajo el corazón, en el fondo de la garganta, en las plantas de los pies y por qué no una vez, una sola vez, por el amor de Dios, una simple sombra o un crujido de la cortina, o el aliento en el cristal de la ventana, algo por una vez, aunque sólo sea una mentira, algo que acabe con el dolor, que detenga este ir y venir, subir y bajar... De regreso a casa. Las mismas fachadas, los mismos faroles, todo igual. Paso de largo ante mi casa, el cementerio, los depósitos de gas, las cocheras, el embalse, hasta llegar al campo abierto. Me siento junto a la carretera con la cabeza en las manos y sollozo. Pobre tío que soy, no puedo contraer bastante el corazón para reventar las venas. Me gustaría ahogarme de dolor, pero, en lugar de eso, doy a luz una roca.

Mientras tanto, la otra está esperando. Vuelvo a verla sentada en el porche bajo esperándome con sus grandes y dolorosos ojos, su pálido rostro y temblando de anhelo. Siempre pensé que era *compasión* lo que me hacía volver, pero ahora, al caminar hacia ella y verle la expresión de los ojos, ya no sé lo que es, sólo que entraremos y nos tumbaremos juntos y ella se levantará medio llorando, medio riendo, se quedará muy callada y me mirará, me escrutará mientras me muevo de acá para allá, y sin preguntarme nunca qué es lo que me tortura, nunca, nunca, porque eso es lo único que teme, lo único que la aterra saber. *¡No te amo!* ¿Es que no me oye gritarlo? *¡No te amo!* Una y mil veces lo grito, con los labios cerrados, odio en el corazón, desesperación, rabia impotente. Pero las palabras nunca salen de mi boca. La miro y me quedo mudo. No puedo hacerlo... Tiempo, tiempo, tiempo inacabable en nuestras manos y nada con que llenarlo, salvo mentiras.

En fin, no quiero repasar toda mi vida hasta aquel momento fatal: es demasiado largo y doloroso. Además, ¿condujo de verdad mi vida hasta aquel momento culminante? Lo dudo. Creo que hubo innumerables momentos en que tuve la oportunidad de empezar de nuevo, pero carecí de fuerza y fe. La noche a que me refiero me abandoné deliberadamente a mí mismo: salí derecho de la antigua vida y entré en la nueva. No necesité hacer el menor esfuerzo. Tenía treinta años entonces. Tenía una esposa y una hija y lo que se llama una posición «responsable». Ésos son los hechos y los hechos nada significan. La verdad es que mi deseo era tan grande, que se convirtió en realidad. En un momento así lo que hace un hombre no tiene demasiada importancia, lo que cuenta es lo que *es*. En un momento así un hombre se convierte en ángel. Eso fue lo que me ocurrió precisamente: *me convertí en un ángel*. No es la pureza de un ángel lo que es tan valioso, es el hecho de que pueda volar. Un ángel puede romper la pauta en cualquier punto y en cualquier momento y encontrar su cielo; tiene la facultad de descender hasta la materia más baja y salir de ella cuando quiera. La noche a que me refiero lo entendí perfectamente. Era puro e inhumano, era independiente, tenía alas. Estaba desposeído del pasado y no me preocupaba el futuro. Estaba más allá del éxtasis. Cuando abandoné la oficina, plegué mis alas y las escondí bajo la chaqueta.

La sala de baile estaba justo frente a la entrada lateral del teatro al que solía ir por las tardes en lugar de buscar trabajo. Era una calle de teatros y solía quedarme horas sentado allí y entregado a los sueños más violentos. Toda la vida teatral de Nueva York estaba concentrada en aquella única calle, por lo que parecía. Era Broadway, era el éxito, la fama, el oropel, la pintura, el telón de amianto y el agujero en el telón. Sentado en los escalones del teatro, solía mirar la sala de baile de enfrente, la hilera de farolillos rojos que incluso en verano estaban encendidos. En cada ventana había un ventilador giratorio que parecía arrojar la música a la calle, donde se descomponía con el discordante estrépito del tráfico. Frente al otro lado del baile había un urinario y también en él solía sentarme de vez en cuando con la esperanza de ligarme a una mujer o dar un sablazo. Sobre el urinario, al nivel de la calle, había un quiosco con periódicos y revistas extranjeras; la simple visión de aquellos periódicos, de las extrañas lenguas en que estaban impresos, era suficiente para dejarme trastornado para todo el día.

Sin la menor premeditación, subí las escaleras hasta el baile, fui derecho a la ventanilla de la cabina donde Nick, el griego, estaba sentado con un taco de boletos delante. Como el urinario de abajo y los escalones del teatro, aquella mano del griego me parece ahora una cosa separada e independiente: la enorme mano peluda de un ogro procedente de algún horrible cuento de hadas escandinavo. Era la mano la que me hablaba siempre, la que decía: «La señorita Mara no va a venir esta noche», o: «Sí, la señorita Mara vendrá esta noche». Era la mano con la que soñaba de niño, cuando dormía en la alcoba de la ventana con barrotes. En mi sueño febril, aquella ventana se iluminaba de repente para revelar al ogro aferrado a los barrotes. Noche tras noche, el monstruo peludo me visitaba, aferrándose a los barrotes y rechinando los dientes. Me despertaba cubierto de sudor frío, la casa a obscuras, la habitación en absoluto silencio.

Parado junto a la pista de baile, la veo venir hacia mí; viene con las alas desplegadas, la ancha y llena cara oscilando magnífica sobre la larga columna del cuello. Veo a una mujer de dieciocho años quizás, o treinta tal vez, pelo negroazulado y ancha cara blanca, una cara llenita cuyos ojos brillan centelleantes. Lleva un traje de chaqueta de terciopelo azul. Recuerdo vivamente ahora la plenitud de su cuerpo y que el pelo era fino y liso, peinado a raya, como de hombre. Recuerdo la sonrisa que me dirigió —inteligente, misteriosa, fugitiva—, una sonrisa que surgió de súbito, como un soplo de viento.

Todo el ser estaba concentrado en la cara. Podría haber cogido la cabeza sola y habérmela llevado a casa; podría habérmela colocado al lado por la noche, en el almohadón, y haber hecho el amor con ella. Cuando la boca y los ojos se abrían, todo el ser resplandecía desde ellos. Había una iluminación que procedía de alguna fuente desconocida, de un centro oculto en lo profundo de la tierra. No podía pensar en otra cosa que en la cara, en el extraño carácter, como de matriz, de la sonrisa, en su absorbente inmediatez. La sonrisa era tan dolorosamente rápida y fugitiva, que parecía el destello de un cuchillo. Aquella sonrisa, aquella cara, se elevaban sobre un largo cuello blanco, el cuello firme, cisneiforme, de la médium... y de los perdidos y los condenados.

Estoy parado en la esquina bajo las luces rojas, esperando a que baje. Son cerca de las dos de la mañana y ella está acabando. Estoy en Broadway con una flor en el ojal y me siento absolutamente limpio y solo. Hemos pasado casi toda la noche hablando de Strindberg, de un personaje suyo llamado Henriette. Escuché con tanta atención, que entré en trance. Fue como si, con la primera frase, hubiésemos iniciado una carrera... en direcciones opuestas. ¡Henriette! Casi inmediatamente después de mencionar ese nombre, se puso a hablar de sí misma sin perder de vista del todo a Henriette en ningún momento. Henriette estaba unida a ella por una larga cuerda invisible que manejaba imperceptiblemente con un dedo, como el vendedor ambulante que se mantiene un poco apartado de la tela negra sobre la acera, indiferente en apariencia al pequeño mecanismo que está dando saltitos sobre la tela, pero que se traiciona con el movimiento espasmódico del dedo meñique al que lleva atado el hilo negro. Henriette soy yo, mi yo auténtico, parecía decir. Quería que creyese que Henriette era en realidad la encarnación del mal. Lo dijo con tal naturalidad, con tal inocencia, con un candor casi subhumano... ¿cómo iba yo a creer que lo decía en serio? Lo único que podía hacer era sonreír, como para demostrarle que estaba convencido.

De repente, la siento llegar. Vuelvo la cabeza. Sí, ahí viene de frente, con las alas desplegadas y los ojos brillantes. Ahora veo por primera vez qué tipo tiene. Avanza como un ave, un ave humana envuelta en una gran piel suave. El motor va a todo trapo: siento ganas de gritar, de dar un bocinazo que haga aguzar el oído al mundo entero. ¡Qué manera de andar! No es andar, sino deslizarse. Alta, majestuosa, llenita, dueña de sí misma, corta el humo y el jazz y el resplandor de la luz roja como la reina madre de todas las lúbricas putas de Babilonia. En la esquina de Broadway, justo frente al urinario, está sucediendo esto. Broadway: es su reino. Esto es Broadway, Nueva York, América. Ella es América a pie, alada y sexuada. Es el *lubet*, la abominación y la sublimación... con una pizca de ácido clorhídrico, nitroglicerina, láudano y ónice en polvo. Opulencia tiene y magnificencia: es América, buena o mala, y el océano a cada lado. Por primera vez en mi vida el continente entero me acierta de lleno, me acierta entre los ojos. Esto es América, con búfalos o sin ellos; América, la rueda de esmeril de la esperanza y la desilusión. Lo que hizo a América la hizo a ella, hueso, sangre, músculo, globo ocular, andares, ritmo, aplomo, confianza, descaro y tripas vacías. Está casi encima de mí, con la cara llenita brillando como el calcio. La gran piel suave se le desliza del hombro. No lo nota. No parece importarle que se le caiga la ropa. Le importa tres cojones todo. Es América avanzando como un rayo hacia el almacén de cristal dc la histeria de sangre roja. América, con o sin piel, con o sin zapatos. América a cobro revertido. *¡Y largaos, cabrones, antes de que os peguemos un tiro!* Lo siento en las entrañas, estoy temblando. Algo viene hacia mí y no hay modo de esquivarlo. Viene ella de cabeza, por la ventana de cristal. Si al menos se detuviera un segundo, si al menos me dejase tranquilo un momentito. Pero no, ni un momento me concede. Veloz, despiadada, arrogante como el Destino mismo está sobre mí, una espada que me traspasa de parte a parte...

Me lleva de la mano, la aprieta. Camino a su lado sin miedo. Dentro de mí centellean las estrellas; dentro de mí, una gran bóveda azul, donde hace un momento resonaban los motores violentamente.

Se puede esperar toda una vida por un momento así. La mujer a la que nunca esperabas conocer está ahora sentada frente a ti y habla y es exactamente como la persona con quien soñabas. Pero lo más extraño de todo es que antes no habías advertido que habías soñado con ella. Todo tu pasado es como haber estado durmiendo mucho tiempo y, si no hubieras soñado, no lo habrías recordado. Y también el sueño podría haber quedado olvidado, si no hubiese habido memoria, pero el recuerdo está ahí, en la sangre, y la sangre es como un océano en que todo se ve arrastrado, salvo lo que es nuevo y más substancial incluso que la vida: LA REALIDAD.

Estamos sentados en un pequeño compartimento del restaurante chino de la acera de enfrente. Por el rabillo del ojo capto el parpadeo de las letras iluminadas que suben y bajan en el cielo. Sigue hablando de Henriette o tal vez de sí misma. Su gorrito negro, su bolso y la piel están junto a ella en el banco. Cada pocos minutos enciende un nuevo cigarrillo que arde mientras habla. No hay principio ni fin;

sale a chorros de ella como una llama y consume todo lo que esté al alcance. No hay modo de saber cómo o dónde empezó. De repente, se encuentra en medio de un largo relato, uno nuevo, pero siempre es el mismo. Su charla es tan informe como el sueño: no hay surcos, ni paredes, ni salidas, ni paradas. Tengo la sensación de sumergirme en una profunda red de palabras, gatear penosamente para volver a la cima de la red, mirarla a los ojos e intentar encontrar en ellos algún reflejo del significado de sus palabras... pero no logro encontrar nada, nada excepto mi propia imagen titilando en un pozo sin fondo. Aunque no habla sino de sí misma, no consigo formarme la menor imagen de su ser. Se inclina hacia adelante, con los codos en la mesa, y sus palabras me inundan; ola tras ola rodando sobre mí y, sin embargo, nada se forma en mi interior, nada que pueda captar con la mente. Me está hablando de su padre, de la extraña vida que llevaron en la linde de Sherwood Forest, donde nació, o al menos *estaba* hablándome de eso, pero ahora es de Henriette otra vez de quien habla, ¿o de Dostoyevski? —no estoy seguro—, pero el caso es que de repente comprendo que ya no está hablando de ninguna de esas cosas, sino de un hombre que la llevó a su casa una noche y, cuando estaban en el porche dándose las buenas noches, de pronto se agachó y le levantó la falda. Se detiene un momento como para asegurarme que de eso es de lo que quiere hablar. La miro perplejo. No puedo imaginar por qué ruta hemos llegado a este punto. *¿Qué hombre?* ¿Qué le había estado diciendo él? La dejo proseguir, pensando que volverá a referirse a eso, pero no: ha vuelto a dejarme atrás y ahora parece ser que el hombre, *ese* hombre, ya está muerto, se suicidó, y está intentando hacerme entender que fue un golpe terrible para ella, pero lo que en realidad parece sugerir es que está orgullosa de haber conducido a un hombre al suicidio. No puedo imaginar al hombre muerto; sólo puedo imaginarlo en el porche levantándole la falda, un hombre sin nombre, pero vivo y perpetuamente fijo en el acto de agacharse para alzarle la falda. Hay otro hombre, que era su padre, y lo veo con una fila de caballos de carreras o a veces en una pequeña posada en las afueras de Viena; más que nada, lo veo en la azotea de la posada haciendo volar cometas para pasar el tiempo. Y entre ese hombre que era su padre y el hombre del que estaba locamente enamorada no puedo hacer distinción. Es alguien en su vida de quien prefiere no hablar, pero, aun así, vuelve a referirse a él todo el tiempo y, aunque no estoy seguro de que *no* fuera el hombre que le levantó la falda, tampoco estoy seguro de que no fuese el hombre que se suicidó. Quizá fuera el hombre del que empezó a hablar, cuando nos sentamos a comer. Recuerdo ahora que, cuando nos sentamos, empezó a hablar, bastante febril, de un hombre al que acababa de ver entrar en la cafetería. Mencionó incluso su nombre, pero lo olvidé al instante. Pero recuerdo que dijo haber vivido con él y que él había hecho algo que no le había gustado —no dijo qué—, por lo que lo había abandonado, lo había dejado sin más ni más, sin una palabra de explicación. Y entonces, justo cuando estábamos entrando en el restaurante chino, se habían encontrado cara a cara y ella estaba aún temblando, cuando nos sentamos en el pequeño compartimento... Por un largo instante siento el mayor desasosiego. ¡Quizá fueran mentiras todas las palabras que decía! No mentiras corrientes, no, algo peor, indescriptible. Sólo en ocasiones sale también la verdad así, sobre todo si piensas que no vas a volver a ver nunca a la persona a la que hablas. A veces puedes decir a un perfecto extraño lo que nunca te atreverías a revelar a tu amigo más íntimo. Es como quedarse dormido en medio de una fiesta; te llegas a interesar tanto por ti mismo, que te quedas dormido. Cuando estás profundamente dormido, te pones a hablar con alguien, alguien que ha estado todo el tiempo contigo en la habitación y, por tanto, entiende todo, aunque empieces en el medio de una frase. Y quizá esa otra persona se quede dormida también, o haya estado dormida siempre, y por eso ha sido tan fácil encontrarla, y, si no dice nada que te perturbe, sabes que lo que estás diciendo es real y cierto y que estás del todo despierto y no hay otra realidad que ese estar durmiendo del todo despierto. Nunca en mi vida he estado tan despierto y tan profundamente dormido a un tiempo. Si el ogro de mis sueños hubiera doblado los barrotes y me hubiese cogido de la mano, me habría muerto de miedo y, por consiguiente, ahora estaría muerto, es decir, dormido para siempre y, por tanto, siempre en libertad y nada sería ya extraño ni incierto, aun cuando lo que ocurrió no hubiera sucedido. Lo que ocurrió debió de suceder hace mucho tiempo, por la noche sin duda. Y lo que ahora está ocurriendo sucede también hace mucho tiempo y no es más cierto que el sueño del ogro y los barrotes que no cedían, excepto que ahora los barrotes están rotos y aquella a la que temía me tiene cogido de la mano y no hay diferencia entre lo que temía y lo que es, porque estaba dormido y ahora estoy durmiendo del todo despierto y ya no hay nada más que temer, ni que esperar, sólo esto que es y no tiene fin.

Quiere irse. Irse... Otra vez su cadera, ese deslizarse escurridizo, como cuando bajó del baile y se acercó a mí. Otra vez sus palabras... «De repente, sin razón alguna, se agachó y me levantó la falda.» Se está echando la piel en torno al cuello; el gorrito negro hace resaltar su cara como un camafeo. La cara redonda, llenita, con mejillas eslavas. ¿Cómo pude soñar esto, sin haberlo visto nunca? ¿Cómo pude saber que se alzaría así, cercana y maciza, con la cara blanca, llenita y lozana como una magnolia? Tiemblo cuando su macizo muslo me roza. Parece incluso un poco más alta que yo, aunque no lo es. Es por la forma como alza la barbilla. No se fija en dónde camina. Camina *sobre* las cosas, adelante, adelante, con los ojos muy abiertos y mirando al vacío. Sin pasado y sin futuro. Hasta el presente parece dudoso. El yo parece haberla abandonado y el cuerpo se lanza rápido hacia adelante, con el cuello lleno y alto, blanco como la cara, lleno como la cara. Sigue hablando en esa voz baja y ronca. Sin principio y sin fin. No soy consciente ni del tiempo ni del paso del tiempo, sólo de la intemporalidad. Tiene la pequeña matriz de la garganta conectada con la gran matriz de la pelvis. El taxi está junto a la acera y ella aún está mascando la paja cosmológica del yo exterior. Tomo el tubo acústico y conecto con el doble útero. ¡Hola, hola! ¿Estás ahí? ¡Vamos! Sigamos: taxis, barcos, trenes, lanchas con motor; playas, chinches, carreteras, desvíos, ruinas; reliquias, viejo mundo, nuevo mundo, muelle, espigón; el alto fórceps, el trapecio oscilante, la zanja, el delta, los caimanes, los cocodrilos, charla, charla y más charla; después calles otra vez y más polvo en los ojos, arcos iris, aguaceros, desayunos, cremas, lociones. Y, cuando hayamos atravesado todas las calles y sólo quede el polvo de nuestros pies frenéticos, aún quedará el recuerdo de tu ancha cara llenita, tan blanca, y la gruesa boca con frescos labios entreabiertos, los dientes blancos como la tiza y perfectos todos ellos y en ese recuerdo nada puede cambiar en modo alguno, porque esto, como tus dientes, es perfecto...

Es domingo, el primer domingo de mi nueva vida y llevo el collar de perro que me ataste al cuello. Una nueva vida se extiende ante mí. Empieza con el día de descanso. Estoy tumbado de espaldas en una ancha hoja verde y miro el sol que estalla en tu matriz. ¡Qué estruendo produce! Todo eso a propósito para mí, ¿eh? ¡Si al menos tuvieras un millón de soles dentro de ti! ¡Si al menos pudiese quedarme tumbado aquí para siempre disfrutando con los fuegos artificiales del cielo!

Estoy suspendido sobre la superficie de la Luna. El mundo está en un trance como de matriz: el yo interior y el exterior están en equilibrio. Me prometiste tanto, que, aunque nunca salga de esto, dará igual. Me parece que he estado 25.960 años exactamente dormido en la negra matriz del sexo. Me parece que quizá durmiera 365 de más. Pero, en cualquier caso, ahora estoy en la casa en que debo estar, entre los seises y lo que queda detrás de mí está bien y lo que queda delante está bien. Vienes hasta mí disfrazada de Venus, pero eres Lilith y lo sé. Mi vida entera está en la balanza, voy a disfrutar de este lujo por un día. Mañana inclinaré los platillos. Mañana el equilibrio habrá acabado; si vuelvo a encontrarlo alguna vez, será en la sangre y no en las estrellas. Está bien que me prometas tanto. Necesito que me prometan casi todo, pues he vivido demasiado tiempo en la sombra del Sol. Quiero luz y castidad... y un fuego solar en las entrañas. Quiero que me defrauden y desilusionen para poder completar el triángulo superior y no estar alzando continuamente el velo del planeta al espacio. Creo todo lo que me dices, pero también sé que todo resultará distinto. Te considero estrella y trampa, piedra para inclinar la balanza, juez de ojos vendados, agujero en el que caer, sendero que recorrer, cruz y flecha. Hasta ahora he viajado en sentido opuesto al del Sol: en adelante, voy a viajar en dos direcciones, como Sol y como Luna. En adelante encarno dos sexos, dos hemisferios, dos cielos, dos conjuntos de todo. En adelante tendré articulaciones de goma y sexo doble. Todo lo que ocurra sucederá dos veces. Seré como un visitante de esta Tierra, participando de sus maravillas y llevándome sus dones. No serviré ni seré servido. Buscaré el fin en mí mismo.

Vuelvo a sacar la cabeza para mirar el Sol: mi primera mirada plena. Está rojo como la sangre y los hombres caminan por los tejados. Todo lo que hay por encima del horizonte está claro para mí. Es como el domingo de Pascua. La muerte está detrás de mí y el nacimiento también. Ahora voy a vivir entre las enfermedades de la vida. Voy a vivir la vida espiritual del pigmeo, la vida secreta del hombrecillo en la soledad del bosque. Exterior e interior han intercambiado sus lugares. El equilibrio ya no es la meta: hay que destruir los platillos. Déjame oírte prometer otra vez todos esos tesoros solares que llevas dentro de ti. Déjame intentar creer por un día, mientras descanso al aire libre, que el sol trae buenas noticias. Déjame pudrirme en el esplendor, mientras el sol estalla en tu matriz. Creo todas tus mentiras implícitamente. Te considero la personificación del mal, la destructora del alma, la maharani de la noche. Clava tu matriz en mi pared para que pueda recordarte. Debemos irnos. Mañana, mañana...

Septiembre de 1938.
Villa Seurat, París.

Biografía

Henry Miller nació en Brooklyn (Nueva York) el 26 de diciembre de 1891, donde estudió en el City College y tuvo una juventud muy agitada. Desempeñó diversos oficios, entre otros uno en la administración del ayuntamiento neoyorquino. En 1930 se traslada a París, donde vivió la época de la bohemia. Allí trabajó como periodista y escribió varias novelas, la primera de las cuales fue *Trópico de Cáncer*. Durante años se le consideró un autor maldito, pero ya se ha reconocido la importancia de su obra. Entre sus obras principales se encuentran, además de la ya mencionada, *Trópico de Capricornio*, *El coloso de Marusi* y la trilogía «La crucifixión rosada», formada por *Sexus*, *Plexus* y *Nexus*. Falleció el 7 de junio de 1980 en Pacific Palisades (California).

Otros títulos de la colección

La Reina del Sur
Arturo Pérez-Reverte

Instinto de Inez
Carlos Fuentes

La verdad de las mentiras
Mario Vargas Llosa

Las llamadas perdidas
Manuel Rivas

El malestar en la globalización
Joseph E. Stiglitz

Entrenar el cuerpo, mejorar la vida
Bernardino Lombao

La casa de hielo
Inger Frimansson

Rojo Brasil
Jean-Christophe Rufin

Nacidos en la Tierra
Orson Scott Card

Paz interminable
Joe Haldeman

Sushi
Suzanne Visser

Carpe Diem
Alfonso Ussía

Félix de Lusitania
Jesús Sánchez Adalid

Cuentos malvados
Espido Freire

Baile en el aire
Nora Roberts

Malas
Carmen Alborch

Paradero desconocido
Kressmann Taylor

Sólo una muerte en Lisboa
Robert Wilson